Contre-histoire de la philosophie

V

L'EUDÉMONISME SOCIAL

LA CONTRE-HISTOIRE DE LA PHILOSOPHIE COMPREND :

I. LES SAGESSES ANTIQUES
II. LE CHRISTIANISME HÉDONISTE
III. LES LIBERTINS BAROQUES
IV. LES ULTRAS DES LUMIÈRES
V. L'EUDÉMONISME SOCIAL
VI. LES RADICALITÉS EXISTENTIELLES *(à paraître)*

(autres parutions de l'auteur en fin de volume)

MICHEL ONFRAY

Contre-histoire de la philosophie

V

L'EUDÉMONISME SOCIAL

BERNARD GRASSET
PARIS

ISBN 978-2-246-68931-7

SOMMAIRE

(Contre-histoire de la philosophie, cinquième partie :)

L'EUDÉMONISME SOCIAL

« La machine broie les os des ouvriers »

NIETZSCHE, *Considérations inactuelles*, I.

« La division du travail est le principe de la barbarie »

NIETZSCHE, *Naissance de la tragédie*, fragments divers.

« Les mots d'usine, de marché du travail, d'offre et de demande, de productivité (relèvent) du jargon des négriers et des employeurs »

NIETZSCHE, *Considérations inactuelles*, I.

Contre-histoire de la philosophie, cinquième partie

L'eudémonisme social

INTRODUCTION

Stupide XIXe siècle ?

1

De Hegel à Husserl... A la suite de Léon Daudet, le militant de l'Action française qui vomit 1789 dans *Les Morticoles* (1894), on a souvent fustigé *le Stupide XIXe siècle,* titre de l'un de ses ouvrages paru en 1922. Pour quelles raisons a-t-on eu recours à cette expression pour caractériser les cent années qui, en gros, séparent la mort d'Emmanuel Kant (1804) de la publication de *La Science des rêves* de Sigmund Freud (1900) ? Ou bien, selon d'autres références, la parution de *La phénoménologie de l'esprit* de Hegel (1807) de l'année pendant laquelle Nietzsche sombre dans la folie (1889) ? Pour quelles raisons en effet, sinon pour reléguer le siècle du socialisme et du communisme, de l'anarchisme et des révolutions, aux poubelles de l'Histoire où la droite réactionnaire aimerait les confiner définitivement ?

Ce siècle commence avec la naissance de Victor Hugo (1802), ou *Le Génie du christianisme* de Chateaubriand l'année d'avant, et se termine avec la musique de Ravel – *Pavane pour une infante défunte* – ou les théories de Max Planck sur les quanta. Ouverture avec Fichte, Hegel, Schelling; fermeture avec Freud, Bergson et Husserl. Goya, David, Turner, Ingres pour commencer; Cézanne, Matisse, Picasso pour finir... Rappelons que *Les Demoiselles d'Avignon* datent de 1907! Cette année-là, Anton von Webern compose son premier opus. Cent années marquées par la vitesse, l'accélération, l'emballement du temps, la folie chronologique que la révolution industrielle a portée et emportée avec elle...

Dans la sixième promenade de ses *Rêveries du promeneur solitaire* (1782), Rousseau raconte combien il se croit loin du monde et des hommes qu'il fuit pour trouver son bonheur; il dit le réconfort et la consolation de la nature, de la forêt, des ravins, des précipices; il jouit des plantes et des fleurs lorsqu'il herborise; puis, plus encore, il se repaît de sa solitude totale... C'est alors qu'il entend un léger cliquetis, un bruit régulier. Le philosophe s'arrête, s'allonge, écoute, écarte des branches et découvre... une « manufacture dans un précipice » !

Les glosateurs de l'université, carte géographique en main, pensent que, là aussi, là encore, Rousseau exagère; que dans la configuration topographique, le précipice n'en est pas vraiment un, que le sublime n'est pas aussi sublime, et que, peut-être, la manufacture n'est peut-être pas tant dans le ravin que ça... ravin qui d'ailleurs pourrait bien n'être qu'une petite dépression géologique... Rousseau tel qu'en lui-même! N'importe, ce qui compte ici, c'est sa prescience : si le réel ne ressemble pas vraiment à la réalité, il finira bien par s'y conformer un jour. Ce que le penseur atrabilaire enseigne, à savoir la fin du temps virgilien et l'avènement des temps industriels, la mort des campagnes et le règne des usines, voilà des vérités avec lesquelles le siècle suivant va devoir composer. L'auteur des *Confessions* ignorait combien sur ce point l'Histoire lui donnerait raison !

2

Mots et maux du siècle. La vérité du XIXe siècle tient dans quelques mots nouveaux qui, évidemment, recouvrent et nomment des réalités nouvelles. *Communisme,* par exemple, se trouve dès 1797 dans le *Monsieur Nicolas,* de Restif de La Bretonne, mais le mot reste relativement inusité jusqu'en 1840, date du banquet communiste de Belleville qui rassembla mille deux cents personnes à l'exclusion explicite des socialistes. Ajoutons que l'idée communiste existe en amont, par exemple chez Campanella, Mably, Morelly entre autres modernes. Le mot *socialisme,* quant à lui, date de 1831. Il se répand en France grâce à Pierre Leroux dans son livre *Egalité* – mais le terme existait déjà en italien dès 1803, ou en Angleterre chez Owen dès 1822. *Anarchiste* se trouve pour la première fois sous la plume de Pierre Joseph Proudhon dans *Qu'est-ce que la propriété ?* en 1840. Ce syntagme lui sert pour expliquer sa position politique singulière : le penseur socialiste récuse et refuse toute autorité et tout gouvernement venus d'en haut, à quoi il préfère les logiques d'une horizontalité contractuelle.

Capitalisme existe depuis longtemps, car son principe est aussi vieux que le monde... L'étroite définition marxiste du terme (le système économique construit sur la propriété privée des moyens de production) ne rend pas justice de la réalité et de la vérité de la chose, car la logique économique de la propriété privée fait la loi depuis l'aurore du monde. Ainsi la possession du coquillage de forme ou de couleur originale, donc rare, et sa transformation en marchandise échangeable, illustrent déjà l'une des modalités (primitives) du capitalisme. Après le néolithique, on chercherait en vain une période dans l'histoire de l'humanité où les échanges économiques n'aient pas été régulés par ce système de production et d'échange des biens. Dès 1753 – le mot existe sous la plume d'Helvétius –, le mot *capitaliste* nomme la personne qui possède des richesses. Le sens moderne date du milieu du XIXe siècle.

Libéraliste quant à lui apparaît en 1818 sous la plume de Maine de Biran. Dans l'acception de l'époque, pas encore politisée, le terme qualifie le défenseur des libertés, la personne qui, dans un temps autoritaire, travaille à l'élargissement des libertés, de pensée, d'expression, de publication, d'enseignement et d'un certain nombre de libertés associées – dont celle du commerce. Cette acception laisse ensuite la place à une définition plus politique, plus économique également : en vertu de ce sens précis, le libéralisme refuse l'intervention de la puissance publique dans les affaires de l'industrie, de la manufacture, de la production.

Le libéral souhaite donc que l'Etat existe, bien sûr, mais qu'il laisse les producteurs libres de produire comme ils l'entendent. A charge pour l'Etat de s'occuper de l'ordre public – justice, police –, de la sûreté du territoire – armée –, de la monnaie – garanties fiduciaires. Pour le reste, l'adage « laissez faire, laissez passer » suffit pour toute doctrine... Jeremy Bentham agit en philosophe emblématique de ce courant d'économie politique qui nomme également un courant philosophique. Le marché doit faire la loi, car la « main invisible » veille à produire l'ordre juste qui en découle mécaniquement et nécessairement – l'apparition de cette fameuse main date de 1776, on la trouve dans le livre VI de *La Richesse des nations* d'Adam Smith. Or ce fantasme relève de la plus pure utopie, ce que confirme le réel depuis trois siècles.

3

L'utopie libérale. Le libéralisme s'enracine dans une *téléologie* chrétienne en même temps qu'il néglige, oublie, ou passe par-dessus l'*éthique* de l'amour du prochain issue des Evangiles. Dès lors, à partir d'un désordre visible, cette extravagante main invisible produit finalement un ordre voulu par un genre d'Etre suprême rompu aux logiques du marché. Ce *Dieu économiste des libéraux* entre en contradiction avec le *Dieu d'amour des Evangiles*, car les vertus habituellement associées au magistère de Jésus passent un mauvais quart d'heure sous le régime économique des fidèles d'Adam Smith.

Au bout du compte, le libéralisme est un utopisme aussi dangereux, sinon pire parce que plus savamment travesti, que celui des communistes, car il sacrifie à une téléologie fantasque au nom de laquelle, en laissant faire la main invisible, on obtiendrait la richesse des nations qui, par une étrange et inexplicable opération du Saint-Esprit libéral, permettrait, via l'enrichissement de quelques-uns, la prospérité de tous. Or Bentham ne donne pas la recette de cette extravagante transmutation. Donner les moyens de la richesse des nations ne suffit pas à enrichir *toutes* les individualités qui les constituent : le réel en témoigne, seule une poignée d'élus, une *minorité* choisie (probablement par le corps céleste, divin, invisible qui va avec cette fameuse main...), se retrouve à la tête d'un magot.

Mais ce Dieu à la main invisible n'est pas regardant sur le prix à payer pour l'enrichissement des nations. Son coût ? La négation pure et simple de la morale évangélique. Car la paupérisation, corrélat inévitable de l'enrichissement, justifie et légitime la pauvreté des pauvres, la richesse des riches, la raréfaction des riches et, dans le même mouvement, l'augmentation du nombre de pauvres puis l'accroissement de la richesse des riches concomitante à celle de la pauvreté des pauvres. Le Dieu qui veut, ou du moins tolère, laisse faire ce genre d'opération immorale, n'entretient pas grande relation avec la parole évangélique...

4

Anatomie du libéralisme. Le libéralisme dissocie économie, politique et morale. Du moins : morale chrétienne. Pour justifier sa logique, il dispose d'une morale nouvelle, l'utilitarisme, qui, avec son présupposé conséquentialiste (le bien se confond au bon que définit l'utile pour réaliser le souverain bien qu'on se propose, à savoir la production de la richesse des nations...), légitime *moralement* la recherche du profit et des bénéfices, puis excuse la négation de la dignité des hommes transformés en producteurs, travailleurs, ouvriers, prolétaires. L'utilitarisme libéral fonctionne de pair avec un cynisme éthique. Il n'est pas amoral, mais immoral, et les philosophes qui le défendent élaborent cette immoralité à l'ombre des manufactures.

Leur père à tous se nomme Mandeville, Bernard de Mandeville (1670-1733). Ce fils de médecin, médecin lui-même, spécialisé en psychiatrie, naît en Hollande, voyage en Europe, s'installe en Angleterre, apprend la langue en quelques mois, puis traduit des fables de La Fontaine. Il écrit un poème de 433 octosyllabes intitulé *La Ruche contente ou Les coquins devenus honnêtes* et le publie en 1705. En 1714, il incorpore cette fable à un texte plus développé : *La Fable des abeilles ou Les vices privés font le bien public.* Le second tirage paru la même année précise ainsi le sous-titre : « contenant plusieurs discours qui montrent que les défauts des hommes, dans l'humanité dépravée, peuvent être utilisés à l'avantage de la société civile et qu' on peut leur faire tenir la place des vertus morales ».

Loin des versions libérales présentables d'un Locke, d'un Montesquieu ou d'un Tocqueville, gens policés comme il se doit, sinon masqués, Mandeville avance franchement, de manière cynique, voire cruelle : sa fable dit tout haut ce que les libéraux pensent tout bas. N'oublions pas qu'il traduit pour les Anglais le travail de La Rochefoucauld et d'autres moralistes français : Mandeville pense par-delà le bien et le mal, en chirurgien, en anatomiste, en légiste pour qui le libéralisme se déduit d'une anthropologie, sinon d'une vision de l'homme, désespérante.

5

Les vices privés font les vertus publiques. Que dit cette fable ? Soit une ruche prospère, vivant dans le luxe et le confort, brillant de tous ses feux grâce à ses armes et ses lois, ses sciences et son industrie, ignorant tout autant la tyrannie que la « versatile démocratie », gouvernée par un roi limité par les lois. Dans cette communauté d'abeilles, certains travaillent dur, péniblement, d'autres vivent dans le luxe, l'abondance, et ce sans jamais reculer devant ce qui passe habituellement pour vicieux : mensonge, vilenie, hypocrisie, fourberie. Les seconds ne travaillent pas, leur activité consiste à détrousser les premiers.

Dans le détail de cette ruche, les avocats lambinent, car, plus ils font traîner leurs affaires, plus ils se remplissent les poches ; les médecins préfèrent leurs honoraires à la santé de leurs malades ; les militaires marrons, faciles à soudoyer, perdent les batailles pendant que les valeureux partis au combat paient de leur vie leur engagement sincère ; les embusqués font fortune ; les rois et les ministres, insoucieux du bien public, pillent les caisses ; les vendeurs, les commerçants trichent sur le prix de leurs marchandises et volent le chaland ; la justice se laisse acheter, elle rend ses jugements en fonction des sommes perçues ; les magistrats épargnent les puissants, chargent les misérables ; rien que de très normal... Un portrait de la vie courante d'hier, d'aujourd'hui et de demain... Chaque partie est vicieuse, certes, mais le tout est prospère : les crimes contribuent à la grandeur, les canailles au bien commun, le paradis se bâtit avec des morceaux d'enfer...

Le luxe, qui paraît si détestable à quelques-uns, fournit le travail au plus grand nombre. Même chose avec les passions dites mauvaises, prétendues indéfendables, tels l'orgueil, l'envie, la vanité, qui génèrent de leur côté nombre d'industries utiles à la prospérité de la nation. Le vice entretient l'esprit d'invention et le tropisme industrieux : les pauvres en bénéficient, car il y va de leur travail, de la sûreté et de la sécurité de leur emploi, de leur salaire, de leurs revenus, de leur vie, de leur survie, autant que de leur bien-être.

Et puis, chambardement conceptuel, Bernard de Mandeville imagine un genre de coup d'Etat de la morale moralisatrice : Jupiter tonne et décide que tout cela doit disparaître, qu'il faut nettoyer les écuries d'Augias, faire le net, en finir avec le vice et imposer la vertu. La population maudit la politique, demande de la morale, elle veut de la probité. Jupiter débarrasse la ruche de toute malhonnêteté. Advient alors le règne de la vertu... Le philosophe fabuliste examine les conséquences – Helvétius avait lui aussi pratiqué ce genre d'exercice de politique-fiction dans *De l'homme*.

Conséquences : les prix chutent, puisque les vendeurs les fixent honnêtement, sans escroquer le client; les prétoires se vident, car plus aucun litige ne survient depuis que les débiteurs paient les sommes dues de leur plein gré; les huissiers se tournent les pouces et n'ont plus de travail; la délinquance disparaît; les prisons se vident; les serruriers qui vivaient de ce commerce mettent la clé sous la porte; les geôliers chôment; le bourreau n'a plus de tâche. Dans le même temps, les médecins effectuent vraiment leur travail, donc le nombre de leurs collègues diminue dangereusement; les prêtres, de moins en moins utiles, sont réduits à la portion congrue; une fois n'est pas coutume, il ne leur reste plus qu'à pratiquer la charité; les ministres vivent dans la frugalité; les parasites s'évaporent... Afin de payer leurs dettes, puisqu'ils sont devenus honnêtes, les créanciers vendent à bas prix équipages, carrosses et chevaux. Dès lors, les artisans qui vivaient de ce commerce font faillite : les châteaux disparaissent pour une ridicule poignée d'argent; les maçons, les charpentiers, les tailleurs de pierre et tous les artisans du bâtiment n'ont plus de chantiers. Les buveurs ayant vidé les tripots, les tenanciers de débits de boisson ne font plus recette. La vertu triomphant, la chasteté menant le bal, les filles de petite vertu, les maquerelles, les souteneurs n'ont plus un sou. Les soupers fins ne sont plus donnés, donc les cuisiniers, les serveurs, les gens de service, les fournisseurs chôment. Les vêtements de soie, de brocart, brodés d'or, les tissus précieux n'ont plus aucune raison d'être, en conséquence les tailleurs, les marchands de tissus, les cousettes, les petites mains sont sans emploi. Les militaires, qui vivaient de passions vicieuses – orgueil immodéré, vanité, poursuite d'honneurs et de vaine gloire... –, refusent de porter les armes, ils ne défendent plus le territoire national et laissent entrer quiconque veut s'en emparer... Plus aucun mercenaire ne peut plus être appelé à la rescousse.

La ruche dépérit, sa splendeur passée n'est plus, et elle a décru proportionnellement à la montée de l'honnêteté. Les multitudes vertueuses qui vivaient du vice des riches perdent leur travail, s'appauvrissent et subissent une plus grande misère qu'avant. Leçon de cette histoire, morale de la fable : cessons de nous plaindre du cours vicieux du monde, la vertu conduit au dépérissement des nations, le vice en augmente la richesse et la prospérité qui sont les causes du bonheur commun. Se vouloir honnête, c'est se condamner à vivre de glands... Certes, après le règne absolu de la morale, la vertu triomphe totalement, mais rien d'autre avec elle, car tout ce qui n'est pas elle a péri.

6

Vivent les pauvres ! Mandeville remet le couvert cynique avec un texte intitulé *Essai sur la charité et les écoles de charité* et l'ajoute à l'édition de 1723 de sa *Fable des abeilles.* En 1729, il persiste et signe en vantant les mérites de la prostitution. Les raisons ? Les écoles de charité entravent le mouvement libéral, elles contrarient les gestes de la main invisible, elles se mettent en travers de l'ordre naturel des choses... L'éducation des enfants pauvres fausse les lois de l'embauche car elle supprime l'abondance d'une main-d'œuvre servile facile à sous-payer.

Et puis, dit le fin connaisseur des moralistes français, les motivations des riches philanthropes auxquels on doit ces maisons de charité se trouvent à des années-lumière de l'éventuelle pureté d'un geste noble : à la racine de ces actions prétendues charitables, on ne trouve qu'amour-propre et amour de soi. Qu'on ne compte donc pas sur Mandeville pour glorifier de prétendues vertus (la charité) là où s'épanouissent des vices réels (l'orgueil)... La mécanique cynique de Bernard de Mandeville fonctionne sur le même principe qui justifie la prostitution au nom de la prospérité publique.

Le livre de Bernard de Mandeville soulève des tollés. A l'époque, on joue sur la signification anglaise de son nom : Mandeville, *Man-Devil*, devient l'*Homme-Diable*, le diabolique. L'Eglise condamne son cynisme et met son livre à l'index. Le bourreau la brûle en 1745 – trop de jansénisme dans ces options, pas assez dans la ligne catholique apostolique et romaine. Rien à voir avec une condamnation *morale* : l'Eglise promulgue une condamnation *politique*. Les jésuites veillent : on ne peut ouvertement donner les clés du machiavélisme de l'économie politique libérale. Qu'au moins les formes soient respectées, la Compagnie de Jésus veille au grain...

Au XVIIIe, mais aussi au XIXe, puis aux siècles suivants, les tenants du libéralisme consentent, peu ou prou, à mots couverts, avec plus ou moins d'arrogance et de cynisme, aux analyses de *La Fable des abeilles* de Bernard de Mandeville : liberté du marché ; ordre naturel ; main invisible ; identification de la prospérité des nations au souverain bien ; téléologie utopiste du bonheur de l'humanité ; faux calcul annonçant que la richesse des nations engendre celle des individus qui la constituent ; et négation de la paupérisation induite par cette vision métaphysique du monde.

En face de cette logique libérale et déiste, des philosophes enseignent la fausseté de pareilles opinions et la nécessité, pour réaliser la prospérité de la nation, d'assurer d'abord celle des singularités qui la constituent. On nomme ceux-là les socialistes, quelles que soient les formes données à cette revendication éthique quintessenciée. Les socialistes mettent l'économie au service des hommes alors que les libéraux pratiquent l'inverse.

7

L'invention des socialismes. Le socialisme prend des formes multiples. Il s'étend d'une aile droite à une aile gauche, voire d'extrême gauche, en passant par des formes modérées : John Stuart Mill, par exemple, illustre le *socialisme libéral*, voire le *socialisme réformiste*; Robert Owen incarne un *socialisme paternaliste* dans ses usines, puis un *socialisme communiste* dans ses communautés américaines; Charles Fourier développe un *socialisme lyrique*, sinon *romantique*; Michel Bakounine pour sa part théorise un *socialisme libertaire*. On pourrait également parler du *socialisme sociologique* de Saint-Simon, du *socialisme chrétien* de Lamennais, du *socialisme humanitaire* de Pierre Leroux, du *socialisme mutuelliste* de Proudhon, etc.

On aurait tort d'avaliser la distinction opérée par Engels en 1878 dans l'*Anti-Dühring*. L'ami de Marx distingue le *socialisme scientifique*, le sien, du *socialisme utopique*, celui des autres, de tous les autres, y compris ceux qu'il a abondamment pillés sans toujours les citer – Flora Tristan en premier lieu, mais aussi Owen ou Proudhon. La séparation entre le sérieux, lui, et les fantasques, les autres, relève de l'opération de propagande, du militantisme politique qui ne recule devant aucun moyen, y compris la calomnie, pour laisser croire que ses adversaires transformés en ennemis développent des pensées creuses, inconsistantes, insuffisamment développées.

Au regard de toutes ces opérations de police intellectuelle, de ces intimidations de polémique violente – lire *Misère de la philosophie* qui répond à *Philosophie de la misère* de Proudhon... –, et considérant le désir qu'a Marx de dominer le champ politique socialiste de son temps, on constate que l'auteur du *Capital* transforme tous les socialistes qui le précèdent en porteurs d'eau tout juste bons à préparer son avènement. D'où le qualificatif indu utilisé par l'historiographie dominante qui parle de *socialisme prémarxiste*...

De même l'opposition entre l'utopie socialiste et le réalisme libéral, les premiers rêvant, idéalistes, plus soucieux du devoir-être du monde que de son être réel, les seconds réalistes, pragmatiques, composant avec le monde comme il est, constitue une autre erreur à rectifier. La main invisible des libéraux équivaut à la mythologie du prolétariat émancipateur de l'humanité. La téléologie libérale paraît tout aussi déraisonnable que celle des socialistes qui envisagent une humanité pacifiée par l'appropriation collective des moyens de production...

8

Le siècle de la paupérisation. La révolution industrielle dépasse les contraintes de la nature à l'aide d'une multitude de technologies nouvelles et d'inventions notables qui marquent l'histoire de l'humanité dans le sens du progrès. Ainsi le télégraphe, le phonographe, la photographie, le cinéma, qui modifient notre rapport au monde par l'abolition les distances, la présentification de l'absence, l'éternisation du fugace, l'arrêt et la maîtrise du temps.

Le moteur crée des temps nouveaux : désormais, le

temps virgilien des rythmes de la nature, celui des paysans, des apiculteurs, des marins, le temps de la terre et de la mer, des saisons et des astres, coexiste avec le temps industriel généré par le moteur : bateaux à vapeur, chemins de fer, automobiles... L'homo sapiens maîtrise les éléments : l'air avec les montgolfières, les dirigeables, les premiers aéroplanes; l'eau avec la navigation à moteur, mais également avec les premiers essais de navigation sous-marine; la terre, avec les moyens de transport motorisés.

La campagne s'efface, elle laisse place au règne des villes. Le grand romancier du XIXe siècle est probablement moins le Zola des *Rougon-Macquart*, encore moins le Balzac de *La Comédie humaine*, que le Jules Verne (1828-1905) du *Tour du monde en quatre-vingts jours* (1863), de *Cinq Semaines en ballon* (1875), du *Voyage au centre de la Terre* (1864), *De la Terre à la Lune* (1865) et de *Vingt Mille Lieues sous les mers* (1870), autant d'annonces programmatiques...

Certes Jules Verne écrit le roman de la révolution industrielle et technologique, mais en même temps, en revers de cette médaille, et pour compléter le portrait du siècle, il faut lire Charles Dickens (1812-1866) comme un phénoménologue de la pauvreté (notamment *Oliver Twist* (1837-38)), ou bien encore la programmatique trilogie *Jacques Vingtras* (1879, 1881, 1886) de Jules Vallès (1833-1885). Car ce siècle, s'il est bien celui de la révolution industrielle, est également celui de la paupérisation, le premier temps expliquant le second.

9

Flora contre Karl. Pour répondre à la question : « qu'est-ce que le capitalisme ? », on a coutume de renvoyer au *Capital* (1867) de Karl Marx (1818-1893). Un premier fort volume, et deux autres constitués de matériaux préparatoires, un chantier jamais achevé, voilà le livre en question. On y aborde le capitalisme par la porte étroite de la mécanique économique. Le lecteur devient incollable sur la valeur d'usage et la valeur d'échange, il n'ignore plus rien des distinguos entre plus-value absolue, plus-value relative, ou bien encore capital constant ou capital variable, il connaîtra la loi d'accumulation ou celle de la baisse tendancielle des taux de profit. Aguerri sur le sujet du mouvement circulaire du capital, de la fétichisation de la marchandise ou de la formation du salariat, il peut sans barguigner devenir un capitaliste hors pair, informé par la phénoménologie de cette machine à produire des richesses.

Mais on peut aussi aborder le capitalisme moins par une *analyse économique* que par la *biographie critique* qu'en donne Flora Tristan dans un livre au titre presque fleur bleue – *Promenades dans Londres* – que tempère fort heureusement un sous-titre nettement plus programmatique : *ou L'aristocratie et les prolétaires anglais*. Le livre date de 1840. La seconde édition, en 1842, s'intitulera *La Ville monstre* et s'ouvrira avec cette dédicace : « Aux classes ouvrières », qui ne cache pas ses intentions. On passe souvent sous silence le fait qu'Engels a lu le livre et que nombre de ses informations se retrouvent sans références dans *La Situation de la classe laborieuse en Angleterre* qui paraît en 1845, un an après la mort de Flora Tristan...

Mais qui est Flora Tristan (1803-1844) ? Ouvrière coloriste, voyageuse en Europe, mais aussi au Pérou dont elle rapporte un récit de voyage, *Pérégrinations d'une paria* (1833-34), mal mariée à un époux qui la brutalise sexuellement et qu'elle quitte pour vivre seule avec ses enfants, militante en faveur du divorce, abolitionniste en matière de peine de mort, dénonciatrice du colonialisme américain, elle rencontre Fourier et Owen à Paris. Dans la rue, son ex-mari lui tire dessus avec un revolver : le procès public mouvementé révèle une ardente féministe qui revendique le droit à une égalité intégrale avec les hommes. Elle souhaite l'union des travailleurs exploités et leur constitution en « classe ouvrière », en appelle à la fin de la misère des peuples. Au cours d'un long voyage militant dans les villes de France, épuisée, malade, Flora Tristan rend l'âme à Bordeaux. Elle avait quarante et un ans. Dans sa descendance, via sa fille Aline, on compte un certain Paul Gauguin.

10

Une biographie du capitalisme. Pour écrire ses *Promenades dans Londres,* Flora Tristan ne s'enferme pas dans une bibliothèque comme Marx quand il travaille sur le capitalisme assis à son bureau ou dans la salle de lecture du British Museum. Elle va sur place à la rencontre physique de la misère, elle visite, côtoie des gens, parle, voit, se rend compte par elle-même, sans la médiation intellectuelle des livres, des statistiques ou des études.

Jour après jour, elle se rend dans une fonderie pour assister au travail des ouvriers, elle parle à des gens dans les taudis, elle rencontre des prostituées dans des maisons closes, elle dialogue avec des prisonniers dans leurs cellules, elle côtoie les malades mentaux dans un asile d'aliénés. Ici elle se déguise en garçon turc pour pénétrer dans la Chambre des communes interdite aux femmes; là elle assiste à des réunions de chartistes; ailleurs elle visite des « salles d'asile » où elle assiste à des leçons données à de jeunes enfants issus de la classe ouvrière.

Elle veut la fin de la misère et « le bonheur commun », donc la liberté, l'affranchissement et l'égalité. Pour ce faire, elle constate la collusion entre l'Ecole, l'Eglise et la Presse – déjà. Elle décrit ce qu'elle voit : un esclavage plus grand chez les prolétaires que chez les esclaves de couleur, car, dit-elle, chez les premiers la misère n'a pas de cesse même après la journée de travail; elle affirme la nature exécrable des conditions de travail des ouvriers : saleté partout, crasse répugnante, exposition à des fumées toxiques, à des vapeurs nocives; elle souligne le rôle abrutissant pour le corps et pour l'esprit, pour l'intelligence et la santé mentale, de la division du travail qui contraint inexorablement à la répétition des tâches; elle parle du corps des travailleurs : l'alcoolisme pour tenir le coup dans cet enfer, les maladies professionnelles, les accidents du travail, le rachitisme, la mortalité élevée; elle souligne le dénuement en tout : pas de meubles, de vêtements, pas de nourriture, pas d'argent, évidemment, à cause des salaires de misère, pas de lit, pas de chauffage.

Flora Tristan effectue une lecture politique de ce tableau. Quand elle aborde la prostitution, elle ne moralise pas, mais constate que les femmes vendent leur corps parce qu'on ne les a ni éduquées, ni formées à un métier, qu'elles sont « les prolétaires des prolétaires ». Elle donne d'autres raisons à ce déplorable état de fait : l'inégale répartition des richesses en tête ; l'interdiction de l'héritage pour les femmes ; l'absence de droits civiques ; l'inexistence d'emplois rémunérés ; le manque de compassion du clergé anglican ; l'impunité des souteneurs, des clients violents, des mères maquerelles, des rabatteurs. Elle rapporte les ravages de la syphilis et des autres maladies vénériennes, de l'alcoolisme aussi. Elle pointe la haute mortalité des classes laborieuses, la prostitution des enfants...

Dans les prisons, elle constate là aussi, là encore, la corrélation entre incarcération et pauvreté, délinquance et misère sociale. La prison ne remet pas dans le circuit social, elle est une école du crime. Il faut agir sur les causes du crime et non punir le crime lui-même. Flora Tristan se met en colère car parfois on enferme des enfants avec leur mère pour des larcins dérisoires ; elle s'insurge contre la disparité des peines, l'injustice de la justice, la clémence pour les puissants, la sévérité à l'endroit des misérables ; elle se bat contre les tortures et les mauvais traitements infligés aux récidivistes ; elle refuse qu'on exploite les prisonniers en sous-payant leur travail ; elle milite pour l'abolition de la peine de mort.

Que propose-t-elle pour lutter contre ces « anthropophages modernes » que sont les libéraux et la cohorte de ceux qui les accompagnent ? Un autre système social que le capitalisme brutal, une alternative politique à même de supprimer la misère produite par le marché libre. Elle veut l'union ouvrière, le mutuellisme, la force de la collectivité, le programme socialiste radical qu'elle va tâcher de constituer dans l'infime poignée d'années qui lui restent à vivre – moins de cinq.

On lui doit ces phrases extraites de *L'Union ouvrière* (1843), cinq ans avant le *Manifeste du Parti communiste* de Marx-Engels : « prolétaires, unissez vous », il faut réaliser « l'union universelle des ouvriers et des ouvrières », et encore « constituer la classe ouvrière », car « l'émancipation des travailleurs sera l'œuvre des travailleurs eux-mêmes »... Elle souhaitait des « Palais de l'Union ouvrière » dans lesquels auraient été instruits intellectuellement et manuellement les enfants d'ouvriers afin qu'ils puissent devenir « les agents moralisateurs des hommes du peuple ». Voit-on ce que deviendra cette idée chez Marx théoricien de « l'avant-garde éclairée du prolétariat » ? On y accueillerait les ouvriers infirmes ou blessés, les vieux. Une cotisation alimenterait une mutuelle autogérée utile pour faire face aux maladies, aux accidents du travail, au chômage.

Dans sa vie et dans son œuvre, dans ses livres et dans ses conférences, Flora Tristan veut le « bien-être général ». L'histoire du XIXe siècle se réduit, pour une part essentielle, à *l'augmentation libérale de la paupérisation* et, simultanément, ceci expliquant cela, au *désir socialiste de l'amoindrir ou de la supprimer.* Bernard de Mandeville ou Flora Tristan ? *La Fable des abeilles* ou *La Ville monstre*? Libéralisme ou socialisme ? Hier comme aujourd'hui, le choix ne souffre pas grande alternative...

PREMIER TEMPS

Les libéralismes utopiques

I

WILLIAM GODWIN

et « le bonheur général »

1

Le chat du dimanche. Dans son œuvre majeure, l'*Enquête sur la justice politique et son influence sur la morale et le bonheur d'aujourd'hui* (1793), William Godwin place, parmi les motifs qui constituent un être et créent sa singularité, des forces involontaires qu'on n'appelle pas encore inconscientes, des formatages intellectuels dès le ventre maternel, des habitudes contractées très tôt dans l'enfance, et des influences éducatives au sens large du terme – rencontres, parents, école, milieu, accidents existentiels. Rien de très nouveau par rapport à Helvétius, le philosophe qu'il a particulièrement lu, aimé et médité. Mais si l'on cherche selon ces principes ce qui a construit William Godwin, que trouve-t-on ?

La documentation manque pour une analyse précise, certes, mais on constate très vite et très tôt, sous un aspect qui semble particulièrement lourd et durable, un formatage spirituel protestant, plus particulièrement calviniste, via son père qui officiait en dissident dans l'ordre puritain des Indépendants. Ce courant religieux brille par son austérité morale, la rigueur de ses mœurs, sa dureté dans les rapports humains, son inclination pour l'universel, son rationalisme exacerbé, sa passion égalitaire. Cette tendance spirituelle fut persécutée par le pouvoir d'Etat jusqu'à la Révolution de 1688, car les « glassistes » enseignaient la redistribution des richesses dans la tradition des « levellers » (les niveleurs) du XVIIe. Mon hypothèse de lecture est que, loin d'être le père de l'anarchisme, Godwin s'inscrit dans la tradition glassiste protestante.

Celui que l'historiographie des philosophes, mais aussi celle des libertaires, présente si souvent comme le père de l'anarchisme (l'a-t-on toujours vraiment lu pour écrire une pareille chose ?) incarne bien plutôt un genre de penseur prophète dont tout le travail consiste à rendre possible sur terre, le jour venu, par la pratique d'une philosophie ad hoc, un genre de paradis dans lequel toute négativité, toute contradiction, tout mal, toute souffrance auraient disparu et dans lequel régnerait une harmonie totale entre les hommes vivant pareils à des dieux dans un réel pacifié, harmonieux et joyeux... Les anarchistes y voient la préfiguration de leur utopie, mais le prophétisme calviniste peut aussi y trouver largement son compte...

Septième enfant sur treize, William Godwin naît le 3 mars 1756 à Wisbech, dans le canton de Cambridge. Le père et le grand-père furent pasteurs. La mère ne semble pas très instruite, en revanche, elle manifeste une piété de fer comme il convient à une épouse fidèle et soumise à son époux. L'éducation de ses premières années est confiée, contre une rétribution minime, à une cousine germaine paternelle vivant sous le toit familial. Vieille fille, elle donne elle aussi dans un calvinisme qui confère à l'enfant une formation spirituelle élevée. Cette formation exclusivement mentale s'accompagne d'une négligence de la chair qui transforme l'enfant en étranger à l'endroit de son propre corps.

Godwin rapporte une colère de son père qui lui reprocha vertement à l'âge de cinq ans de s'amuser avec un chat dans le jardin familial un dimanche, jour du Seigneur... Après un déménagement du pasteur, l'enfant est éduqué par une maîtresse d'école octogénaire et, bien évidemment, calviniste elle aussi sur le même principe que les précédentes. Entre cinq et huit ans, elle lui fait lire la Bible intégralement... A la mort de la vieille dame, on le place chez le tailleur du village qui dirige en même temps une école.

2

L'enfant prédicateur. A cette époque, William Godwin joue à prêcher dans la maison paternelle. Grimpé sur une chaise, il harangue un public imaginaire et se prend pour un ministre du culte – comme papa. Un peu plus tard, il embauche des enfants de son âge afin de développer ses talents de prédicateur. On dit qu'il produit déjà à cette époque des effets considérables sur son auditoire en herbe par son talent pour mettre en scène les affres du péché et ses conséquences. L'enfant décrit les tourments de l'enfer comme s'il y passait ses vacances – sinon l'essentiel de son temps...

Un nouveau déménagement des parents met en contact William Godwin, alors âgé de dix ans, avec un pasteur de Norwich qui passe pour le plus radical des radicaux ! Pour donner un peu l'ambiance, Godwin écrit du fameux pasteur : « Si Calvin a damné quatre-vingt-dix-neuf pour cent des hommes, Sandeman a imaginé le moyen de damner quatre-vingt-dix-neuf pour cent des calvinistes »...

A seize ans il perd son père, apparemment sans aucune souffrance disent ses biographes – or, ne rien dire ne signifie pas forcément ne rien ressentir... Mais la formation hyper-spirituelle de l'enfant, son dressage religieux, son horizon strictement limité aux histoires chrétiennes, son défaut de rapport au monde en dehors du temple, son impossibilité de rencontrer autre chose que des pratiquants forcenés, sa vision des femmes réduite aux vieilles bigotes, la fréquentation d'un père vivant dans l'angoisse de sa propre disparition, la négation de toute enfance et de tout corps en lui, tout cela fait que William Godwin entre dans l'adolescence avec un état psychique déplorable.

Sans surprise, il entre à l'âge de dix-huit ans au Collège d'Hoxton afin de devenir pasteur. Formation exclusivement axée sur la théologie et la discussion : Bible et rhétorique à hautes doses. Frénétiquement, Godwin obéit à tout ce qu'on lui demande, il lit sans discontinuer sur les sujets religieux. Et toujours il revient au calvinisme, horizon indépassable de sa vision du monde. Dans les débats, il se montre capable de mettre à mal ses formateurs. Il lit et travaille tout un été de cinq heures du matin à minuit en ne s'occupant que de théologie et de métaphysique.

3

Du tempérament libertaire. En 1778, à vingt-trois ans, le voilà pasteur. Nommé à Ware, il fait la rencontre de Joseph Fawcet, un collègue qui augmente le côté dissident de la secte calviniste en refusant que le pouvoir d'Etat mette son nez dans les affaires religieuses. Le vieux pasteur critique avec virulence l'épiscopat et son fonctionnement hiérarchique. Il fait confiance à l'examen rationnel de l'individu porté par la foi. Fawcet défend avec une volonté farouche la liberté, toutes les libertés. S'il existe un moment où le tempérament libertaire, plus que la pensée anarchiste, se manifeste dans la vie de Godwin, il semble qu'une fois de plus ce soit dans un contexte religieux...

En 1781, une autre rencontre l'oriente vers son destin de prophète libertaire et de philosophe iréniste : Frederic Norman, grand lecteur et admirateur des philosophes français, lui fait connaître cette pensée alternative aux visions religieuses du monde. Coup de foudre intellectuel : Godwin lit le *Contrat social* de Rousseau, l'œuvre complète d'Helvétius, le *Système de la nature* de D'Holbach, il dévore Mably, découvre le *Traité des délits et des peines* de Beccaria, puis Voltaire et Montesquieu. A la lumière de cet éclairage nouveau, Godwin infléchit sa pensée vers le déisme. Car déisme et protestantisme fonctionnent volontiers de conserve : la religion protestante est moins que sa sœur catholique une ennemie déclarée de la raison et de l'intelligence. Le passage de

Godwin, via les philosophes, du théisme protestant au déisme philosophique, semble donc moins une conversion radicale ou un changement de cap, qu'un infléchissement méthodologique : Godwin laisse de côté la raison théologique du calvinisme au profit de la raison pure de la philosophie, mais le projet intellectuel, éthique, métaphysique ne devient pas pour autant radicalement autre. Le ton change, mais l'esprit demeure : la raison doit contribuer à la fabrication du salut.

4

La chair d'un homme sans chair. Godwin est une âme sans corps, un pur cérébral sans chair, sans véritable désir visible, sans passion autre que la raison, un homme sans plaisirs connus. Certes il construit un système hédoniste et utilitariste en vertu duquel le plaisir définit le souverain bien et la souffrance le mal absolu, mais il n'oublie pas de préciser qu'il faut viser plus haut que l'individu, si peu notable à ses yeux, car ce qui importe c'est le bonheur de la communauté, le salut de la collectivité – ce que l'étymologie latine nommerait la joie de l'*ecclesia,* autrement dit de l'Eglise...

On le dit colérique, irascible, rigide, rompant avec ses amis par intransigeance, on le dit caractériel, on le présente préférant la froideur de la vérité et l'austérité de l'idée, à la chair palpitante d'une relation amicale, affective, voire amoureuse. Sujet à de brusques sautes d'humeur, très émotif – ce qui témoigne plus pour l'absence de manifestation de sentiment que pour l'absence de sentiment... –, il est victime de syncopes qu'un diagnostic contemporain rapprocherait de symptômes hystériques. Handicapé affectif et sensuel, il semble qu'à la quarantaine, lorsqu'il envisage une première relation avec une femme, il n'en ait jamais touché aucune...

Au physique, la chose ne paraît guère plus ragoûtante : petit, laid, fort, chauve avec une grosse tête, un grand nez, sa voix est faible et, dit-on, il donne toujours l'impression d'être endormi. Totalement dépourvu de sens pratique, empêtré dans le quotidien, il est définitivement chez lui dans son bureau, à sa table de travail, protégé du monde par ses piles de livres. Difficile avec une allure pareille, et un psychisme à l'avenant, de faire des ravages chez les dames !

L'élue de son cœur – de son âme plus probablement... – se nomme Mary Wollstonecraft, elle assure les fonctions de gouvernante en Irlande. On lui doit des livres pour enfants, mais également une *Défense des droits de la femme* parue en 1792, un ouvrage féministe emblématique. Elle fut jadis amoureuse, à Paris, d'un Américain avec lequel elle eut une petite fille prénommée Fanny. Quand l'amant quitte la dame, elle tente de se suicider par noyade, échoue, puis rencontre quelque temps plus tard Godwin à Londres. Mariage en 1797, le philosophe vient d'entrer dans la quarantaine.

Pourtant, dans son *Enquête*, Godwin n'a pas de mots assez durs pour fustiger le mariage... Pour tâcher de sauver la face (car le livre a été un grand succès public, notamment en vertu de cette thèse à l'époque révolutionnaire...) et ne pas sembler en contradiction flagrante avec ses écrits – ce qui fut si souvent le cas... –, le mariage est tenu secret. En revanche, l'ouvrage critiquant la cohabitation, le philosophe se fait au moins sur ce sujet le disciple de lui-même : chacun vit chez soi et l'on s'envoie des petits billets pour s'inviter à partager un repas...

Ou plus si affinités, et il y en eut... Car la féministe accouche d'un enfant le 30 août 1797. Elle est nommée Mary comme sa mère. Quelques jours plus tard, le 10 septembre, éprouvée par une naissance difficile, Mary Wollstonecraft meurt en laissant Godwin seul avec le nourrisson et Fanny, l'enfant de son amant américain. Dans la foulée de la disparition, Godwin écrit les *Mémoires de Mary Wollstonecraft* dans lesquelles il confesse son affectation.

Faut-il le croire ? Car quatre mois plus tard, Godwin manifeste son désir d'épouser Harriet Lee. Le récent veuf lui propose le mariage, la presse, l'accable de lettres dans lesquelles il prend le contre-pied des thèses de l'*Enquête* et vante les mérites du sacrement, tout en argumentant pour souligner l'horrible danger d'une vie solitaire et célibataire ! Elle est croyante, le déisme de Godwin passe dans l'Angleterre de l'époque pour de l'athéisme, sa réputation sulfureuse fait reculer la dame qui refuse.

Econduit, Godwin repart en chasse d'une nouvelle épouse et profite du veuvage tout frais d'une jeune femme de vingt-huit ans, Mme Reveley. Il recommence sa cour sur le même principe ! La courtisée demande un délai de décence, elle argue que la mort de son époux trois semaines plus tôt lui interdit d'envisager un si prompt remariage. Godwin pique un coup de sang intellectuel, et argumente – toujours le prêche... – contre la bienséance assimilée aux vertus bourgeoises, donc inutile... Une anecdote parfait le portrait du philosophe : Godwin s'étonne que la jeune femme refuse d'épouser « l'un des hommes les plus illustres de son temps »...

L'année suivante, en 1801, la troisième tentative est la bonne, il finit par mettre la bague au doigt d'une Mme Clairmont, une voisine courtisée de balcon à balcon. Elle a deux enfants d'un précédent mariage, il en a deux lui aussi, Fanny et Mary. Ils en font un pour leur compte, ce qui porte la famille à une épouse acariâtre, un philosophe intransigeant et cinq enfants à domicile. Godwin avait théoriquement raison : la cohabitation est pratiquement un enfer. Il ne tardera pas à expérimenter la justesse de ses idées... Et à plonger socialement.

5

Le philosophe à succès. Godwin a connu le succès avant d'entrer dans une réelle misère. Les tentatives de séduction des trois femmes n'étaient d'ailleurs pas étrangères à la réputation de l'auteur de l'*Enquête* qui fut un événement de librairie et de salon, puis de polémiques journalistiques et intellectuelles. Ainsi, on rapporte qu'Harriet Lee fut séduite par la conversation, le brillant intellectuel et la rhétorique de son prétendant; que Mme Reveley avait pleuré en apprenant le mariage de Godwin avec Mary Wollstonecraft, et, pendant la période de flirt, qu'elle trouvait Godwin trop intelligent pour elle; on dit également que Mme Clairmont, un jour de balcon, apprenant le nom de son voisin célèbre, se serait écriée : « Que vois-je ! Mais c'est l'immortel Godwin ! » Tout cela contribue à faire de Godwin un personnage content de lui...

L'*Enquête sur la justice politique et son influence sur la morale et le bonheur d'aujourd'hui* paraît en 1793 sous la forme de deux forts volumes. Godwin en a personnellement fixé le prix à un haut niveau afin de ne pas être lu par n'importe qui ! Précisons, pour information, (et afin de goûter le sel de l'anecdote, sinon de mieux comprendre le fonctionnement du personnage...) que la thèse essentielle de l'ouvrage consiste à éclairer le plus grand nombre d'individus possible afin de réaliser le plus promptement qui soit une société parfaite grâce à l'échange, à la conversation, à la persuasion et à la rhétorique... Notamment à partir des idées contenues dans l'*Enquête*...

Avant ce gros œuvre qu'il amendera parfois en modifiant quelques-unes de ses thèses radicales – d'une édition à l'autre, il affirme par exemple l'absolue égalité de tous les hommes à la naissance avant de soutenir ensuite le contraire ; il dit aussi qu'au cours d'une vie on agit essentiellement par raison et non par sentiment, puis profère l'inverse plus tard... –, avant ce travail massif donc, il a signé des articles politiques dans la presse, une romance pastorale et divers textes sans intérêt philosophique.

L'*Enquête* devient l'opus magnum. Sa matière intellectuelle s'enracine profondément dans la Révolution française et débouche sur l'utilitarisme philosophique – le grand mérite intellectuel de Godwin. Son ami Thomas Paine, parti à Paris, avait écrit *Les Droits de l'homme*, laissant à ses proches, dont Godwin, le soin d'en assurer la publication. On sait combien la lecture des philosophes des Lumières a converti le pasteur Godwin à la raison pure. Sa première épouse féministe avait également signé une *Défense des droits de l'homme* dès 1790. Godwin avait été emballé par les événements français, il trouvait que l'Histoire procédait du combat des philosophes, mais que le peuple, pour lequel il n'a pas grand goût, l'avait gâchée à cause de son impréparation intellectuelle.

L'ouvrage lui vaut un franc succès du côté des poètes, notamment Coleridge et Wordsworth. Certains envisagent de ramasser de l'argent afin de fonder des colonies godwiniennes aux Etats-Unis. On y incarnerait les principes d'utilitarisme social, d'eudémonisme collectif, d'hédonisme communautaire, d'éthique libertaire, dans des microcommunautés soucieuses de *pantisocracy* – absence de gouvernement – et d'*asphétérisme* – absence de propriété privée, doublée d'une mise en commun de tous les biens.

6

Le grand-père de Frankenstein. Parmi les poètes admirateurs de Godwin, on trouve Percy Bysshe Shelley. La rencontre s'effectue au moment de la période descendante du philosophe. La Révolution française, qui avait tant séduit en Europe, déçoit proportionnellement à son devenir bourgeois. Dans cette perspective de respectabilité de la Révolution, la Terreur laisse comme un goût de sang dans la bouche de ses anciens thuriféraires. 1789, la prise de la Bastille, la nuit du 4 août qui consacre l'abolition des privilèges, la Déclaration des droits de l'homme et du citoyen, en un mot, la Révolution qui ouvre la voie au pouvoir de la bourgeoisie remplaçant l'aristocratie, voilà une ligne de force.

Une autre ligne de force se fait jour avec la décapitation de Louis Capet, le couperet de la guillotine actionné par Robespierre – le bras armé, pourtant, de la bourgeoisie... –, les vociférations du peuple et autres moments *vraiment* révolutionnaires de cette Révolution française... Avec Napoléon, auquel Godwin dit finalement son admiration, la Révolution s'achève en ouvrant une avenue aux possédants. Les nobles laissent la place aux propriétaires – joli résultat... La courbe de faveur qui accompagne le destin de l'œuvre et de l'homme Godwin, épouse celle de l'histoire révolutionnaire. Dès lors que celle-ci prend le tour que l'on sait avec Thermidor, le Directoire et le Consulat, cette courbe tombe donc en piqué...

Empêtré dans la cohabitation bourgeoise avec une femme détestable, contraint à faire bouillir la marmite pour une armada d'enfants issus de familles recomposées, écrivant des articles, des livres, des romans, des pièces de théâtre uniquement pour des raisons alimentaires, subissant la faillite d'une maison d'édition et d'une librairie probablement mal gérées par ses soins, Godwin voit l'arrivée de Shelley comme une bénédiction. Le poète, quant à lui, croyait le philosophe mort depuis longtemps, c'est dire...

Après *Les choses telles qu'elles sont, ou Les aventures de Caleb Williams* (1794), un roman (à succès lui aussi) qui popularise les idées de l'*Enquête*, Godwin ne parvient pas à renouer avec le succès. Il semble plutôt collectionner les échecs, les défaites, les revers. On a écrit des livres, des textes pour et contre lui, on a trahi sa pensée pour mieux la vénérer ou la discréditer, on a saturé les salons mondains de son nom, de ses frasques, on a déliré sur un mythe, on a construit une fiction à la manière du fétiche primitif pour le transpercer d'épingles ou se prosterner devant lui, on l'a peu lu, mal lu, ou pas du tout lu, bien sûr et, le vent du succès parti souffler ailleurs, Godwin connaît l'extrême solitude. Shelley arrive dans ce contexte en 1811.

Le poète rencontre le philosophe, et tombe immédiatement amoureux de sa fille Mary, née du premier mariage Wollstonecraft. Marié, Shelley a vingt-quatre ans ; célibataire, Mary en a dix-sept. Godwin a fait un succès de librairie avec un livre qui passe le mariage aux étrivières, décrie rageusement la cohabitation, fait l'éloge de l'union libre, vante les mérite d'un contrat affectif, amoureux et sexuel qui dure le temps de l'intérêt et de l'utilité, mais ce même Godwin s'illustre dans le plus ridicule des retours d'œdipe, jaloux, réactionnaire, conservateur et, pour tout dire, pitoyable. Colère totale à l'annonce de l'histoire d'amour de sa fille et du poète...

Shelley et Mary s'enfuient, traversent l'Europe du nord au sud, ils visent l'Italie. Godwin, en utilitariste caricatural, fustige sa fille, incendie son amoureux, invective le couple, mais leur emprunte de l'argent... L'*Enquête* l'enseigne : si l'argent dans la poche du philosophe produit une plus grande utilité en contribuant plus efficacement au bien de la communauté, s'il augmente l'intérêt général plus que l'intérêt du seul poète, alors il est légitime qu'il se trouve dans le pourpoint du lecteur d'Helvétius ! Shelley donne, Godwin empoche – ce qui ne l'empêche pas de tonner contre les amoureux illégitimes...

L'épouse de Shelley se suicide par noyade. Désormais libre, le poète épouse Mary – bientôt enceinte des œuvres de l'auteur de *La Reine Mab*... L'enfant qui naît porte le même prénom que son grand-père philosophe : William. En 1818, Mary, âgée de vingt et un ans, écrit un roman appelé à devenir un best-seller planétaire : *Frankenstein.* Godwin aime. Dès lors, le philosophe peut être dit le grand-père de Frankenstein... Il emprunte à nouveau de l'argent au couple, et ne le rendra pas – fidèle pour une fois à ses écrits ! Le chapitre 2 du livre II de l'*Enquête* intitulé « De la justice » raconte les mécanismes de cette logique opportuniste : l'utilité a le dos large... L'intérêt général aussi.

Juillet 1822, Shelley se noie accidentellement (notons qu'une ancienne tentative de suicide par noyade de Mary Wollstonecraft, un suicide aquatique d'Harriet l'épouse de Shelley, puis la noyade de ce dernier, voilà qui fait beaucoup d'eau... sinon beaucoup de morts dans l'entourage de Godwin, si l'on ajoute le suicide par laudanum de Fanny, la fille de sa première femme, Mary Wollstonecraft, morte en couches et son propre fils victime du choléra...). Byron incinère le cadavre de Shelley sur la plage, un oiseau frôle le bûcher, revient, passe et repasse, tout se consume, fors le cœur – dit-on... Mary rentre en Angleterre avec son fils.

Godwin travaille à un ouvrage dont le titre serait *Le Christianisme dévoilé* – clin d'œil à d'Holbach, amour de jeunesse. (Le livre paraîtra de manière posthume.) Dans l'*Enquête*, un livre de plus de six cents pages, les attaques contre le christianisme tiennent en deux ou trois phrases qui épargnent le fond de la religion, l'essence du christianisme : pas un mot sur l'existence, on non, de Dieu, de l'enfer, du paradis ou du purgatoire, silence sur la matérialité, ou pas, de l'âme, nulle considération sur le péché originel. Ce que Godwin reproche au christianisme, c'est d'entraver parfois la liberté de conscience individuelle, mais voilà qui constitue seulement un péché véniel... La thèse panthéiste du livre n'empêche pas le fond calviniste de la pensée de Godwin.

En 1832, lui qui a écrit des lignes redoutables contre l'Etat-providence, lancé toutes ses flèches contre tout gouvernement, conchié même jusqu'à son principe, lâché les chiens contre les machines étatiques, obtient par piston un poste de fonctionnaire : gardien-huissier de l'Echiquier, une sinécure qu'aurait vouée aux gémonies en son temps l'auteur de l'*Enquête sur la justice*... William Godwin meurt le 7 avril 1836, âgé de quatre-vingts ans.

7

Drôle de paroissien anarchiste ! Godwin passe pour l'inventeur de l'anarchisme, probablement aux yeux des anarchistes qui, occupés par leurs textes hagiographiques et la patrologie de leur panthéon, se dispensent d'aller directement au texte. Pourtant, si l'effort était de leur culture, ils apprendraient que leur philosophe incarne bien plutôt l'*utilitarisme calviniste* que l'*anarchisme libertaire*. L'utilitarisme libertaire, si l'on veut, mais cette qualité ne suffit pas pour constituer un anarchiste à proprement parler. Tout juste, et si l'on consent à une concession de langage, un proto-anarchiste.

A l'évidence on peut prélever ponctuellement dans l'*Enquête* une foule d'informations détachées de leur contexte pour tenter de présenter Godwin en penseur anarchiste, si l'on définit l'anarchisme comme le projet de société qui vise l'abolition de l'Etat, la disparition de l'autorité et l'autogestion généralisée dans des communautés mutualistes. Mais du Proudhon défendant la guerre à Lecoin l'antimilitariste, du Bakounine optant pour la violence révolutionnaire au Sébastien Faure préférant la conviction militante par les conférences, du communautariste prince Kropotkine au solitaire égotiste Max Stirner, de la prude Louise Michel à la sexualité libérée d'Emile Armand, on trouve dans la constellation anarchiste de quoi satisfaire les convictions les plus contradictoires et les trajets les plus antinomiques! Alors Godwin anarchiste, si l'on veut, mais n'allons pas y voir de trop près...

Car la lecture attentive de l'œuvre complète montre autre chose qu'un inventeur de l'anarchisme. D'abord, le ton : Godwin s'exprime en pasteur, ce qu'il ne cesse d'être, il donne des sermons, il prêche, parfois il prophétise. Prédication anarchisante, certes, mais prédication, prédication métaphysique, éthique, politique, prédication ontologique, prédication illuminée comme on en trouve chez les penseurs millénaristes depuis Joachim de Flore ou Thomas Münzer. Godwin? Un chrétien amateur d'apocalypses plus qu'un anarchiste brandisseur de drapeau noir.

Dans le chantier de son livre majeur, la religion chrétienne est relativement épargnée. Tout juste une infime poignée de phrases sur le sujet, quelques mots sur la question, une ou deux expressions montrant moins une opposition radicale aux principes de la religion du Christ qu'une critique de la hiérarchie ecclésiastique des Eglises qui s'en réclament. Dans la logique du « Ni Dieu ni maître », on chercherait en vain les déclarations clairement athées. En cours de chemin, on trouverait en revanche une célébration du maître exigeant, sévère et rigoureux qui enseigne l'abdication de soi au profit de l'intérêt de la communauté.

Dans une formule rapide – souvent obérée à la lecture des six cents pages du livre –, Godwin défend la « vraie » religion, autrement dit une « religion nouvelle » (VII) qui procède des lois de la raison, du fonctionnement de l'entendement et des déductions de la conscience, autant d'instances compatibles avec les thèses du calviniste le plus mordu. Une religion utilitariste, donc, sans transcendance, dans la plus totale des immanences, voilà le projet de William Godwin, qui inaugure l'entrée dans cette sensibilité philosophique typiquement anglo-saxonne par un prêche laïque !

Le Godwin déiste qui entretient en passant de « l'auteur de la nature » (la page, déjà, de la « vraie religion ») n'a pas de mots assez durs pour condamner le recours à la force, l'usage de la violence, la logique révolutionnaire destinée à en finir avec un réel état d'injustice dans un pays. Le prétendu anarchiste interdit le tyrannicide, sous prétexte que le sang appelle le sang, car, dit-il, l'acte, s'il réussit, conduit au pouvoir des individus qui sont aussi des tyrans, s'il rate, il induit une répression, donc un état de brutalité plus grand encore. Drôle de paroissien anarchiste que cet apôtre en creux de l'ordre établi !

Le même philosophe célèbre le libéralisme économique, défend la propriété privée (en attendant le jour très hypothétique où elle disparaîtra !), fustige les fâcheux qui veulent réglementer la production, édicter des lois utiles pour épargner les victimes du capitalisme – sous sa plume le « système d'accumulation ». Ce système est injuste, certes, inique, bien sûr, donc on doit le changer, évidemment, mais sûrement pas par des moyens *politiques* du genre réformisme ou révolution, mais par un perpétuel mouvement militant *métaphysique*, qui suppose le débat, la discussion, la persuasion, la rhétorique, la conviction, l'échange, la promotion de la vérité. Chez William Godwin, le théologien prime l'anarchiste.

On exploite les enfants? On saigne les ouvriers? On spolie les travailleurs? On maltraite les femmes? On traite les salariés comme des chiens? Pendant ce temps les riches se gobergent? Les fortunés se roulent dans l'argent? Le luxe fait rage chez les propriétaires? Godwin sait tout ça, et très bien d'ailleurs, car l'*Enquête* contient deux ou trois très beaux tableaux de la condition misérable du plus grand nombre à l'époque, mais il interdit qu'on prenne les armes, qu'on se soulève, qu'on destitue le régime tyrannique pour installer un nouveau gouvernement de justice sociale : il faut parler, encore parler, toujours parler, ne cesser de parler, la vérité finira bien par s'imposer. On peut rêver!

Un jour les riches donneront aux pauvres, éclairés par la raison des gens raisonnables, par le discours des discoureurs convaincants, par la parole des parleurs professionnels, par l'échange d'interlocuteurs persuasifs, car il y va de l'inévitable progrès auquel il faut contribuer, mais il ne s'agit aucunement de s'installer sur le terrain politique, l'éthique suffira. Tropisme calviniste du pasteur – logique aujourd'hui d'un témoin de Jéhovah... – qui sermonne et annonce à des gens dont la barbe tombe jusqu'aux pieds que, demain, on rasera gratis... Je persiste : l'ensemble de ces propositions prophétiques calvinistes donne in fine un drôle de citoyen anarchiste...

8

L'enfer et le paradis dans le même livre. Pourquoi donc a-t-on pu faire de Godwin l'inventeur de l'anarchisme ? Comment la tradition libertaire peut-elle ignorer le déisme de ce calviniste, le libéralisme de cet utilitariste, l'aristocratisme de cet homme de temple, pour en faire le premier porteur d'un drapeau noir ? En procédant à des prélèvements intéressés, en démembrant l'ouvrage pour extraire des aphorismes libertaires, en isolant des phrases qui sentent bon la poudre à canon, en les sortant du contexte, en négligeant le mouvement général de l'œuvre grouillant sur le principe de la composition baroque.

Dans ce livre qui n'en finit pas – trois volumes dans la deuxième édition de 1796, plus d'un million et demi de signes –, Godwin expose un certain nombre d'idées personnelles, puis développe de longues incises entre guillemets qui constituent autant de remarques susceptibles de lui être faites et auxquelles il répond dans la foulée. Le philosophe examine une thèse qui n'est pas la sienne, parfois il argumente comme le ferait son adversaire, il donne le pour et le contre, puis il poursuit en imaginant l'angle d'attaque de ses interlocuteurs, avant d'en faire la critique... On sent que Godwin recycle à l'écrit les techniques rhétoriques apprises lors de sa formation de pasteur : il s'agit de persuader et de convaincre le paroissien ! Au risque du tournis intellectuel...

Dans ce fouillis de péroraisons, on trouve mieux son chemin une fois mises en évidence deux grandes lignes de force qui traversent et travaillent l'ensemble du corpus : d'une part la ligne de l'*être du monde*, d'autre part celle du *devoir-être du même monde*. D'un côté les faits, l'analyse, le démontage, la compréhension des mécanismes, la critique du monde à la charnière du XVIIIe et du XIXe siècle ; de l'autre, des tirades prospectives, des envolées lyriques sur l'avenir pacifié de l'humanité, le destin inéluctable de la société future dans laquelle toute négativité aura péri ; entre les deux mondes, pour passer de l'un à l'autre, rien, ou si peu : les petits bras de la sophistique, les frêles moyens de la rhétorique, les chétives forces de la raison utilitariste.

Chacun peut dès lors isoler les pages utiles à la démonstration de sa thèse : une fois Godwin dit du bien de la prison, de la guerre, de la propriété, du châtiment, de la loi, de l'autorité, du mensonge, de la légitime défense, du libéralisme ; une autre, il dit pis que pendre de l'ordre, de la contrainte, de la punition, de l'insincérité, de l'école, des « capitalistes » – deux seules apparitions du mot en six cents pages... Que doit-on comprendre dans le fouillis contradictoire de ces prises de position ?

Que, dans le premier cas de figure, il parle de l'être du monde avec lequel il compose tant que les hommes ne sont pas parvenus au degré de perfection leur permettant d'atteindre la société idéale vers laquelle la raison ne peut pas ne pas nous conduire, à savoir le tableau idyllique, irénique et paradisiaque qui constitue le second cas de figure. Sautant perpétuellement d'un registre l'autre, on saisit mal la position du philosophe sur les sujets abordés.

Exemple : en attendant l'avènement de la « société rationnelle » (produite par la seule grâce d'une raison militante, rappelons-le...), la prison doit exister car la société a le devoir de se protéger de tout individu qui la met en péril. Mais, dans cette perspective, seul le principe d'utilité doit guider l'administration pénitentiaire : on doit emprisonner non pas pour faire expier un forfait ou se venger, mais pour empêcher qu'il ne se reproduise. Il faut donc s'assurer qu'il pourrait se reproduire. Une fois acquise la certitude du caractère inévitable de la récidive (mais Godwin affirme l'extrême rareté des cas), l'enfermement peut être prescrit ; dès lors la privation du pouvoir de nuire suffit, et l'on accordera au prisonnier les conditions d'une incarcération digne. Evidemment, dans le « système d'égalité », la prison aura totalement disparu, car plus personne n'indexera son comportement sur l'égoïsme, persuadé de la vérité de l'utilité, convaincu de l'excellence du bien public, acquis à la cause de l'hédonisme social et converti à l'intérêt général !

Une fois démêlés les fils de cet écheveau où l'*enfer du réel présent* se confond au *paradis du réel futur*, on comprend que la critique du monde bourgeois, doublée d'une utopie marquée par le dépérissement de toute négativité, puisse fournir un matériau utile à l'anarchie. Mais cette captation d'héritage se fait en passant totalement sous silence la méthode par laquelle pourront être reliés les deux mondes : celui de la critique et celui de la positivité. Or l'accès aux lendemains qui chantent requiert moins le compagnon de route politique des révolutionnaires, ou même des réformistes, que le pasteur conduisant ses brebis vers un pâturage mystique ! Car Godwin croit au verbe capable de réaliser par magie cette abolition du vieux monde et de produire le nouveau.

9

Le prophète de l'utilitarisme. L'historiographie, quand elle parle de Godwin, souligne son manque d'idées originales, son défaut de pensée propre. Mais quel philosophe peut certifier avoir tiré de son seul chapeau son lapin philosophique ? Certes, les historiens de la philosophie peuvent jouer au jeu du collage et pointer les emprunts aux grands textes des Lumières. A ce jeu, quel penseur gagne ses galons de maréchal ? Pas même les très grands dont le coup de génie consiste à avoir fait disparaître les échafaudages afin qu'on admire le résultat de leur bâtisse. Or l'édifice de Godwin importe plus que les matériaux récupérés sur le chantier philosophique de l'Europe du XVIIIe siècle. On aurait beau jeu de montrer ce qu'il doit positivement ou négativement à tel ou tel, affaire de médecin légiste universitaire...

Godwin brille plutôt par sa synthèse réussie (même si elle apparaît sous un mode qu'on dira religieux) d'un utilitarisme appelé à un immense développement dans les pays de langue anglaise lors des siècles suivants. Car, aujourd'hui encore, l'ombre de Godwin plane sur une grande part de la philosophie anglaise, américaine, australienne, canadienne, et ce en antidote aux pensées de langue allemande qui triomphent en Europe, et plus particulièrement dans la France philosophique institutionnelle.

Même si l'*Essai de philosophie morale* (1751) de Maupertuis, *De l'esprit* (1758) et *De l'homme* (1772) d'Helvétius, le *Traité des délits et des peines* (1764) de Beccaria, le *Système de la nature* (1770) de D'Holbach, ouvrent la voie utilitariste sur le continent européen, Godwin accélère le mouvement en plaçant le principe d'utilité au cœur du dispositif de son *Enquête sur la justice politique et son influence sur la morale et le bonheur d'aujourd'hui* (1793).

Optimiste en diable, mais aussi calviniste jusqu'à la moelle, sinon iréniste forcené, Godwin affirme que la raison correspond à « l'exercice naturel de notre esprit »; il croit que le progrès existe; il écrit que ce mouvement perpétuel conduit irrémédiablement vers le meilleur, lentement, sûrement, tranquillement, imperceptiblement, mais véritablement; il accorde une absolue confiance au pouvoir salvateur de la parole, aux vertus de l'échange; il affirme l'existence d'une vérité qu'il suffirait de rendre lisible et visible pour que l'interlocuteur se trouve intellectuellement converti; il souscrit à l'idée qu'une fois transformé par la contemplation du vrai, le personnage éclairé par les lumières de la raison enclenchera un mouvement de réforme existentielle de ses comportements; il déduit que, par capillarité, et avec le temps, la raison triomphera totalement, et le monde vivra sous les auspices de la vérité.

Qu'est-ce que la vérité godwinienne? La justice. Comment s'obtient-elle? Par la mise en œuvre dans la pensée et dans l'action du principe d'utilité. L'*Enquête* s'oppose frontalement aux morales de l'intention – que Kant illustre à merveille avec sa *Métaphysique des mœurs* (1785) et sa *Critique de la raison pratique* (1788) qu'il ne cite jamais et ne semble pas avoir lu. La morale chrétienne table sur la pureté des intentions, celle de Kant aussi. Godwin les condamne sous la rubrique « systèmes de morale ascétiques et puritains » (IV. Appendice I).

A ses yeux, la morale n'est pas affaire de pureté des intentions, mais d'efficacité utilitaire. Or, que vise l'utilité ? Qu'est-ce qui est utile ? Et à qui ? La chose est clairement exprimée dans l'« Exposé des principes » qui ouvre le livre : « la justice est un principe qui se propose de produire la plus grande somme de plaisirs et de bonheur » (IV). Tout ce qui est utile à la réalisation de ce projet constitue le fin mot de la morale et de la politique, voilà la vérité, la justice et la raison.

On dispose dès lors d'une grille de lecture plus précise pour aborder le maître ouvrage de Godwin : l'histoire de la philosophie a retenu pour qualifier cette nouvelle façon de lire le monde le terme de *conséquentialisme*. Une chose n'est ni bonne ni mauvaise en soi, dans l'absolu, sur un mode qu'on pourrait dire idéaliste et platonicien, mais relativement aux effets produits, et à la plus ou moins grande réalisation de justice (donc de vérité, de raison, etc.) qu'elle permet.

Ainsi, la prison, pour revenir à elle, n'est ni bonne ni mauvaise en tant que telle, mais au regard des fins qu'elle se propose – empêcher le délinquant d'ajouter un geste qui retranche à la somme du plus grand bonheur du plus grand nombre. Même chose avec la guerre : ni un mal ni un bien en soi, mais bonne ou mauvaise au vu des fins qu'elle vise – bonne quand elle est préventive, défensive, qu'elle rend impossible le malheur d'un peuple, autre façon de contribuer à son bonheur; mauvaise quand elle procède de la logique impérialiste d'une augmentation du territoire. Idem avec le mensonge, ni condamnable dans l'absolu – à la manière du Kant de *Sur un prétendu droit de mentir par humanité* (1797) –, ni défendable dans tous les cas de figure, mais juste et bon quand il contribue à augmenter la somme de bonheur de la collectivité, injuste et mauvais quand il la diminue. La logique vaut également pour la propriété privée, qu'un juste usage indexé sur la production du bien public et la satisfaction de l'intérêt général légitime aux yeux de Godwin... De sorte qu'avec cette méthode qui examine les conséquences d'un acte pour juger de sa valeur éthique, on peut parler d'une « mathématique morale » (II.6) qui oblige chacun à se faire le sujet de la morale et de l'action par l'activation permanente d'un « calcul des conséquences » (IV. Appendice 1).

10

Casuistiques utilitaristes. Les exemples qui illustrent les extrapolations théoriques utilitaristes de Godwin ont beaucoup contribué à sa (mauvaise) réputation... Reprenons : l'utilité doit gouverner le réel, donc l'intérêt général, autrement dit le plus grand bonheur du plus grand nombre. Considérons le cas de la promesse. Est-elle bonne, est-elle mauvaise ? En soi, elle ne vaut rien. Mais relativement au principe régulateur, elle devient juste ou injuste, défendable ou non, bonne ou mauvaise.

Godwin trouve que toute promesse entrave la liberté de conscience, qu'elle grève les potentialités du futur, qu'elle dépossède de l'usage de l'entendement par la liaison à laquelle elle contraint. De plus, elle peut s'opposer à la justice – qu'il faut bien sûr préférer à tout, mais souvenons-nous que justice égale utilité... –, en conséquence de quoi la promesse doit être violée dès que j'entrevois que, par ma déliaison, je satisfais plus grandement le principe utilitaire que par ma liaison.

Les épisodes au cours desquels Godwin, fâché avec Shelley, maudissant sa fille, ne s'interdit pas d'emprunter de l'argent aux amoureux qu'il accable de sa vindicte, tout en se dispensant de les rembourser, procède de cette logique : la somme semble au philosophe plus à même, dans sa bourse, de contribuer à augmenter le bien public (car il travaille à une œuvre qui se propose cet objectif pour l'humanité entière !) que dans celle pourtant bien plate du poète qui, lui aussi, aurait pu arguer qu'en écrivant *Prométhée délivré* ou *Le Masque de l'anarchie* (sous l'influence d'ailleurs du vieux Godwin...) il concourait dans la même catégorie utilitariste et bienfaitrice que celle du beau-père atrabilaire !

L'*Enquête* le dit : si un pauvre manque de quoi se nourrir ou du nécessaire pendant qu'un riche dispose de tout cela, et de bien plus encore, puisqu'il se vautre dans le luxe et accumule du superflu, il est légitime moralement, juste philosophiquement, défendable d'un strict point de vue utilitariste, que le démuni s'empare du bien d'un trop doté. Un kantien crierait au vol ? Certes. Mais un utilitariste godwinien parlerait de « justice », Arsène Lupin, Alexandre Jacob, ou les anarchistes de la fin du XIXe siècle, de « reprise individuelle » ! On comprend ici pourquoi et comment le prophète calviniste passe parfois pour un compagnon de route des porteurs du drapeau noir !

11

Le valet de Fénelon. Godwin va plus loin. Les anarchistes l'y suivront-ils ? Fidèle à sa méthode, le philosophe pose la question ontologique majeure : un homme en vaut-il un autre ? Métaphysiquement, un être, quel qu'il soit, quels que soient son milieu, sa formation, son intelligence, sa culture, est-il l'absolu semblable d'un autre ? Le kantisme dit oui, le christianisme aussi, bénissons-les pour cette option ontologique cardinale. Godwin répond non. Un être n'en vaut pas un autre dans l'absolu, mais là aussi, là encore, il pèse relativement à son utilité. La chose est écrite sans ambages si l'on doit choisir entre deux hommes celui qui va mourir, « la vie qui doit être préférée est celle qui contribuera le plus au bien général ». Ce qui fait la valeur d'un homme n'est pas son être pur, mais son utilité sociale. On frémit en envisageant les conséquences que pourrait tirer un utilitariste soucieux de débusquer les inutilités sociales afin de les traiter de façon expéditive...

Au cas où le lecteur aurait besoin d'un exemple, Godwin le donne : imaginons une situation dans laquelle nous aurions à sauver soit Fénelon, soit son valet, tous les deux prisonniers d'un incendie dans le château du premier, archevêque de Cambrai. La règle du jeu casuistique est stricte : l'un des deux va mourir, on ne peut éviter de choisir. Considérons les deux individus : Fénelon est l'auteur d'un immortel chef-d'œuvre, *Télémaque*, qui a procuré à nombre de lecteurs européens un bienfait considérable. Une grande quantité de gens a profité de son secours intellectuel et moral.

Quant au valet, qu'a-t-il fait pour augmenter la somme de bonheur du plus grand nombre? Son métier? On le remplace. Son œuvre? Elle n'existe pas. S'il a un peu, dans son coin, contribué à l'utilité sociale, c'est en moindre quantité que Fénelon. Dès lors, après le fameux « calcul des conséquences », et en vertu des principes de la « mathématique morale », Godwin conclut : « La vie de Fénelon était en réalité préférable à celle de son valet ». A quoi le philosophe ajoute que si ce pauvre homme, ce brave homme, avait été son père, son frère ou son bienfaiteur, les choses n'en auraient pas été pour autant changées... Justice oblige! Les anarchistes suivent-ils toujours quand, au nom de l'utilité, le philosophe condamne à mort le valet pour sauver l'archevêque?

12

La tyrannie de l'utilité. Le radicalisme utilitariste, l'intégrisme utilitariste pourrait-on dire, trouve là sa limite – au-delà de laquelle se clairsèment les porteurs de drapeau noir! Car cette tyrannie de l'utilité, transformée en dieu tout-puissant, autocrate, jaloux, exigeant, furieux, signe l'arrêt de mort de l'individu et promeut l'acte de naissance d'une société toute-puissante sur les singularités. La vérité du particulier? L'universel. Godwin a beau jeu de critiquer le contrat social de Rousseau, son contrat utilitariste ressemble comme un frère au renoncement à soi constitutif de la communauté de Genevois.

Evidemment les anarchistes aiment les passages

consacrés à la fin de tout gouvernement, à la disparition de l'Etat, à l'abolition de l'autorité transcendante, mais ils oublient fort imprudemment de constater que ce qu'on a retiré au gouvernement, à l'Etat, à l'autorité, on le redonne à la société... Changement de nom pour le maître, mais pas changement de maître, ni même disparition du maître. Certes l'*Enquête* prévoit les choses à lointaine échéance, mais la logique demeure : dans la douceur de l'échange persuasif, et non dans la contrainte violente, on amènera l'individu à trouver sa vérité dans l'utilité sociale.

Le plaisir d'un individu? Le bonheur d'un particulier? La satisfaction d'une personne? La joie d'un être dans son intimité privée? De mauvaises choses si la somme de l'eudémonisme social ne s'en trouve pas augmentée. Pire : des pratiques condamnables si elles se paient d'un retranchement, même infime, à la somme du bonheur collectif total. Jouir sans entraves? Vous n'y pensez pas : dans la société godwinienne je ne suis que ce que je dois être pour le bonheur des autres, fût-ce au prix de mon propre déplaisir...

Dans nombre d'endroits du livre, Godwin célèbre le pouvoir contrôleur de l'autre son semblable et ses agissements. Mon voisin me regarde, il ne me reproche rien, certes, il ne me contraint pas, bien sûr, il n'utilise ni la force ni la violence pour me ramener dans le droit chemin, évidemment, mais, constatant que je fais primer mon utilité personnelle sur l'utilité sociale, il me parle, tâche de me convaincre, me fait savoir que je n'agis pas comme il faudrait, agit tel un directeur de conscience, un confesseur, un maître à penser, une figure de spiritualité tutélaire. Dans la douceur...

Dans le monde de Godwin, soudain réconcilié avec celui des chrétiens et des kantiens, le suicide et le duel sont formellement interdits. Non pas en raison d'une morale moralisatrice, mais toujours au regard de la morale utilitariste et conséquentialiste. Se donner la mort, c'est priver la société de mes talents, de ce que je pourrais encore lui donner de bon, de juste et d'utile, c'est donc retrancher à la société ce qui lui appartient, mon devoir étant de contribuer au bonheur collectif; même chose avec le duel, qui prélève moins la vie d'un individu qu'il ne retranche aux potentialités hédonistes de la collectivité. Godwin l'écrit clairement : « les individus n'ont aucun droit » (II). Fermez le ban...

L'utilitarisme est donc un altruisme. Autrui prime sur moi; mais je suis l'autrui des autres, moyennant quoi, la somme de jubilations en circulation est théoriquement, potentiellement, considérable. Godwin table sur cette dynamique d'allers et retours éthiques parce qu'il pose, contre toute évidence, que les hommes ne sont pas égoïstes car il existe bien plutôt chez eux une « intention bienveillante » ou une « bienveillance désintéressée ».

Les thèses de La Rochefoucauld sur le triomphe partout, toujours et tout le temps de l'amour-propre, de l'intérêt personnel? Godwin n'y croit pas... Il voit au contraire des actes généreux, des sacrifices de soi sans bénéfice personnel, des dons de sa personne sans autre motif que l'habitude contractée de faire le bien – passant sous silence la dimension jubilatoire égoïste du sacrifice de soi dans une culture qui formate à l'altruisme... Le fin mot de la société idéale de Godwin? Des hommes saturés de bonheur au spectacle de celui de leurs semblables...

13

L'euthanasie du gouvernement. Anarchiste, Godwin ? Si l'on se polarise sur sa théorie du dépérissement de la négativité et qu'on s'arrête sur le mal qui disparaît quand la raison a produit ses effets, oui. Les *fins* de son œuvre permettent effectivement un arraisonnement libertaire, en revanche, les *moyens*, non... D'une part le « système d'égalité » comme *objectif*, d'autre part l'« illumination de l'entendement » comme *méthode*. Fins et moyens, objectifs et méthode culminent dans l'« euthanasie du gouvernement ». Mais dans le projet de Godwin, la destruction occupe une part essentielle, et la construction un espace presque ridicule tant la machine à démonter a travaillé à plein régime. Des explosifs partout pour un résultat maigrichon...

Dans l'absolu de son paradis politique, Godwin n'a presque rien laissé debout. Que sont les cadavres de cette guerre d'extermination métaphysique bien plus que politique ? La fiction rousseauiste du contrat social ; le gouvernement, bien plus que l'Etat, coupable de tous les maux ; la loi, le droit ; la monarchie indépendamment de ses formes : élective, héréditaire, constitutionnelle, présidentielle, éclairée ; l'aristocratie ; la démocratie représentative ; le nationalisme, le patriotisme ; le luxe, l'argent ; les vertus bourgeoises : promesse, parole donnée, mariage, cohabitation, famille ; les techniques de pouvoir politique : école, université, impôts, travail, salariat, police, guerre, châtiments, torture, prisons, esclavage, travaux forcés ; la négativité : mort, maladie, angoisse, jalousie, ressentiment, mélancolie, souffrance, misère, exploitation, crime, servitude. Certes, certes. Mais Godwin est également contre tout ce qui permettrait l'abolition de tout cela autrement que par la vertu de la pédagogie utilitariste et de la prophétie militante...

Que faire en attendant le jour béni de la société pacifiée ? On l'a vu : pas de révolution, pas de soulèvement violent, pas de tyrannicide, pas de répartition nouvelle des richesses, pas de lois économiques, pas de réglementation du marché, pas de confiscation des biens, pas d'atteinte à la libre propriété, pas d'Etat-providence, pas de réformisme, pas d'assemblées délibératives, pas de discussions en assemblées générales, pas de vociférations populaires... Quand, d'ailleurs, aura lieu ce fameux jour ? Dans « un grand laps de temps », dit le prophète sans trop prendre de risques...

Travailler dans son bureau à l'amélioration de l'humanité, parler et apporter la bonne nouvelle utilitariste, œuvrer au changement invisible mais bien réel, apporter sa pierre au futur bel édifice, modifier insensiblement l'opinion, doucement, mais sans discontinuer, se faire l'apôtre de la révélation philosophique, raison, méthode, éducation : voilà la panacée promise par le pasteur avec la flamme de l'enfant grimpé sur sa chaise qui vendait la religion chrétienne à un petit auditoire terrorisé par le pouvoir de son verbe. Va pour les enfants, mais les autres ?

14

Le paradis? Un enfer... Imaginons le paradis anarchiste de Godwin en ramassant brièvement le maigre butin éparpillé dans l'œuvre : tous, sans distinction, ne travaillent plus qu'une demi-heure par jour et uniquement dans la perspective de produire le nécessaire d'une vie frugale, le travail est d'ailleurs devenu « un repos agréable »; des microsociétés regroupent les hommes, les femmes et les enfants de manière autogestionnaire; des « districts », des « congrès fédéraux », des « confédérations » permettent un regroupement de ces petites communautés dans le but de régler les quelques rares problèmes qui se poseraient encore; les relations amoureuses obéissent aux seuls caprices : union libre et contrat sexuel en fonction des envies, mais la béatitude semble tellement soporifique que le sexe, vieille survivance de l'état de civilisation antérieur corrompu, a laissé place à de nouvelles relations désexualisées et construites sur l'amitié ou l'affection tendre – fin de la jalousie, de l'infidélité, de l'hypocrisie, de la tromperie; la famille nucléaire ayant disparu, l'éducation des enfants ne suppose plus un père et une mère, car la communauté se charge de ce qui doit être fait – sans que Godwin, là comme ailleurs, en dise beaucoup plus sur le détail; la santé, la longévité ont été très augmentée, la puissance de l'esprit sur le corps à force d'habitude, est telle que la chair se trouve spiritualisée, conduite en tout par la raison pure; libérés des servitudes, mais presque aussi d'eux-mêmes, les membres de la communauté disposent de tout leur temps pour les loisirs : quels sont-ils ? Jouir béatement du spectacle du bonheur d'autrui...

En proposant l'« euthanasie du gouvernement » William Godwin aspire au dépérissement de toute négativité et à l'avènement d'un état ataraxique pour la collectivité et ses membres. Mais cette ataraxie fait sinistrement penser à celle des cimetières... Avec la mort de tant de vices, la vertu semble n'avoir plus aucun sens. L'immense mouvement de dépérissement du mal, induit par le triomphe hypothétique et très lointain de la raison couronnée, donne l'impression d'avoir emporté avec lui le plaisir, le bonheur, la joie, la jubilation, autant d'objectifs que se proposait d'atteindre l'*Enquête sur la justice politique et son influence sur la morale et le bonheur d'aujourd'hui* – de demain aurait semblé d'ailleurs plus juste ! Sinon d'après-demain – après-après-demain. Une chance : ce paradis godwinien qui ressemble à un enfer n'est pas en vue ! Reste cet enfer, le nôtre, qui, par comparaison, finirait par ressembler, vu de loin, à un paradis tant le plaisir peut s'y définir autrement que par l'aspiration à l'ataraxie des cadavres...

II

JEREMY BENTHAM

et « l'eudémonisme comme art »

1

Le petit génie de l'inutile. La légende dorée n'est pas l'apanage des seuls saints du panthéon chrétien, elle produit aussi les meilleurs effets avec un certain nombre de philosophes crédités par l'historiographie dominante d'enfances merveilleuses, d'adolescences atypiques et d'existences hors du lot, la mort permettant, in fine, des variations sur le thème légendaire et merveilleux. Jeremy Bentham n'échappe pas au cliché et, à chacun des moments de sa longue vie, on mesure l'effet légendaire : enfant prodige, adolescent surdoué, adulte extravagant, vieillard étonnant, cadavre stupéfiant...

Jeremy Bentham naît à Westminster le 15 janvier 1748, l'année où paraît *L'Esprit des lois* de Montesquieu. Bien sûr, à trois ans il sait déjà lire et ne se contente pas de la pitoyable littérature pour enfants puisqu'on trouve sur son petit chevet *L'Histoire et le Commerce* de Rapin. Comment dès lors ne pas devenir ce que l'on est déjà, à savoir un talentueux économiste, autrement dit un libéral incontestable? Le père, un avocat ayant fait fortune grâce à d'heureuses spéculations foncières, lui apprend le grec et le latin à quatre ans. Rien de tel pour fabriquer un philosophe ricanant plus tard des spéculations oiseuses des philosophes grecs, notamment Socrate, Platon, Aristote...

Jeremy a des loisirs, bien sûr. Mais ni jouets, ni divertissements d'enfants : à cinq ans, pour se détendre de l'économie et des humanités antiques, il joue du violon et tient son rôle dans une formation de chambre. Il interprète Haendel et Corelli... A l'école, son parcours scolaire est exceptionnel, on s'en doute, mais les relations avec les autres enfants s'avèrent difficiles. Il parlera plus tard d'« enfer » pour qualifier cette époque. Chétif, malingre, souffreteux, de santé délicate, ses petits congénères le prennent en effet pour un nain. Le futur pédagogue voue aux gémonies tout ce qui n'est pas utile à son projet hédoniste généralisé, et l'on trouve dans les matières inutiles de son école chrestomathique, outre les langues mortes – justement parce que mortes... –, les activités de gymnastique du genre danse, équitation, escrime et exercice militaire !

Douze ans : à l'université, les autorités lui soumettent un texte à signer. Le postulant doit faire acte d'allégeance à la religion anglicane. La totalité de ses petits camarades s'exécute sans avoir lu, ou si vite, ou si mal, le contrat proposé. Lui s'attarde, lit attentivement, soupèse chaque mot et conclut que sa conscience ne lui permet pas de parapher. Dès lors, il rend la feuille sans signature. Convocation au bureau du directeur, discussion, sermon, intimidation, il finit par apposer son nom, mais apprend à cette occasion que l'hypocrisie fait *toujours* la loi au mépris de toute vérité.

2

Un eurêka philosophique. Quand il rédige *La Religion naturelle. Son influence sur le bonheur humain,* il tolère la religion pourvu qu'elle ne contredise pas le principe d'utilité ; lorsqu'il écrit *Chrestomathia,* son projet d'école utilitariste, il indexe l'acquisition des savoirs sur ce qui est nécessaire à la réalisation d'un projet communautaire eudémoniste ; dans *Déontologie,* il soumet l'éthique, toute l'éthique, à l'utilité d'une intersubjectivité harmonieuse et pacifiée. On comprend que Bentham, croulant sous l'inutile depuis ses plus jeunes années, forme le projet d'un utilitarisme hédoniste strict...

Bachelier à quinze ans, il est titulaire d'un diplôme d'avocat à dix-huit : en quittant l'institution, il croise quelques-uns de ses contemporains. Mais, alors qu'il quitte les lieux, eux entrent et s'inscrivent... Pendant qu'à son âge ses petits camarades s'initient au droit, lui plaide. Il n'a pas aimé les cours de droit, pas plus que la discipline hypocrite de l'université. Les arcanes de la législation, la multiplication des articles, si souvent inutiles, le règne de la rhétorique et de la fourberie, l'art de faire traîner les procès en longueur afin d'augmenter ses honoraires, le peu de souci de la vérité, le grand cas fait du mensonge, l'absence totale de perspective éthique dans la profession, tout cela en fait un avocat rétif, rebelle. Bentham consacre tout son talent à dissuader ses clients d'aller jusqu'au bout de la procédure et de s'affronter au prétoire. Il tâche, avec un réel succès, d'obtenir d'eux un arrangement à l'amiable. Ce qui, convenons-en, ne fait pas bouillir la marmite du plaideur ! D'où sa rapide démission du barreau...

Commence alors l'époque des vaches maigres. Proche de la misère, Bentham lit beaucoup, notamment Maupertuis – dont il n'aime pas le pessimisme tout en appréciant son arithmétique des plaisirs et des peines ; il aime Helvétius dont le « principe d'utilité » aura sur lui l'effet d'une pomme de Newton ; il s'enthousiasme à la lecture de Beccaria, dont le *Traité des délits et des peines* a fait fureur dans l'Europe des Lumières ; il dévore également des ouvrages sur une multitude d'autres sujets : histoire, économie politique, littérature – Swift –, droit... Mais, dans cette somme de lectures, il trouvera avec *De l'esprit* et *De l'homme* son eurêka philosophique : il va désormais passer sa vie à théoriser les conséquences de cette découverte de l'utilité comme pierre angulaire de la philosophie.

En attendant, Bentham entre dans le monde des lettres par effraction et de manière tonitruante bien qu'anonyme... Il n'a pas aimé les cours de droit de son professeur d'Oxford, Blackstone, l'un des plus grands juristes de son temps, auteur de *Commentaires sur les lois d'Angleterre.* Bentham pulvérise cet ouvrage en 1776 dans un livre publié anonymement intitulé *Fragment sur le gouvernement.* Le volume polémique s'arrache comme des petits pains. On ignore son auteur et, dans les salons, le jeu des attributions permet de convoquer tout ce qui compte à Londres.

Les espoirs du père de Bentham, remarié à une veuve, reposent sur ses enfants pour assurer la réputation du nom de la famille, et particulièrement sur le demi-frère du philosophe... Mais avec le succès de ce livre sans nom d'auteur, le père a du mal à retenir son impatience à devenir célèbre par raccroc : il vend la mèche en donnant celui de son fils. Dès qu'on apprend que cet ouvrage à succès a été écrit par un avocat démissionnaire si peu doué pour l'esprit de corps, les ventes s'arrêtent d'un seul coup. Chou blanc pour le père...

3

Le couple Bentham-Dumont. Bentham travaille sans discontinuer, il écrit beaucoup, travaille sur plusieurs chantiers à la fois. N'ayant peur de rien, surtout pas des constructions théoriques pharaoniques, il n'hésite pas à écrire de volumineux codes civils destinés à remplacer l'édifice législatif vieillot qui sévit en Angleterre, mais aussi aux Etats-Unis ou en Amérique du Sud. L'ensemble de ces activités débouche sur un volume considérable de manuscrits désordonnés.

Bentham rédige des notes, il couvre des pages de démonstrations, il écrit un livre puis, presque arrivé au bout de son travail, il entreprend un autre ouvrage pour clarifier un concept utilisé dans les dernières lignes du livre, qu'il laisse inachevé. Parfois également, le livre entamé ne va pas plus loin qu'une poignée de chapitres. Sous sa plume, une lettre peut excéder soixante pages, mais un projet également tenir en quelques feuillets que vingt ans de travail ne suffisent pas à épuiser : le chantier philosophique benthamien prend d'abord l'allure d'un paquet de pages volantes désordonnées qui remplissent une centaine de caisses encore à découvrir à cette heure...

C'est dans cette configuration de travail particulière que Jeremy Bentham rencontre Pierre Etienne Louis Dumont (1759-1829), en 1788. Ce pasteur genevois fut le secrétaire de Mirabeau qu'il assista dans la rédaction de ses prises de position pendant la Révolution française. Dumont côtoie également John Stuart Mill et le petit groupe d'utilitaristes réuni autour du maître. Bentham produit d'abord un matériau brut, il accumule ensuite le volume philosophique, Dumont le met alors en forme, produit des ouvrages, et pour finir, rédige les livres auxquels le penseur ne s'attarde pas.

Dumont édite donc Bentham, au meilleur sens du terme *éditer*. Ici, il compose, extrait des fragments, là il coupe, taille, ailleurs, il remet en forme, retranche, simplifie, laisse de côté ce qui lui paraît trop technique et risque d'embourber la démonstration (sur la technicité de certaines lois anglaises par exemple), il ajoute une ou deux lignes de son cru pour construire une liaison, parfois il annote clairement. Ainsi, de temps en temps, le lecteur d'un livre signé Bentham peut découvrir au détour d'une page : « Bentham pense que »...

Parfois un ouvrage reparaît dans un autre livre, légèrement modifié, amendé ou augmenté : ainsi le *Manuel d'économie politique* dans le tome second de la *Théorie des peines et des récompenses*; des extraits de l'*Introduction aux principes de morale et de législation* dans les *Traités de législation civile et pénale*; l'*Examen critique de diverses déclarations des droits de l'homme et du citoyen* dans la rubrique « Sophismes anarchiques » de la *Tactique des assemblées législatives...*

Dans les préfaces, Dumont précise sa méthode et ne cache pas ses agissements. Ainsi, en ouverture au

Traité des peines et des récompenses, il affirme : « J'ai usé librement des droits d'éditeur ». Puis il précise : « Selon la nature du texte et l'occasion, je traduis ou je commente, j'abrège ou je supplée ». Mais, dit-il, ces détails de forme ne modifient en rien le fond du discours benthamien : « Ce n'est point mon ouvrage que je leur présente, c'est, aussi fidèlement que la nature de la chose le permet, celui de Bentham ».

Certains historiens des idées exploitent cette étrange situation et affirment que le caractère outrancier de l'utilitarisme de Bentham ne relève pas du texte du philosophe, mais des bricolages du compilateur, facile bouc émissaire... Bentham, s'il émet des réserves à l'entreprise de son comparse, confirme que, sur le fond, il ne change rien et qu'un travail personnel sur ses propres manuscrits l'aurait conduit à réformer certains modes d'exposition mais rien sur l'essentiel. Forme de Dumont mais fond de Bentham, donc.

Dumont, sincère, donne également des verges pour qu'on le fouette car, sans vergogne, il écrit que Bentham, mécontent de ses propres textes, n'était pas davantage satisfait de ses compositions à lui, auxquelles il ne voulait pas, dit-il, accorder son imprimatur. Or Bentham a laissé faire et continué pendant des années à fournir Dumont en matériaux pour tellement de projets qu'il ne devait pas le tenir en si mauvaise estime que cela ! Bentham en aurait probablement appelé aux faits pour juger : or les faits parlent, les livres ont été publiés du vivant d'un Bentham qui ne s'y est jamais opposé.

4

L'entrepreneur philosophique. En 1786, Bentham effectue un voyage en Russie, via l'Italie et Constantinople, pour retrouver son frère Samuel désireux d'installer le génie industriel anglais en terre tsariste. Sur place, il découvre que les fromagers, jardiniers et autres acteurs de l'aventure commerciale familiale sont, en fait, des buveurs invétérés, de fieffés menteurs et des incompétents notoires. Dans ce faux phalanstère, on couche également beaucoup, et l'industrie n'y trouve guère son compte...

Est-ce dans cette configuration particulière que le frère de Jeremy envisage la construction d'une prison sur le modèle de certaines maisons de paysans ? On l'ignore. Mais le désir carcéral de Samuel devient bien vite le projet de Jeremy : le Panoptique, qui fit tant pour la réputation du philosophe utilitariste, va le préoccuper intellectuellement et matériellement pendant des décennies.

Le dossier comporte une quantité de lettres, des projets, des ouvrages édités, mais jamais diffusés ou distribués, on y trouve également des dessins d'architecte, des bilans comptables, des traités, des manuscrits. En 1789, Bentham propose au député de l'Assemblée nationale Jean-Philippe Garrau un texte intitulé *Panoptique ou maison d'inspection.* De quoi s'agit-il ? Si l'on en croit le philosophe : d'« une simple idée d'architecture »... Il s'agit en fait d'un bâtiment conçu, pensé et réalisé comme une machine à voir sans discontinuer les prisonniers afin, dit-il, de travailler à la prévention et/ou à la réinsertion sociale des détenus. L'ensemble vise, selon le principe utilitariste du plus grand bonheur pour le plus grand nombre, et également en vertu du moindre coût économique, la réalisation d'une société pacifiée, harmonieuse. Sûr de son fait, Bentham propose même d'occuper *gratuitement* le poste d'inspecteur, central dans le dispositif disciplinaire. Le projet ne sera pas retenu...

La mort de son père en 1792 le met face à un héritage dont la majeure partie se trouvera engloutie dans le projet : achat d'un terrain, paiement des études de faisabilité auprès de différents acteurs, honoraires d'architecte. Bentham travaille au projet théorique. En 1794, le Parlement anglais l'accepte, mais Bentham se heurte à la routine administrative, à la lenteur bureaucratique. Sa fortune fond, il vend sa maison et vit chez son frère...

Enfant, Bentham avait troussé une ode en latin pour fêter l'avènement du roi George III. Le même monarque écrit et publie de manière anonyme dans un journal une philippique destinée à justifier une probable guerre prochaine avec le Danemark. Bentham, ignorant la nature royale de la plume, répond dans les mêmes colonnes et pulvérise les arguments royaux sans signer lui non plus son texte. Apprenant que le texte est de Bentham, George III fait le nécessaire pour empêcher la réalisation du panoptique : un comité parlementaire repousse définitivement le projet, et l'on indemnise le philosophe en 1811 des sommes englouties dans cette affaire pendant un quart de siècle...

5

L'entrepreneur, suite! Bentham tâche de réaliser dans sa vie et dans son œuvre l'heureux projet formulé plus tard par Bergson : penser en homme d'action, agir en homme de pensée. La réflexion de cabinet ne l'intéresse pas; les universitaires ne lui conviennent pas, eux qui, si souvent, pensent en hommes de livres et n'agissent jamais; la philosophie déconnectée de ses effets dans le réel l'irrite, dans cet esprit, il n'économise pas ses flèches contre les « dogmatiques » et les sophistes. Le philosophe veut produire des effets dans le monde. D'où la rédaction d'épais codes civils, de volumineux traités de législation écrits pour les Etats-Unis, la Russie, la Pologne, l'Espagne ou la Libye.

Sur la proposition de Brissot, l'Assemblée nationale décerne à Bentham le titre de citoyen français, et ce en considération de son souci de contribuer au bonheur des peuples sur la planète. Le nouveau Français répond aux révolutionnaires qui l'honorent en faisant l'éloge des émigrés, puis en exhortant l'Assemblée à la décolonisation et ce moins dans une logique de morale moralisatrice que dans l'optique d'une raison utilitariste et économique bien comprise. L'exhortation s'intitule : *Emancipez vos colonies!*

Le même citoyen français fraîchement promu démonte vigoureusement, et avec une relative mauvaise foi, usant de la plume de l'instituteur qui corrige en rouge, la *Déclaration des droits de l'homme et du citoyen* dans laquelle, en bon libéral, il voit les germes d'une radicalité révolutionnaire nommée « anarchiste » par ses soins... La *Théorie des peines et des récompenses* le dira longuement : le marché libéral faisant la loi, toute la loi, c'est tellement mieux ! Bentham aurait pu, lui qui les aimait tant, créer le néologisme *droits-de-l'hommisme*...

Le voici donc parti dans un autre projet : une école chrestomathique à construire à Westminster. Comme avec le panoptique, Bentham inscrit son projet dans une perspective utilitariste : la prison visait, avec un moindre coût économique et en moyens humains, à produire une maximum d'effets répressifs et préventifs, l'école (dont Bentham précise à la fin de son texte sur le panoptique, qu'elle peut, tout comme l'hôpital, la manufacture, la caserne, fonctionner sur le principe du panoptisme), l'école, donc, doit permettre d'apprendre ce qui est utile au bonheur du plus grand nombre avec une même économie de moyens et un moindre coût intellectuel.

Précisons que « chrestomathique » signifie (selon une étymologie qui deviendrait incompressible dans la perspective de l'école benthamienne qui raye d'un trait de plume l'apprentissage du grec et du latin) ce qu'il est utile d'apprendre et ce qu'il convient de savoir. Autrement dit : quelles matières, quels contenus enseigner à une élite destinée à constituer la main-d'œuvre décisionnelle du libéralisme de la révolution industrielle naissante.

Une fois de plus, Bentham engloutit des sommes folles dans cette nouvelle entreprise philosophique. L'externat chrestomathique doit accueillir six cents garçons et quatre cents filles – la parité n'est pas encore d'actualité... – dans un bâtiment que dessine l'architecte James Beavans. Bentham envisage de le faire construire dans le jardin de sa propre maison. Une plaque apposée sur les murs signale que le bâtiment fut la demeure du poète Milton, l'auteur du *Paradis perdu*? Deux superbes cotonniers embellissent le jardin? De grands murs le séparent de la ville? D'accord, mais l'utilité prime : on dévisse la plaque, on scie les arbres, on abat les murs, on fait place nette pour bâtir l'école...

En 1814, les fonds sont réunis grâce aux dons et actions ajoutés à la fortune personnelle du philosophe. Un conseil d'administration est constitué, notamment avec John Stuart Mill, un futur disciple hétérodoxe. Bentham fait paraître un ouvrage intitulé *Chrestomathie* qui explique les tenants et les aboutissants de cette entreprise. L'école ne verra pas plus le jour que le Panoptique, cette autre machine philosophique de Bentham... Dissolution de l'assemblée des administrateurs le 23 juin 1821. Le philosophe a soixante-treize ans.

Quelques mois plus tôt, entre *prison panoptique* et *école chrestomathique*, Bentham apparaît en actionnaire d'un genre de *phalanstère industriel* dans lequel Robert Owen pose les bases d'un socialisme, sinon d'un communisme, voire d'un anarchisme industriel, dans un lieu expérimental où la production est indexée sur de réels principes de justice. En 1813, le vieux libéral investit dans l'expérience gauchiste ! Avec la réduction du temps de travail, la moralisation du quotidien ouvrier (lutte contre l'alcoolisme, la prostitution), l'humanisation de l'entreprise, le partage des bénéfices, Owen démontre à New Lanarck, en Ecosse, que la gauche parvient à des résultats de justice pendant que le libéralisme génère, entretient et augmente la paupérisation...

6

L'horticulteur et le frigidaire. Le vieux Bentham cultive ses fleurs dans le jardin de sa résidence d'été dans le Somersetshire, une vieille maison seigneuriale. Ses amis lui rapportent des graines et semences des pays étrangers qu'ils visitent, il s'essaie à des acclimatations d'espèces, il pratique semis, bouturages et marcottages. Entre deux projets, le philosophe travaille à un instrument qui, par le froid, permettrait la conservation des fruits et légumes, autrement dit, à l'ancêtre du réfrigérateur !

Vingt ans durant, il a mené une sorte de cour à une femme à laquelle il finit par faire sa demande en mariage, la cinquantaine passée. L'élue de son cœur lui répond que le célibat représente probablement le meilleur état pour qu'un homme de génie puisse se donner tout entier à sa mission philosophique, à son destin de penseur ! Durant toute son existence, on ne repère dans sa biographie aucune histoire amoureuse, nulle aventure féminine, rien qui ressemble à des velléités sensuelles : le théoricien de l'hédonisme vit en moine !

Sa vie, ce fut donc pendant plus d'un demi-siècle l'essai d'une mise en actes de sa vision du monde, le projet de faire coïncider les ouvrages et le réel, le texte et le monde, l'intuition du principe d'utilité mis en perspective avec le concret d'un terrain de jeu étendu aux limites de la planète. Vieil homme, Bentham est devenu un chef d'école, on parle désormais d' « utilitarisme », de « radicalisme philosophique ». Stuart Mill évolue dans ses parages, il développe, précise, affine la théorie, on commence à mettre en pratique quelques-unes de ses idées sur le droit et la législation. Ainsi, le Code Napoléon n'est pas indemne de la pensée benthamienne.

Le 6 janvier 1832, sentant la mort venir, Bentham demande aux amis, aux proches, aux enfants, aux domestiques de le laisser seul avec l'un de ses disciples : il s'agit une dernière fois de maximiser le plaisir en évitant le déplaisir du spectacle d'une mort en direct ou d'une agonie. La religion ne l'encombre pas beaucoup. Le philosophe utilitariste n'a jamais fait mystère de ce qu'à défaut d'athéisme on peut nommer son irréligion. Dieu? Ni pour ni contre en soi. La religion? Même chose.

Dans une perspective conséquentialiste, Dieu peut se défendre, la religion également, tout dépend des conséquences: si ces deux forces travaillent dans le même sens que l'utilitarisme, oui. Un Dieu utilitariste? D'accord. Une religion utilitaire? Allons-y. Un Dieu vengeur, méchant, punisseur? Sûrement pas... A quoi ressemblerait un Dieu dotant les hommes d'une capacité au plaisir tout en interdisant ce même plaisir? Sinon à une contradiction, à la plus grande des contradictions jamais produite... Bentham n'attend pas de secours d'une vie post mortem. Il aborde la mort avec sérénité et meurt... en philosophe.

7

La momie philosophique. Pour n'être pas à court d'extravagances, Bentham envisage non pas seulement une mort utilitariste, mais un destin utilitariste post mortem. L'ouverture de son testament met en effet les témoins dans l'expectative. Sans femme ni enfant – on imagine Bentham vierge ou quasiment... –, sa fortune va à l'Université, mais à une seule condition : qu'elle soit la première à sortir la religion de son cursus d'enseignement !

Autre désir du mort : la transformation de son cadavre en momie – une *auto-icône*, un concept majeur et inédit dans l'histoire de la philosophie ! –, à même de rappeler, en cas de besoin, l'idée forte du principe d'utilité. Comment ? Voici la recette : réduire la tête du philosophe selon la méthode des Jivaros ; éviscérer et remplir des bocaux avec les parties molles du corps ; décaper le squelette ; l'habiller avec gants, chapeau et vêtements ; théâtraliser la chose dans une armoire avec portes qu'on peut ouvrir et fermer ; installer ce dispositif utilitariste dans la salle de réunion de l'Université de Londres où, encore aujourd'hui, lorsque se réunissent les membres du conseil universitaire, on exhibe l'auto-icône afin de présentifier l'idéal utilitariste et de faire tomber le saint-esprit du bien général sur l'assemblée. Résultat non assuré...

8

L'eudémonique comme art. Bentham passe dans l'histoire de la philosophie pour le père fondateur de l'utilitarisme. Dont acte. Disciples ? John Stuart Mill – *Essai sur Bentham* (1838) et *L'Utilitarisme* (1861) –, puis Henry Sidgwick – *Méthodes de l'éthique* (1874) –, enfin George Edward Moore avec *Principia ethica* (1903), et la longue tradition de philosophie dite anglo-saxonne, jusqu'à Peter Singer aujourd'hui –

Questions d'éthique pratique (1993). Autant dire une lignée alternative dans l'histoire de la philosophie, une tradition nouvelle qui tourne le dos à ce que Bentham appelle le « dogmatisme » mais aussi à l'« ascétisme » (Nietzsche, qui pourfend l'utilitarisme, n'en détourne pas moins le vocabulaire benthamien en recyclant le fameux « idéal ascétique »...), qu'on trouve dans la philosophie officielle de Platon à Kant, via le christianisme.

L'utilitarisme s'appelle d'abord « utilitarianisme », qui traduit *« utilitarianism »*, le mot que Stuart Mill utilise comme titre de son célèbre livre. Benjamin Laroche, auquel on doit la traduction et l'édition de *Déontologie*, l'utilise lui aussi. Paradoxalement, Bentham qui fera fortune dans l'histoire des idées avec ce terme le trouve trop imprécis, trop vague et lui préfère celui de « déontologie », qui définit « la science de ce qui est bien ou convenable ».

La réputation de Bentham se constitue avec ce terme qui, selon son propre aveu, ne dit pas assez la dimension hédoniste de son projet : certes, il veut définir et promouvoir ce qui est *utile*, mais utile « au plus grand *bonheur* du plus grand nombre » selon la désormais célèbre et heureuse formule associée à l'école utilitariste. L'utilité semble donc un moyen, une méthode, une dynamique pour parvenir à une fin identifiée aux plaisirs dont la somme constitue le bonheur, fin ultime de l'entreprise philosophique. L'utilité se propose donc de mettre en œuvre ce qui est nécessaire pour fabriquer la félicité maximale. L'école deviendra utilitariste ; elle aurait pu être hédoniste. Son destin et sa réputation en eussent-ils été changés avec une substitution du second substantif au premier ? Probablement...

Car les critiques faites à l'école de Bentham reposent sur l'habituel malentendu associé au terme « utilité » compris dans son sens vulgaire. La violence avec laquelle Marx assassine Bentham et les siens dans *L'Idéologie allemande, La Sainte Famille,* mais aussi dans *Le Capital* en les présentant comme des épiciers, des boutiquiers avec leurs calculs éthiques, va leur être fatale. D'autant que le spiritualisme universitaire français, maître de l'historiographie postrévolutionnaire, opte pour l'idéalisme allemand, tellement plus pratique et nettement plus efficace pour asseoir la religion judéo-chrétienne dans ses prérogatives écornées quelque temps par la fureur de 1793. Calomnier, fausser, mentir, trahir, à cette époque comme à la nôtre, évite de se donner la peine de lire, travailler et réfuter les œuvres et leurs contenus.

Or la philosophie utilitariste repose sur des principes simples et des déductions produites sur le modèle mathématique. En disciple de Maupertuis, Bentham recourt au modèle scientifique pour construire une éthique, son éthique : en matière de discours de la méthode, il revendique l'expérimentation, l'observation, la déduction de règles et de lois, la construction d'une démonstration et l'obtention d'un résultat digne de se présenter comme une vérité établie et non comme une vérité révélée. Autrement dit : des fondations scientifiques pour la morale et non des fondations théologiques.

Bentham affirme que chacun cherche son plaisir et tâche en même temps de fuir le déplaisir. Vérité première, certitude généalogique. Appuyons-nous donc sur cette évidence pour tâcher de faire ce qui permet de maximiser le plaisir et de minimiser les peines. D'où ces questions constitutives du fond de la philosophie utilitariste : comment créer le plaisir ? De quelle manière l'augmenter, l'entretenir ? Que faut-il faire pour éviter le déplaisir, écarter la douleur et la souffrance ? Quels dispositifs mettre en place pour produire l'hédonisme et récuser l'ascétisme ? Tout chez Bentham tourne autour de ces questions : du panoptique à l'école chrestomathique en passant par l'économie libérale, il s'agit pour lui de fabriquer des machines à produire la joie du plus grand nombre...

Bentham a consacré un grand nombre de pages à travailler sur les « fictions », les « sophismes », autrement dit les effets pervers du langage, les distorsions produites par la rhétorique spécieuse et l'argumentation fautive. Sa théorie linguistique nominaliste suppose que, derrière le mot, on trouve la chose, et qu'aucun mot ne doive être utilisé séparé de la chose qualifiée. Il a constamment réduit à néant le jeu des illusions verbales, les raisonnements fallacieux, les logiques spécieuses en économie, en politique, en théologie, en philosophie aussi, bien sûr – dans cet section de son œuvre, il n'a d'ailleurs pas ménagé ses flèches contre Platon et Aristote, maîtres faussaires en la matière.

L'œuvre complète de Bentham ne contient pas d'ontologie au sens classique du terme – autrement dit absconse, fumeuse, reprenant à son compte la manie théologique pour des fictions tout aussi néfastes. Mais dans *Chrestomathie*, il identifie – une hérésie pour la tradition institutionnelle et l'historiographie dominante ! – ontologie et eudémonique. Il définit ce dernier terme comme « l'art dont le but est de s'efforcer à contribuer d'une façon ou d'une autre, à l'acquisition du *bien-être*, et c'est la *science* en vertu de laquelle, pour autant qu'il la possède, quelqu'un sait comment il faut se conduire pour exercer cet art avec efficacité ».

Remarquons que dans cette définition Bentham fait de la science déontologique la condition de possibilité d'un art de vivre, et de la pratique d'un art de vivre la conséquence d'une science déontologique. Autrement dit : le philosophe pense la théorie utilitariste comme la promesse d'une pratique hédoniste en même temps qu'il conçoit la pratique hédoniste en occasion de valider la théorie utilitariste... Autre façon de déstabiliser le jeu philosophique habituel en donnant à une éthique et à une esthétique existentielles une dimension scientifique. Prolégomènes à toute métaphysique future qui peut désormais se prétendre science !

9

La faille dans le bel édifice. Si Bentham se propose de penser, d'agir et de fonctionner lui aussi *more geometrico*, il commet une grave erreur méthodologique en demandant dans *Déontologie* que le lecteur lui concède juste une chose, en l'occurrence un axiome. Or, chacun le sait, dans le raisonnement mathématique, et parce qu'il est ce qu'on pose en dehors de toute démonstration, l'axiome représente le point le plus sensible du dispositif. Pourquoi ne démontre-t-on pas l'axiome ? Parce que cette proposition indémontrable procède du pur et simple a priori. Or, inconvénient de la *méthode*, un a priori en vaut bien un autre. Y compris son contraire !

Tout adversaire de l'utilitarisme sait, parce qu'il le lit sous la plume même du philosophe naïf, que cette clé de voûte nécessaire à l'existence et à la solidité de la totalité de l'édifice, peut ne pas être consentie par le lecteur... Dès lors, quiconque refuse la vision benthamienne du monde n'aura qu'à contester cet « axiome » sans autre forme de procès. Quand la clé de voûte se révèle si fragile, le château menace de s'écrouler facilement!

Quel est ce fameux axiome auquel le philosophe demande tout? « Le bien-être est préférable au mal-être » (livre I, chapitre 20). Bentham a raison d'affirmer cela s'il se contente de raisonner à partir d'un individu normalement constitué, autrement dit, assez peu travaillé par la pulsion de mort pour ne pas crouler sous les pulsions sadiques, masochistes, sadomasochistes (pour le dire dans le vocabulaire de la psychiatrie contemporaine) et ne pas identifier son bien-être à ce qui définit le mal-être du plus grand nombre... Que faire en effet, dans le dispositif axiomatique benthamien, de la conception du bien-être du marquis de Sade ou de Sacher Masoch?

Car les protagonistes féodaux et « libertins » du château de Silling des sinistres *Cent Vingt Journées de Sodome* proposent eux aussi de réaliser le bien-être des prédateurs qui organisent le camp de la mort. Mais quid de ce bien-être associé à la torture, à la souffrance, au mal, au déplaisir, à la peine, à la mort, au supplice, au viol? Quand le bien-être de l'un, Sade par exemple, coïncide avec le mal-être de l'autre, comment bâtir les fondations d'un château utilitariste et hédoniste?

La démonstration mathématique, rationnelle et scientifique de Bentham semble mal partie, car il pose un sujet inexistant ailleurs que sous la plume des philosophes dogmatiques qu'il brocarde si souvent par ailleurs ! L'auteur de *La Vénus à la fourrure* peut en effet écrire très exactement l'inverse du penseur de *Déontologie* et donner son propre axiome qui pourrait être : « Le mal-être est préférable au bien-être ». Ou, disons-le autrement : « Mon mal-être est mon bien-être ». (Un sadien affirmerait quant à lui : « Votre mal-être est mon bien-être »). Que faire de ce genre de délinquant relationnel, courant dans la vie, dans la doctrine utilitariste et hédoniste ?

Bentham n'ignore pas l'existence de ces sujets impropres à la déontologie : ne pense-t-il pas à eux quand il rédige *Le Panoptique ou maison de force*? Quand il écrit sa *Théorie des peines et des récompenses*? Quand il souhaite éviter de produire ce genre d'individus en réalisant comme antidote son Ecole chrestomathique ? Que faire, selon ses propres expressions, des « passions dissociales » ou du « mauvais vouloir » signalés furtivement (malheureusement jamais développés) dans l'œuvre complète du philosophe ?

Erreur de fabrication, dira-t-il... Le « mauvais vouloir » d'un être procède d'une mauvaise éducation réparée par un correctif simple. L'ignorance du principe d'utilité explique que de pareils individus voient le jour. Mais ces victimes d'un mécanisme fautif sont rédimées dès leur connaissance des mécanismes de la déontologie. La pédagogie, l'instruction, l'éducation installent les Lumières qui dissipent l'obscurité existentielle. Savoir la logique utilitariste suffit à supprimer la tyrannie de la négativité psychologique chez un être.

Préfigurant Freud pour qui la conscientisation du refoulement suffit à le lever, puis à le dépasser, Bentham croit que la pédagogie du principe utilitaire débarrassera les hommes de ce tropisme du « mauvais vouloir », ou des « passions dissociales », effets d'un défaut de culture plutôt que produits d'une mauvaise nature. Sur ce point, Bentham poursuit l'optimisme métaphysique de la philosophie des Lumières !

10

Abolir le mot devoir. A la base de l'éthique benthamienne se trouve une considération psychologique ou anthropologique héritée des moralistes français du XVIIe siècle, La Rochefoucauld en tête : les hommes sont mus par leur intérêt, un résultat de l'observation et non un nouvel axiome ! Une action vise toujours la satisfaction d'un intérêt. De fait, le crime ou la sainteté, la méchanceté ou la bonté, l'avarice ou la générosité, tous ces comportements visent à procurer à leurs auteurs un réel plaisir. L'acte gratuit n'existe pas, chacun cherche toujours une satisfaction assimilable à un plaisir. Le moteur du réel ? La quête hédoniste.

Il existe donc une homogénéité entre le devoir et l'intérêt. En affirmant une pareille chose, hérétique pour les gardiens du temple idéaliste, Bentham prend à rebrousse-poil tous ceux qu'il nomme les « dogmatiques » et dans lesquels il comprend Socrate et Platon, Aristote et la plupart des philosophes anciens soucieux de souverains biens contradictoires ; il ajoute à cette liste Kant et les chrétiens. Agir par conformité au devoir, parce que c'est le devoir ou parce qu'il existerait une transcendance de la loi divine ou morale ? Définir la moralité comme l'obéissance à la règle du fait qu'elle est règle ? Rien n'est plus étranger à l'esprit de l'utilitariste que pareilles idées ! Bentham est l'anti-Kant absolu.

En matière de morale, l'idéal ascétique est indéfendable. Comment peut-on justifier que Dieu puisse donner aux hommes la possibilité de ressentir du plaisir, que Dieu indexe même le mécanisme humain sur la recherche de la satisfaction, et qu'il empêche en même temps d'y consentir ? Selon quelles contorsions métaphysiques Dieu pourrait-il aimer qu'on sacrifie son bonheur, sa jouissance, son plaisir, sa joie, et croire en plus que cet holocauste pourrait lui être agréable sous le nom de « devoir » ? Dans un texte intitulé *Non pas Paul, mais Jésus,* Bentham attaque la création par le treizième apôtre d'un devoir d'ascèse incompatible avec les enseignements du Christ.

La *Déontologie* l'affirme sans détour : le mot devoir « doit être banni du vocabulaire de la morale ». Le bien et le mal n'existent pas en dehors de convenances de langage qui qualifient tel ou tel acte dont on devrait bien plutôt dire que, dans la perspective utilitariste, ils sont convenables ou pas. Dans le sillage de Spinoza, Bentham abolit les idoles majuscules du Bien et du Mal pour instaurer un registre nouveau, celui du bon ou du mauvais, du « convenable » ou de l' « inconvenable ». Fin des valeurs absolues, avènement des valeurs relatives dans la plus pure tradition perspectiviste.

Comment déterminer le convenable ? En se posant la question des conséquences. « Si je fais ceci plutôt que cela, vais-je augmenter mes probabilités de plaisir personnel, donc d'hédonisme collectif? » (puisque, sur un mode qu'on pourrait dire hydraulique de vases éthiques communicants, le bonheur collectif se constitue par la simple somme des bonheurs individuels).

De même la souffrance du plus grand nombre se chiffre après l'addition des peines individuelles. « Si je renonce tout de suite à un plaisir dans la perspective de l'obtention d'un plaisir plus grand demain, vais-je augmenter mon plaisir ? » Si oui, je dois agir dans le sens de la maximisation des jouissances. Voilà alors ce qui détermine le convenable, donc le bon. Sinon, je dois m'abstenir. Une règle simple comme bonjour...

Travailler à mon bonheur, c'est contribuer à celui d'autrui, donc de toute l'humanité ; créer mon malheur, c'est créer celui d'autrui. Bentham pose cette équivalence tel un nouvel axiome, sans se soucier de la qualité du plaisir, de sa nature, de son détail, de son caractère nominaliste : là encore, comme il pèche par dogmatisme en posant un individu naturellement animé par un tropisme hédoniste, Bentham se trompe en avançant que tout plaisir individuel contribue de fait au bonheur de l'humanité.

Cette mécanique fautive procède de l'axiomatique faussée du départ : si en effet le sujet veut le bien-être, tout bien-être particulier augmente le bien-être général selon le mécanisme des causalités. Mais qui peut dire – sûrement pas Bentham – que la somme des plaisirs de Sade contribue à l'augmentation de la somme du bonheur général de l'humanité ? Que la jouissance solitaire et monomaniaque du héros de Masoch lécheur de chaussures contribue à accroître la somme générale du bonheur de tous ?

Jeremy Bentham qui passe à côté de l'électricité, discipline nouvelle en son temps, ignore que le négatif et le neutre accompagnent le positif, et qu'il existe des opérations éthiques plus complexes que le mécanisme ancien d'horlogerie philanthropique qui anime sa pensée analogique dont le résultat se restreint au calculable par les instruments de l'arithmétique – addition, soustraction, multiplication, division. Car il reste à montrer par quelle opération du saint-esprit utilitariste un plaisir vécu ici *singulièrement* par un corps peut se retrouver *universellement* comptabilisé dans un genre de grand livre de comptes au point qu'on puisse parler d'une augmentation du bonheur de tous. Etrange transsubstantiation utilitariste !

11

Pur plaisir et plaisir pur. Bentham, si pointilleux sur la question du vocabulaire (au point qu'il souhaite un dictionnaire des termes utilisés en morale, et la création de néologismes utiles pour progresser dans la scientificité des analyses effectuées dans cette discipline), construit tout son système philosophique sur le bonheur défini par la somme des plaisirs, sans jamais vraiment donner du plaisir une définition claire, précise, rigoureuse, fouillée.

Au détour d'une page de *Déontologie*, l'analyse déjà bien commencée, le chapitre inaugural sur les principes généraux derrière lui, Bentham définit ainsi le plaisir : « ce que le jugement d'un homme, aidé de sa mémoire, lui fait considérer comme tel ». Un peu court ! Car rien n'interdit là encore d'en appeler à Sade qui, aidé par sa mémoire et soutenu par son jugement, nous dira du plaisir qu'il est dans le crime – une affirmation par laquelle l'utilitariste disciple de

Bentham prouvera difficilement qu'il contribue à la félicité générale...

Dogmatique encore sur ce sujet, Bentham pose une série d'assertions : tout plaisir est un bien ; tout plaisir doit être recherché ; tout plaisir en vaut un autre, indépendamment de son objet, de son support. Dans *Théorie des peines et des récompenses*, le philosophe recourt à une image qui fera beaucoup pour sa mauvaise réputation : « préjugé à part, le jeu d'épingles, à plaisir égal, vaut la poésie » (tome II, livre III, chapitre 1), ce qui, reformulé dans la langue d'aujourd'hui, donne « préjugé à part, un match de football, à plaisir égal, vaut la lecture de René Char »...

Suit, dans le texte benthamien, une critique des jugements de valeur assénés par les arbitres des élégances qui décident du bon et du mauvais goût, de ce qu'il faut aimer et détester, vénérer, encenser ou détruire. Bentham en veut aux « perturbateurs du plaisir » qui distinguent bon et mauvais plaisir : tout plaisir est pur et bon en soi en tant que tel, pense-t-il. Peu importe qu'il se prenne avec un jeu de société simpliste ou avec les vers de Milton, l'ancien propriétaire de la maison du philosophe !

La poésie, art du mensonge, du travestissement, art de l'inexactitude et du faux, art élitiste, art qui échauffe les passions, enflamme les hommes, les divise, art dangereusement magique, la poésie, donc, accumule plus d'inconvénients que d'avantages en regard du jeu d'épingles qui, lui, est simple, abordable par le plus grand nombre, jamais susceptible de solliciter les passions antisociales, les dissensions entre les individus ! Qu'on choisisse donc en connaissance de cause !

Dans *L'Utilitarisme*, John Stuart Mill développe contre cette impasse benthamienne une dialectique célèbre selon laquelle « il vaut mieux être Socrate insatisfait qu'un imbécile satisfait ». Traduction : « il vaut mieux être un lecteur de Char insatisfait qu'un amateur de football satisfait ». Cette heureuse précision apportée par Mill invalide la position de Bentham pris dans les rets dogmatiques d'un hédonisme purement mécaniste limité par le recours à la métaphore du calcul et de l'arithmétique...

12

Un « thermomètre moral ». Dans *Déontologie*, Bentham parle d'un « thermomètre moral » pour mesurer les variations du plaisir. En termes de forces, d'énergies, de tension, de traction, la métaphore du dynamomètre paraît plus appropriée que le thermomètre – d'autant que l'invention de l'instrument est contemporaine de Bentham (1798), mais, bon... La valeur des plaisirs et des peines peut etre examinée à la lumière de plusieurs critères – cinq, dit le texte alors qu'il en donne six ! On accordera à ce promoteur de l'arithmétique des plaisirs un talent limité pour calculer...

Premier critère : l'*intensité*. Chacun est pour lui-même le seul habilité à juger du degré de puissance ou de la quantité de force avec laquelle il ressent la jouissance. Personne ne peut en effet dire l'importance quantitative de ce que je ressens. L'intensité donne une hauteur sur une échelle, elle constitue un genre d'abscisse dans un schéma hédoniste. *Supériorité du plaisir vif sur un plaisir de moindre intensité* : première leçon, préférer une nuit amoureuse réussie à un sourire échangé dans la rue avec la même personne.

Deuxième critère : la *durée.* Comme avec la quantité, subjectivité là encore de l'expérimentation de la quantité de temps éprouvée par une chair particulière. La durée représente cette fois-ci l'ordonnée du dispositif en question. On y pourrait mesurer l'étendue dans le temps de toute sensation. *Supériorité du plaisir long et durable sur un plaisir passager* : deuxième leçon, préférer une longue histoire d'amour à une nuit sans lendemain.

Troisième critère : la *certitude.* Elle suppose la capacité de faire la part de l'illusion, de l'approximation, de l'incertitude, de la probabilité de jouissance d'une expérimentation hédoniste. *Supériorité du plaisir probable sur le plaisir improbable* : troisième leçon, préférer passer sûrement une soirée en charmante compagnie avec une collègue de travail plutôt que se rendre hypothétiquement à un dîner avec une vedette de cinéma.

Quatrième critère : l'*étendue.* Elle se mesure à partir de la quantité de personnes concernées par les effets du plaisir, une ou deux personnes, l'entourage proche, un plus grand nombre, jusqu'à l'humanité entière. L'échelle va, au plus bas, de la satisfaction apportée à un seul être évoluant dans notre sphère habituelle, aux plaisirs donnés à l'ensemble des hommes de la planète au sommet. *Supériorité d'un plaisir à plusieurs sur le plaisir solitaire* : quatrième leçon, préférer être deux – ou plus... – dans un lit que tout seul si l'on envisage un rapport sexuel.

Cinquième critère : la *fécondité.* Ou comment établir la probabilité d'effets en chaîne induits par un plaisir déclenché. Avec ce critère, on part en quête du rendement de la jubilation créée. *Supériorité du plaisir inducteur sur le plaisir limité en effets dans le temps* : cinquième leçon, préférer la première nuit d'amour pour ses promesses potentielles à toutes les autres qui suivront pour leurs réalités terre à terre !

Enfin, sixième critère : la *pureté*. Le plaisir est d'autant plus pur, au sens chimique du terme, qu'aucun déplaisir ne s'y mélange ou qu'il ne se paie pas du tout, ou très très peu, de déplaisir. *Supériorité des satisfactions sans coût sur les plaisirs cher payés* : sixième leçon, préférer une nuit d'abstinence sexuelle qui dispense d'ennuis ensuite, à la nuit d'amour intense, durable, etc., mais lourde en conséquences déplorables...

13

Vices et vertus. Si la logique déontologique discrédite les notions de bien et de mal, elle n'interdit pas, on l'a vu, de parler de bon ou de mauvais, de convenable ou d'inconvenable. Dès lors, les mots *vice* et *vertu* peuvent être utilisés, sous bénéfice de définitions nouvelles. Récapitulons : le bien c'est le bon, autrement dit le convenable, et il définit tout ce qui est utile pour permettre la maximisation des plaisirs et la minimisation des déplaisirs ; le mal, c'est le mauvais, à savoir l'inconvenable, il qualifie tout ce qui maximalise les peines et les souffrances et minimise les joies, les plaisirs et le bonheur. Tout bon est vertu ; tout mal est vice.

Aucun de ces termes n'existe pour qualifier des actes, des mots, des gestes, des actions, des intensions, des idées en soi, car ils s'estiment sur le principe conséquentialiste, en regard des effets hédonistes produits. Contre les dogmatiques partisans de toujours dire la vérité, d'honorer la parole donnée, de dire du bien de l'amitié ou de l'honneur en soi, et autres célébrations du bien en soi, Bentham examine les cas de figure et les conséquences des situations particulières avant de conclure au bon ou au mauvais. Qui ment? A qui? Pour quelles raisons? Quels effets escomptés? Etc.

Prenons un exemple : si le sens de l'honneur (un bien pour les dogmatiques dans l'absolu) doit conduire à des frictions entre des individus ou des nations se querellant pour des broutilles, si ce sentiment doit générer le duel ou la guerre, des passions nuisibles pour le bien-être parce que coûteuses en plaisir et génératrices de misères nombreuses, alors le sens de l'honneur sera dit mauvais et vicieux. Si ce même sentiment conduit des individus à augmenter la somme des plaisirs constitutifs du bonheur de la communauté, il sera déclaré convenable, bon, vertueux. Une révolution antichrétienne – donc antikantienne – dans la morale...

14

Techniques éthiques. Comment fabriquer de la vertu? En observant un certain nombre de règles – très peu – claires et précises. Lesquelles? Elles sont quatre : la *prudence personnelle*, qui règle la question de l'intérêt privé, entre soi et soi; la *prudence extrapersonnelle*, elle détermine la relation à autrui; la *bienveillance effective négative*, qui consiste à s'abstenir d'infliger des peines; la *bienveillance effective positive*, qui suppose de donner du plaisir à autrui. Avec ces quatre points cardinaux d'une boussole morale, Bentham promet une intersubjectivité pacifiée, utilitariste, hédoniste.

Premièrement : la *prudence personnelle.* Qu'est-ce que la prudence ? L'art de calculer correctement ses plaisirs, de s'assurer des moyens d'y parvenir, de ne pas les manquer, d'éviter le coût en déplaisir, d'en payer le moindre si nécessaire, autrement dit l'art de maximiser le plaisir et de minimiser le déplaisir avec un minimum d'efforts développés pour un maximum d'effets. C'est donc une sagesse pratique appuyée sur la mathématique utilitariste, la fameuse arithmétique des plaisirs déjà si bien théorisée par Maupertuis.

La chose paraît simple : chacun est seul maître de ses désirs et de ses plaisirs. S'ils ne coûtent rien en déplaisir pour soi, en vertu du principe de pureté, et pour autrui, s'ils n'irriguent pas le fleuve mauvais des passions tristes lui-même nourricier de l'océan négatif, alors les jubilations sont défendables. Exemple : boire de l'alcool dans des limites qui évitent plus tard tels ou tels déplaisirs du lendemain ou un devenir pathologique d'alcoolique. (La consommation des drogues, jamais abordée par Bentham, peut l'être selon ces mêmes critères, ce que font souvent les tenants d'une politique libérale partisans d'une dépénalisation ou d'une libéralisation de la vente de cannabis.)

Le jeu d'épingles ou la poésie ? Peu importe, pourvu que j'en retire un plaisir à ne pas juger avec de la morale moralisatrice, comme le font les dogmatiques, mais avec les critères d'intensité, de durée, de certitude, d'étendue, de fécondité, de pureté. Selon ces critères, une jouissance obtenue par une belote ou à la lecture d'une page de Paul Celan vaut par le seul état de béatitude physiologique généré. Car, en jouissant, je contribue à la formation du plaisir du plus grand nombre. Dans ce cas, ma félicité évolue dans le registre du bon, du convenable, de la vertu. Pas question, donc, de devoirs envers soi-même comme dans la *Doctrine de la vertu* d'Emmanuel Kant!

Deuxièmement : la *prudence extrapersonnelle.* L'intersubjectivité commence avec cette modalité de la prudence. Et l'on sait que, selon l'axiomatique benthamienne, chacun est censé vouloir le bien-être et refuser le mal-être. Autrui est constitutif de l'éthique utilitariste. Parfois Bentham est allusif et affirme que la recherche de mon propre plaisir par un genre d'harmonie éthique et métaphysique préétablie, contribue au plaisir d'autrui; parfois, il intègre l'existence d'autrui dans son calcul, mais toujours limité par les conséquences de son axiome : en supposant que le plaisir de l'autre soit clair, lisible, visible, identifiable, stable, régulier, cohérent, sain, qu'on connaisse sa nature pour soi, certes, mais aussi pour l'autre. Vouloir son plaisir en posant qu'il constitue le plaisir de l'autre c'est une chose, une autre de penser qu'on peut tabler sur un plaisir aux contours franchement dessinés chez autrui. Sur le papier utilitariste, l'éthique est un art de la danse, dans la matérialité concrète, elle se révèle un rude sport de combat...

Troisièmement : la *bienveillance effective négative.* Ou comment ne pas infliger de douleur, ne pas faire mal. Ou bien, si l'on doit faire la mal, car parfois on ne peut pas l'éviter, que ce soit pour en éviter un plus grand, de plus grands maux ou la prolifération, en regard du principe d'étendue, de négativités en cascade. Bentham écrit deux forts volumes (près de huit cents pages) sur ce sujet : *Théorie des peines et des récompenses*, pour affirmer que ce qui ne nuit pas, il faut le laisser faire ; ce qui contribue à l'augmentation des plaisirs, il faut l'encourager – notamment par des récompenses ; ce qui entrave le plaisir de l'un ou de l'autre, donc de la communauté, il faut l'entraver, l'empêcher, le prévenir, le punir – d'où les peines, et, parmi elles, la logique du dispositif disciplinaire du panoptique.

Selon cette façon utilitariste de voir les choses, Bentham se retrouve dans des positions intellectuelles très atypiques et, pour son temps, révolutionnaires. Ainsi, selon les pages de *Déontologie* consacrées à la bienveillance extrapersonnelle, le philosophe défend trois positions remarquables. Il propose en effet : *l'émancipation des esclaves dans les colonies* (*Emancipez vos colonies !* 1793), *la dépénalisation de l'homosexualité*, autrement dit la possibilité de la vivre sans risquer la prison ou le bûcher (*Essai sur la pédérastie*, 1785) et, toujours d'actualité, *le combat pour le droit des animaux* (quelques lignes dans *Déontologie*, 1834, ouvrage posthume).

15

« **Emancipez vos colonies !** » L'utilitarisme évite les jugements de morale moralisatrice, courants chez les dogmatistes. Chez Bentham, on chercherait en vain de la compassion, une vertu qu'il n'aime ni ne célèbre et qu'il semble même ignorer. S'il interpelle la Convention nationale en 1793 avec une adresse claire « Emancipez vos colonies ! », ça n'est pas parce qu'il trouve que, selon des arguties métaphysiques, des raisons moralisatrices de charité sociale ou de justice humanitaire, on devrait donner leur liberté aux esclaves des terres françaises dans la géographie des colonies les plus lointaines, mais parce que la logique d'une saine déduction menée selon l'ordre des raisons utilitaristes y conduit. Peu importe si la morale des dogmatiques y trouve son compte !

Avec quelques effets de manches et de rhétorique, Bentham entame sa péroraison en faisant vibrer la corde fraternelle des révolutionnaires, s'adressant aux tombeurs de la Bastille, aux créateurs des Droits de l'homme (qu'il exècre par ailleurs...), aux inventeurs de la liberté moderne, aux démocrates généreux – tout cela sent la tribune et l'art oratoire... Car chez Bentham, le procédé rhétorique sert à capter l'attention des conventionnels dans le dessein de les conduire habilement sur le terrain de sa démonstration utilitariste : la nécessité économique commande de se débarrasser d'un état de fait coûteux pour la liberté du marché !

Une fois passés les enrobages rhétoriques, le tribun catéchise contre les monopoles, pour la liberté du commerce, en faveur de la concurrence sans entraves ; il parle stabilité des prix, cherté des denrées, droits de douane, marges et taux de profit ; il disserte sur le cycle importation/exportation/contrebande ; il analyse les mérites et les bienfaits de la consommation et condamne la colonisation car trop coûteuse en argent, mais nullement pour des raisons humanitaires.

Le Bentham qui tonnait : « Démocrates en Europe, vous êtes aristocrates en Amérique » réussit à vendre avec la même poignée d'une petite trentaine de feuillets d'un discours en tribune parlementaire l'idée que le commerce de la nation française, la réputation de la République dans le monde, les devoirs de ceux qui se réclament des droits de l'homme, la vocation universelle de la France, les principes d'une bonne politique, la pratique de la liberté française sur le reste de la planète, mais aussi, en passant, la liberté donnée aux populations d'esclaves, tout cela relève d'une même logique utilitariste bien comprise.

16

Contre le préjugé homophobe. Deuxième exercice pratique de bienveillance effective négative : ne pas faire souffrir les homosexuels. Là encore Bentham n'évolue pas dans le registre de la compassion ou de la morale moralisatrice, il déduit, argumente, compare, et conclut à la nécessité de dépénaliser l'homosexualité – qu'il appelle pédérastie, à rebours de l'usage correct du terme qui, l'étymologie témoigne, caractérise la sexualité avec des mineurs.

Dès l'ouverture de son *Essai sur la pédérastie* (1785), il met l'homosexualité dans le sac des « crimes d'impureté » dans lequel on trouve pêle-mêle nécrophilie, sodomisation, pédérastie, zoophilie et... masturbation. Un tel fatras étonne, tant la copulation avec un cadavre, une vache ou soi-même relève à l'évidence de logiques hétérogènes ! Bentham pense en législateur, en utilitariste, en froid examinateur d'un problème dans lequel il pointe erreurs de raisonnement et paralogismes. Son but ? Eviter les peines infondées, comme la mort si souvent promulguée pour pareils faits, les punitions inutiles, telles les longues détentions pénibles, les décisions de justice iniques associées au flétrissement du patronyme. Pas question de défendre les homosexuels – pas plus que les esclaves – en tant que tels.

Ne cherchons donc pas la compassion du philosophe. Bentham a des mots durs pour caractériser les pratiques homosexuelles : « vice affreux », « abominations », « crimes », « goût dépravé », « penchant vicieux », « penchant ridicule », « penchant excentrique et contre nature », etc. Certains y voient une feinte en direction du lecteur qu'il ne voudrait pas choquer ou des ruses pour éviter les ennuis avec la justice, je n'en crois rien : l'individu Bentham, probablement vierge – ou n'ayant eu de rapports sexuels qu'avec lui-même... –, formaté par son siècle, est en partie hostile à l'homosexualité.

Mais, en même temps, affranchi par sa réflexion utilitariste, Bentham développe tout de même une lecture homophile de ce fait sexuel. Ainsi trouve-t-on également sous sa plume, signe d'affranchissement philosophique, des expressions notables à propos du fait homosexuel : il parle en effet de la « persécution » des homosexuels, de « ces réprouvés de la sexualité », des « malheureux poursuivis pour ce crime », de « préjugés », d'un « malheureux pédéraste des temps modernes », etc. Autant de façons d'exprimer sa désapprobation d'une pratique et, dans un même mouvement, de signaler son approbation tacite...

Bentham plaide la cause des homosexuels : attentent-ils à la paix publique ? Non. A la sûreté de l'individu ? Aucunement. Leur pratique occasionne-t-elle une débilisation de leur corps et de leur âme ? Pas du tout. Est-elle la source d'un amollissement de leur esprit ? Pas plus. Est-elle une affaire d'adultes

3M SelfCheck™ System

Customer name: Hall, Louise

Title: L'eudémonisme social / Michel Onfray
ID: 30114016307129
Due: 19-03-18

Total items: 1
12/03/2018 19:35
Overdue: 0

Thank you for using the
3M SelfCheck™ System

consentants ? Oui. Les deux partenaires ressentent-ils du plaisir ? Evidemment.

Alors, pour quelles raisons les persécuter parfois jusqu'à les mettre à mort ? Que peut-on leur reprocher ? Le célibat ? Alors punissions tous les célibataires ! Leur incapacité à faire des enfants, à fonder une famille ? Qu'on fasse donc également tomber les foudres de la morale et de la justice sur les prêtres... Sont-ils coupables de ce qu'ils sont ? Pas plus que l'hétérosexuel qu'un formatage différent a conduit vers une autre préférence sexuelle.

Non, décidément, il n'y a rien à reprocher aux homosexuels. D'autant que, d'un point de vue utilitariste, ils contribuent à l'augmentation de la félicité de la communauté par la création permanente de leur propre plaisir. Au nom de quoi, et pour quelles raisons, devrait-on les persécuter, les punir, les pourchasser, les condamner ? Bentham donne à ses yeux les raisons de l'homophobie : à savoir, la haine du plaisir en général et dans ce cas en particulier.

Ce que la société reproche aux amours du même sexe (que Bentham ne croit pas définitifs et n'imagine pas exclusifs, il pense en effet que toute pratique homosexuelle se double toujours d'une pratique hétérosexuelle...), c'est l'hédonisme, un pur plaisir détaché de la procréation. Les homophobes ? « C'est le plaisir qui les irrite »... Qu'on laisse tranquilles les homosexuels, qu'on dépénalise leur pratique, qu'on cesse de la criminaliser et qu'elle se vive dans la discrétion. Position radicalement révolutionnaire en 1785...

17

La zoophilie utilitariste. Troisième exemple de ce que peut être la bienveillance effective négative : éviter de faire du mal aux animaux. Bentham innove là encore avec une simple page de *Déontologie* qui a produit un immense courant de pensée dans les pays anglo-saxons au siècle suivant en matière de droits des animaux – notamment sous l'impulsion d'un utilitariste radical revendiqué : Peter Singer. Son livre intitulé *Le Droit des animaux*, livre antispéciste majeur, est clairement placé sous le signe benthamien.

Bentham élargit la communauté hédoniste aux animaux : tout ce qui est vivant, peut souffrir et ressentir du plaisir, appartient au dispositif utilitariste et hédoniste. Il écrit explicitement qu'il étend le souci du bien-être général à « la création sensible tout entière »... Phrase lourde de conséquences, car le philosophe entend qu'on ne fasse pas souffrir *inutilement* les animaux. Ce qui n'interdit pas les souffrances utiles (à souligner à destination des radicaux antispécistes contemporains...) ou même la mise à mort pour satisfaire les besoins de l'homme car « la somme de leurs souffrances n'égale pas celle de nos jouissances », autrement dit : les satisfactions que nous retirons de leur consommation alimentaire – voire vestimentaire sinon pharmacologique.

Parce qu'il peut ressentir du plaisir ou de la souffrance, l'animal relève du traitement déontologique. Bentham écrit : « Sans comparaison un chien (est) un être plus rationnel et un compagnon plus social qu'un enfant d'un jour, d'une semaine ou même d'un mois ». Conséquences philosophiques lourdes, car, si l'on peut tuer par nécessité utilitaire un animal placé dans une situation supérieure à celle d'un enfant sur l'échelle hédoniste, comment justifie-t-on de ne pas infliger à un nourrisson, ou à un bébé mal formé, ce que l'on fait à une bête ? Peter Singer, et les antispécistes de toute la planète avec lui, franchissent le pas sans complexes et défendent l'euthanasie des enfants mal formés au nom de cette fameuse page de *Déontologie*...

18

Excellence de la petite morale. Récapitulons : Bentham expose les quatre moyens de fabriquer de la félicité. Premièrement, avec soi, la « prudence personnelle ». Deuxièmement, avec autrui, la « prudence extrapersonnelle ». Troisièmement, la « bienveillance effective négative » – ne pas faire de mal, notamment aux esclaves, aux homosexuels et à toutes les espèces vivantes, ce qui contribue à augmenter la somme des plaisirs, donc à diminuer la somme des peines sur la planète. Quatrièmement : la « bienveillance effective positive ».

Donc : la *bienveillance effective positive*. Bentham en formule l'impératif catégorique en inversant l'invite chrétienne qui enseigne « Ne fais pas à autrui ce que tu ne voudrais pas qu'il te fasse ». Ce qui donne : « Fais à autrui ce que tu voudrais qu'il te fasse ». Voilà le sésame qui résume et ramasse la totalité de son éthique utilitariste et hédoniste. Volonté de jouissance pour autrui, vouloir la félicité de l'autre, désirer son plaisir, jouir de sa jouissance qu'on aura désirée, voulue, construite ! Voilà le programme...

Loin de toute envolée lyrique, aux antipodes d'un philosophe dogmatique qui broderait ad nauseam sur l'altéricité *(sic)* d'autrui, le visage de l'autre, la transcendance du tiers, Bentham propose une modeste stratégie de la politesse, une brève philosophie de la courtoisie, une courte invitation au savoir-vivre, une petite pragmatique des règles de bienveillance et de bienséance, sur ce qu'il convient de faire ou ne pas faire, dire ou ne pas dire, comment se comporter en société, de quelle manière mener la conversation, sans être ni trop présent, ni trop lointain, ni péremptoire, ni changeant.

On trouve, dans ces longs développements, des pages drôles sur l'art de retenir ou contenir les pets en société, celui de cracher ou de gérer ses glaires en gorge ou bouche, des pages sur les propos de table et ce qui permet, selon sa belle expression, une « petite morale ». Or, cette « petite morale » est la plus grande, car elle montre qu'on n'a pas disserté et théorisé en vain, mais pensé et réfléchi pour produire des effets dans le réel le plus trivial où se joue vraiment l'éthique. L'ensemble vise à ce que j'ai appelé l'« eumétrie » dans *La Sculpture de soi*, à savoir la bonne distance à même de générer le plus de jubilations possibles, le moins de désagréments pensables...

Bentham invite à une pratique déontologique régulière car l'habitude crée une seconde nature. En effet, la mécanique intellectuelle finit par faire fonctionner vite et bien les principes utilitaristes, les calculs de maximisation des plaisirs, de minimisation des peines. L'intersubjectivité hédoniste se trouve donc facilitée par le pli utilitariste pris en amont. Les actions bienveillantes effectuées en direction d'autrui reviennent en paiement des investissements éthiques – pense Bentham. Vraiment ? N'y aurait-il donc jamais de faillites, de banqueroutes, de pertes sèches, de krachs éthiques dans le système déontologique ? En théorie, jamais. Mais dans la réalité, il en va tout autrement. La politique de Bentham est bien moins irénique que son éthique – la première mériterait pourtant d'être infusée par l'utilitarisme hédoniste de la seconde, et la seconde, d'être nourrie par le souci du réel hyperpragmatique de la première !

19

Le libéralisme utopique. La vulgate marxiste nous a habitués à entendre parler d'un *socialisme utopique* qui qualifierait tout mode préscientifique d'organisation sociale, libertaire ou communiste prémarxiste... Son caractère prétendument impraticable, impossible à mettre en œuvre parce qu'il lui manquerait quelque chose d'essentiel (le caractère scientifique...), le renverrait aux oubliettes de l'Histoire, avec au passage un léger sourire ironique pour les grands ancêtres restés au stade embryonnaire du socialisme.

Après un siècle d'expérimentations marxistes, suivi de l'effondrement du mur de Berlin, l'Histoire semble témoigner du caractère utopique de tout socialisme. Certes Marx avait tort, mais ses adversaires aussi. Et le retour triomphal d'un Tocqueville comme prophète de notre modernité, puis de ses suivants en disciples d'un maître de vérité libérale, témoigne d'une autre modalité de la fiction dangereuse que je nommerais le *libéralisme utopique*. Jeremy Bentham agit en fondateur de cette religion née à l'ère des machines. Je renvoie dos à dos le socialisme utopique et le libéralisme utopique – le premier a fait long feu, le second dure toujours...

Tant qu'il écrit sur la morale utilitariste, Bentham semble un philanthrope désireux du bonheur du plus grand nombre : des animaux, au premier degré de l'humanité sensible, au dernier des hommes, en passant par les réprouvés – les pauvres, les homosexuels, les esclaves, les prisonniers –, auxquels il consacre des réflexions spécifiques (rappelons *Situation des indigents* (1797), *Essai sur la pédérastie* (1785), *Emancipez vos colonies !* (1797), *Le Panoptique* (1791)), le philosophe aspire au « bonheur universel ».

En revanche, quand il aborde la question politique, via l'angle de l'économie, Bentham le philanthrope libertaire se retrouve dans la peau d'un penseur disciplinaire : le premier théorise les fins hédonistes de la société, le second pense les moyens de réaliser ce dessein eudémoniste social et donne au marché libre les pleins pouvoirs pour créer la société heureuse, harmonieuse, pacifiée. Dès lors, l'utilité déontologique devient l'arme d'une politique libérale que définit l'adage célèbre : fort avec les faibles, faible avec les forts. La morale faussement libertaire sert alors une politique réellement libérale.

L'Angleterre à la charnière du XVIIIe et du XIXe siècle (lire ou relire l'œuvre complète de Dickens mais aussi, souvenez-vous, la Flora Tristan de *Promenades dans Londres*), c'est la pauvreté, la misère, le chômage, le travail des femmes et des enfants, la prostitution, l'alcoolisme, le manque d'hygiène, une importante mortalité des enfants en bas âge et des femmes en couches, la pollution au charbon à grande échelle, la démographie galopante dans les foyers les plus démunis.

L'ère industrielle, c'est l'époque du capitalisme dans sa formule libérale, avec son cortège de négativité : la paupérisation, autrement dit de plus en plus de pauvres et de moins en moins de riches, en même temps qu'une augmentation de la pauvreté des pauvres doublée d'un accroissement de la richesse des riches, *ceci expliquant cela*. Dans ces cas de figure, le libéralisme, ça n'est pas la solution, mais le problème.

Or, pour Jeremy Bentham, le libéralisme, c'est la solution... Son *Manuel d'économie politique* constitue le bréviaire du libéralisme, l'idéologie la plus brutale pour les démunis. Comment imaginer que de cette modalité de l'organisation sociale capitaliste puisse sortir le plus grand bonheur du plus grand nombre ? De quelle manière le philosophe utilitariste hédoniste peut-il croire qu'en activant la machine libérale, en ouvrant encore plus grandes les vannes du marché libre et de la concurrence, il va régler le problème et réaliser un jour le « bonheur de l'humanité » ?

L'époque est aux utopies. On a l'habitude de classer dans ce dossier les extravagances du phalanstère de Fourier, les délires communistes de l'Icarie de Cabet, la technocratie du christianisme nouveau de Saint-Simon et ses suivants, Enfantin, Bazard, on ajoute également les Etats unis d'une Europe anarchiste de Bakounine ou New Lanarck d'Owen, en oubliant que cette dernière « utopie » fut un réel laboratoire socialiste ayant connu le succès.

Selon la vulgate, la bibliothèque utopiste rassemble donc les grands textes suivants : *Le Nouveau Monde industriel et sociétaire* (1820), le *Catéchisme des industriels* (1823), *Le Livre du nouveau monde moral* (1836-1840), le *Voyage en Icarie* (1845). Certains ajouteraient le *Manifeste du parti communiste* (1848). Mais personne n'intégrerait à cette liste les *Recherches sur la nature et les causes de la richesse des nations* (1776) d'Adam Smith, les *Principes d'économie politique* de Ricardo (1817) ou le *Manuel d'économie politique* (1793 ou 1795) de Bentham. Et pourtant...

Je tiens en effet qu'avec Bentham (mais avec Godwin également), le *libéralisme utopique* dispose de ses penseurs emblématiques généalogiques. Comment cela? En tant qu'ils proposent comme fin une société idéale, pacifiée, harmonieuse, heureuse, une communauté hédoniste, un eudémonisme social réalisé, une collectivité débarrassée de toutes les négativités qui constituent le présent, ces penseurs activent des mythologies dangereuses autour desquelles s'organise le réel. Marx et Bentham (se) proposent d'atteindre une même fiction, le premier en supprimant le libéralisme, le second en l'accélérant. Le premier fit des morts en quantité dans le passé; le second continue d'en faire...

20

La fiction du destructeur de fictions. Bentham semblait pourtant bien placé, lui, l'auteur du *Manuel de sophismes politiques* (1824), mais aussi de la *Tactique des assemblées législatives* (1822), un ouvrage qui démonte impitoyablement les différents sophismes mis en œuvre par les hommes politiques pour parvenir à leurs fins; lui qui, justement, effectue une redoutable analyse du « sophisme de la marche graduelle » en vertu de quoi il existerait un plan final, certes, mais qu'on parviendrait à la suite d'une longue série d'opérations nécessaires, semblait donc tout particulièrement incarner un philosophe qui ne succomberait pas au sophisme des fins. Que ne s'est-il en effet appliqué les conclusions de son propre travail !

Car les libéraux activent ce sophisme particulier : ils postulent l'existence d'un mécanisme naturel qui, si on laisse faire le marché, produit logiquement et naturellement l'harmonie en question. Faire confiance à la liberté économique, croire aux vertus d'émulation et de progrès de la concurrence, sacrifier au dogme libéral de l'ordre naturel, célébrer la non-intervention de l'Etat et des gouvernements, récuser les taxes et les impôts sur les bénéfices, voilà ce qui, selon la vulgate libérale, permettra de générer les richesses dont bénéficiera le plus grand nombre ! Ce qui constitue un paralogisme total, une erreur singulière de la part du philosophe si soucieux de déductions logiques.

L'éthique de Bentham repose, on l'a vu, sur un axiome fautif : la préférence naturelle du bien-être au mal-être ; sa politique repose sur un second axiome tout aussi fallacieux : la richesse des nations produit la richesse de tous ceux qui la constituent. Or le réel prouve le contraire : pas plus que sur le terrain déontologique le bonheur du particulier n'entretient de relation avec le bonheur de l'humanité, sur le terrain politique la richesse de la collectivité ne génère en retour celle des membres qui la constituent. La loi (vérifiable) de la paupérisation témoigne même de l'inverse !

Quelle est l'origine de ce paralogisme ? Probablement un reste de pensée théologique qui suppose, sur le principe de la théodicée, que tout ce qui a lieu entre dans le projet global d'un Dieu qui, in fine, veut la perfection de sa création. De sorte que le mal (lire ou relire Leibniz) trouve sa raison d'être dans l'économie d'un monde auquel rien ne manque, pas même la négativité ou sa négation. La fameuse théorie de la « main invisible » (formule de Smith dans *La Richesse des nations,* livre IV, chapitre 2) accrédite l'idée d'une théodicée sur le terrain de l'économie. (Bentham est un disciple de Smith, chaque fois qu'il s'en distingue un peu, c'est pour déplorer qu'il n'aille pas assez loin sur le terrain du « laisser-faire » transformé en panacée économique dans *Théorie des peines et des récompenses...*). Le libéralisme utopique fonde sa religion sur la croyance à cette idée fautive.

21

Salauds de pauvres! Dans *Modeste proposition concernant les enfants de classes pauvres,* Jonathan Swift propose une solution pour résoudre un double problème en son temps : la faim des pauvres et leur démographie affolée. Des affamés à la tête d'une famille nombreuse? Le problème contient sa résolution : que les miséreux mangent leurs enfants, pour régler cette double calamité. Les moyens donnés par Bentham pour supprimer la pauvreté ne vont guère plus loin – l'humour en moins...

Dans *Théorie des peines et des récompenses* (dont, rappelons-le, le second livre recycle le *Manuel d'économie politique,* un signe tout de même que cette fusion des deux textes!), Dumont rédige une note intéressante car elle pallie le manque de développement de Bentham sur le sujet. On sait que le pasteur genevois ne propose pas sa théorie, ses idées, mais qu'en fonction de ce qu'il a vu, lu, entendu dans les conversations avec son maître, il consigne des informations pour éclairer le débat et contribuer à la lisibilité du père de l'utilitarisme. Que dit cette note majeure ?

Que la pauvreté n'a rien à voir avec l'économie libérale, que le capitalisme ne la génère pas, mais que, à l'inverse, le libéralisme réduit la misère, fait reculer la pauvreté qui n'est pas un effet politique, mais un reliquat de la nature ! Voici ce que dit explicitement le texte : « La pauvreté n'est pas une conséquence de l'ordre social mais un reste de l'état de nature ». Autrement dit : « La richesse est une création de l'homme ; la pauvreté est la condition de la nature ». Voilà le second axiome du philosophe. Il constitue un deuxième paralogisme qui installe sa politique sur le terrain utopique...

Si les pauvres manquent de tout, n'ont pas de quoi se nourrir, se vêtir, se loger ; s'ils voient leurs femmes et leurs enfants mourir comme des mouches ; s'ils doivent travailler comme des forçats ; s'ils subissent le chômage ; si leurs salaires ridicules couvrent à peine de quoi subvenir aux besoins élémentaires et les contraignent le mois suivant à brader encore et toujours leur force de travail ; s'ils sont obligés de voler ; s'ils boivent pour supporter leurs conditions de vie ; si leurs épouses se prostituent pour donner à manger à leurs familles, qu'on ne s'y trompe pas : cela n'a rien à voir avec le processus de paupérisation consubstantiel au mode de production capitaliste ni à la répartition libérale des richesses, mais avec ce qui subsiste du vieux monde... La chose n'est pas dite, mais il s'agit probablement du monde d'après le péché originel qui explique, légitime et justifie le travail, la misère et la souffrance comme paiement expiatoire de la faute première.

Bentham donne sa solution : produire des richesses, commercer, vanter les mérites du luxe, ce qui contribue à l'enrichissement de la nation, interdire de fixer un minimum pour les salaires afin de permettre une économie saine. Il faut plus de travail, plus de productivité, plus d'échanges, plus d'émulations par la concurrence, plus de profits et, mécaniquement, logiquement, naturellement, la pauvreté disparaîtra – en même temps qu'apparaîtra comme par enchantement le plus grand bonheur du plus grand nombre. Bentham formule un libéralisme dialectique de la même manière que Marx son matérialisme dialectique !

L'économie politique de Bentham se résume au célèbre impératif écrit en toutes lettres dans *Théorie des peines et des récompenses* : « laisser faire », voilà le fin mot de l'affaire, l'adresse à signifier clairement à tout gouvernement. D'où une critique des taxes sur les échanges ; la suppression des taux d'intérêt pour favoriser l'investissement ; des impôts limités au strict nécessaire ; des salaires sans minimum, indexés sur la production et le mérite ; une privatisation de la gestion des prisons ; des manufactures réglées sur le principe disciplinaire du panoptique ; un commerce international déréglementé ; une réduction des jours de congé qui constituent une plaie pour la productivité ; un affinement de la division du travail ; une mise au travail des enfants et des femmes, des hommes valides et des invalides chacun selon ses capacités... Avec ce régime, on obtiendra une nation riche, donc des nationaux enrichis ! On peine à voir comment de cette proposition politique pourrait sortir l'augmentation du bonheur du plus grand nombre ! Ou de quelle manière la richesse d'une poignée signifie celle du plus grand nombre...

Bentham élargit sa fiction à la planète entière : pourquoi avoir peur du commerce avec les autres pays ? Les coûts sont moindres ailleurs ? Et alors ? L'économie nationale va s'effondrer ? Tant mieux, elle va prospérer ailleurs, dans les pays émergents (dixit le vocabulaire contemporain). Le retour bénéfique se fera dans les pays dévastés un temps, certes, mais qui auront été obligés de repenser leur mode d'organisation du travail. On aura généré du chômage ? Peut-être, mais la situation ne dure qu'un temps. Le travailleur s'adapte, il trouve du travail ailleurs, notamment dans les nouveaux secteurs créés pour adapter l'économie à la situation internationale. Tout finira par produire un jour le bonheur de l'humanité... Avec le libéralisme économique, la nature recule, la culture progresse, *donc* la pauvreté s'éteint... On rêverait – s'il ne s'agissait d'un cauchemar.

22

Les crimes de l'indigence. Dans sa critique de la Déclaration des droits de l'homme (intégrée dans *Tactique des assemblées législatives* sous la rubrique « sophismes anarchistes » !), Bentham ne se contente pas de mettre à mal, à juste titre, la fiction du contrat social, ou l'ineptie intellectuelle de l'expression « droit naturel » (il n'existe en effet de droit que positif), ou encore les vices de forme rédactionnels de cette déclaration, il révèle son fond antirévolutionnaire et ses options politiques qu'en termes contemporains on pourrait dire de droite.

Le refus de l'égalité des droits, la récusation de l'imprescriptibilité de certains droits (dont la liberté), le mépris des lois et du droit centrés sur l'homme et non pas sur l'utilité, l'éviction du principe même de droits de l'homme (« rhapsodie incohérente, méprisable et dangereuse »), l'antipathie face au droit de résistance à l'oppression et d'insurrection, tout cela installe Bentham du côté des défenseurs de l'utilité libérale pour lesquels le droit et la loi représentent plus des occasions de subversion, de désordre et d'anarchie que des garanties républicaines. Le citoyen républicain plaît beaucoup moins au philosophe que le producteur ou le consommateur des richesses de la nation...

Le souci du bonheur des pauvres n'étouffe pas Bentham qui semble les exclure de sa déontologie. Que faire du malheur d'un ouvrier qui, si l'on suit sa logique, devrait contribuer lui aussi métaphysiquement au malheur de toute la société ? Car, étrangement, la misère de centaines de milliers de pauvres ne suffit pas à remplir le grand vase du déplaisir de tous ? Ce qui vaut pour le plaisir ne vaut pas pour le déplaisir ? Et en vertu de quel tour de passe-passe métaphysique ?

En 1797 Bentham rédige *Situation des indigents*, un ouvrage qui devient en 1802 *Esquisse d'un ouvrage en faveur des pauvres*. « En faveur » est un euphémisme... Car, qu'y trouve-t-on ? Un projet de livre de comptes où répertorier le nom, l'âge, la qualité, la situation des pauvres. Ensuite, on les classerait en fonction de leurs capacités – les jeunes, les vieux, les forts, les faibles, les femmes, les enfants, les vieillards, les valides. On noterait également leur force de travail potentielle. Enfin, on attribuerait à chacun un travail afin de maximiser la production.

Chacun doit travailler. Si l'on rencontre dans la rue un mendiant, un vagabond, on peut, on doit même, le conduire au poste de police qui les redirigera vers les teneurs de registre qui le mettront au travail. Pour un pareil geste utile à la société, le « délateur » (le mot est de Bentham qui le connote positivement !) recevra une récompense pour sa contribution à maximiser l'utilité communautaire. Bentham fait donc de la délation une vertu utilitariste : elle est le salut des pauvres gens ! Seuls ceux qui ont quelque chose à se reprocher peuvent la craindre ou la redouter, affirme le philosophe. La théorisation de cette doctrine s'effectue dans *Théorie des peines et des récompenses.* Mettons cet ouvrage en perspective avec l'*Esquisse d'un ouvrage en faveur des pauvres.* Que voit-on ? Bentham établit un signe d'équivalence entre le délinquant et le pauvre, le criminel et le misérable, le malfaiteur et le chômeur, le prisonnier et l'ouvrier, leitmotiv libéral.

Dans cet ordre d'idées, Bentham écrit cyniquement que la majorité de la population carcérale provient des classes laborieuses. Ici, dans la *Théorie des peines et des récompenses,* où il affirme : « Les riches sont le petit nombre et commettent rarement des crimes : les pauvres sont la multitude, et les délits les plus fréquents sont ceux de l'indigence » ; là, dans *Le Panoptique,* quand il constate que les prisonniers purgent des peines « pour des offenses qui ne sont guère commises que par des individus de la classe la plus pauvre ». Et pour cause !

Nulle part on ne trouve la conclusion de bon sens

qui voudrait qu'en agissant sur les causes économiques productrices de pauvreté, donc de délinquance (puisque Bentham lui-même souligne la corrélation et la conséquence), on produise des effets de maximisation du bonheur et de minimisation des peines tel que l'envisage la *Déontologie* ! A moins de conclure que le pauvre n'a pas droit de cité éthique dans le système benthamien, à quoi sert sinon ce bel édifice moral qui propose le bonheur pour chacun et, par ce fait même, la construction du bonheur de l'humanité entière ?

23

Le régime disciplinaire libéral. D'où la solution panoptique qui quintessencie le régime disciplinaire libéral. L'économie libérale repousse la misère, car le paradis est annoncé, mais pour plus tard, enseignent les tenants du marché libre et de la religion du commerce ! Mais que faire, en attendant, pour les individus chassés du paradis, ceux que le système exclut et auquel le régime libéral, auteur de cet état de fait, reproche leur situation marginale ? Les dresser, les redresser, les soumettre, leur infliger la discipline. On est loin de la « bienveillance effective » positive ou négative !

Le panoptique permet de se rendre comme maître et possesseur des hommes (une perspective intéressante pour les meneurs d'hommes, précise son auteur) avec une économie de moyens, grâce à une « simple idée architecturale » : un bâtiment circulaire avec en son centre une tour séparée des cellules qui remplissent la bâtisse par un vide, donc un édifice contrôleur emboîté dans un édifice contrôlé ; dans la tour, à chaque étage, un inspecteur et sa famille vivent vingt-quatre heures sur vingt-quatre ; dès lors, le directeur de la prison peut voir en permanence et entendre tout ce qui se fait ou se dit à l'aide d'un système de tuyaux et de jalousies : il entend et voit sans être entendu ni vu, ainsi, à tout instant il peut surprendre un mot, une conversation ou un geste. Le but de tout cela ? Même absent, on doit le croire présent.

Que vise le panoptique ? La réinsertion des délinquants, la fabrication d'un homme nouveau, régénéré, à même de comprendre où est son bonheur, ce que doit être son plaisir – défini pour lui comme l'art de prendre une place assignée dans le régime de production capitaliste et libéral. « Une soumission forcée amène peu à peu une obéissance machinale ». Le panoptique est une machine à produire de l'ordre libéral par un perpétuel pliage du corps et de l'âme aux principes de la société utilitariste.

Le panoptique sera géré par un directeur privé, car le fonctionnaire public n'est pas le plus zélé ni le plus rentable pour mener à bien cette tâche de « discipline pénitentielle ». La prison ne doit rien coûter à la société. D'où une organisation rentable qui suppose l'entretien du prisonnier dans une hygiène correcte (tête rasée), nourri (frugalement), habillé (avec un vêtement clair aux manches de longueurs différentes, il faut bien humilier un peu), logé comme il faut (eau courante et sanitaires), mais avec sévérité, sur le principe de la diète, car il n'est pas question que le pauvre se mette à désirer la prison comme un lieu préférable à son quotidien...

La force de travail de ce prisonnier entretenue par

l'administration pénitentiaire sera mise à profit dans une activité d'atelier qui occupera tout son temps en dehors des repas brefs, du sommeil compté pour réparer les forces, sans plus, et des repos dominicaux. En guise de loisir, des roues seront installées dans le panoptique, le prisonnier pourra prendre place à l'intérieur et mettre en mouvement le mécanisme, tel un animal en cage... Edifications spirituelles le dimanche.

24

Le principe panoptique. Comme dans le dispositif intellectuel de William Godwin (libéral sur le réel certain, libertaire dans l'eschatologie improbable), le contrôle joue un rôle majeur dans la construction du régime disciplinaire libéral. Chacun regarde chacun qui est regardé par d'autres. Dans le panoptique, l'inspecteur surveille les prisonniers, mais aussi les gardiens; les gardiens regardent les détenus; les détenus se regardent eux-mêmes, car on les a répartis en groupes afin qu'ils s'auto-observent, s'auto-édifient, s'auto-éduquent. L'inspecteur, lui, est regardé par le peuple qui peut à tout moment venir voir les détenus, en famille, avec ses amis, mais également vérifier les conditions du travail des gardiens. On examine à la loupe les comptes donnés régulièrement par l'inspecteur à un « grand comité public » susceptible de le destituer en cas de mauvais résultats. Ainsi, chacun est un maître, mais à la condition d'être l'esclave de tous... Ce paradis benthamien ressemble à s'y méprendre à un enfer.

Emporté par son enthousiasme, Bentham extrapole et vante les mérites du « principe panoptique » au-delà de la prison : l'école, les hôpitaux, les casernes bien sûr, mais aussi les manufactures ! Quid de l'utilitarisme et de ses fins eudémonistes détaillées dans *Déontologie* ? Où est passé le « bonheur universel » ? Qu'est devenu l'objectif hédoniste d'une « félicité du plus grand nombre » ? Où est-il encore question du « plaisir de tous » ? Et le « bonheur public » ? Sinon le « bonheur de l'humanité » ? Le paradis libéral utilitariste ressemble à s'y méprendre à l'*Enfer* de Dante. Nous y croupissons encore et, semble-t-il, pour longtemps...

DEUXIÈME TEMPS

Les socialismes atopiques

I

JOHN STUART MILL

et « la plénitude de vie »

1

Une éducation benthamienne. On pourrait imaginer que l'éducation fantasque de Jeremy Bentham fut sans double, or il n'en fut rien... Et il fallut un benthamien pour en produire une semblable, dans le dessein de générer un nouveau philosophe utilitariste dans le même esprit que son idole. J'ai nommé l'Ecossais James Mill, taillé intellectuellement à la serpe théologique (bien qu'il n'exerçât jamais le pastorat après avoir constaté son manque de foi), voisin, pour le malheur de son fils John Stuart, de l'inventeur du panoptique dont il admirait le caractère, le tempérament et l'œuvre.

James Mill eut neuf enfants avec une femme dont ni lui ni son fils ne disent mot dans leurs œuvres ni même dans leurs correspondances... Employé aux bureaux de la Compagnie des Indes, où il supervise le courrier entre l'Etat colonisateur et le pays colonisé, Mill père écrira un certain nombre d'ouvrages dont une *Histoire des Indes britanniques*, et un livre d'économie politique libérale qui fit date.

Mais son grand œuvre fut son fils dressé comme un animal de cirque, selon les principes de Bentham, privé d'enfance, de jeunesse, de jeux, de divertissements, de sport, de petits camarades, d'affection, de tendresse et de tout autre sentiment. Pendant les vingt premières années de son existence, John Stuart Mill fut exclusivement pour son père un cerveau à formater. De quoi selon lui déboucher sur le plus grand bonheur possible de sa progéniture...

John Stuart Mill naît à Londres le 20 mai 1806. Le père le met au grec dès l'âge de trois ans, puis au latin à huit. En même temps, principe utilitariste de base, James Mill maximise son investissement pédagogique en contraignant son fils à enseigner la langue de Cicéron à sa jeune sœur, ce qui oblige l'enfant à de laborieuses préparations. A sept ans, il lit les dialogues de Platon depuis l'*Euthyphron* jusqu'au *Théétète*. Toute la littérature gréco-romaine y passe, puis les fabulistes et les tragédiens, les historiens et les poètes, les philosophes et les annalistes.

A l'âge où les enfants construisent des cabanes, pêchent dans les rivières, font des bêtises, il se met en tête d'écrire une histoire du gouvernement romain. Il n'a pas dix ans. En même temps, il compose des vers et des tragédies. Pour « s'amuser », se détendre, se distraire, il lit des ouvrages de science expérimentale et « dévore » des traités de chimie. A douze ans, il a ingurgité les textes de la logique d'Aristote, des traités latins de logique scolastique, et la production épistémologique de Hobbes... Suit un passage au calcul différentiel. Dans son *Autobiographie*, John Stuart Mill avoue avoir lu à cette époque vingt ou trente fois l'*Iliade*.

Le père a décrété que son fils n'irait jamais à

l'école, ni à l'université. D'où une évolution à la seule ombre du père et des amis qui lui rendent visite – l'ineffable Bentham en fait partie, bien sûr, l'économiste Ricardo également : l'enfant entretient avec ce dernier une conversation d'égal à égal. Son rapport aux autres enfants, quand il lui arrive d'en croiser, autrement dit rarement, se révèle exécrable : suffisant, hautain, prétentieux, John Stuart n'est pas programmé par son père pour vivre dans le monde réel. Chaque jour, père et fils partent en promenade, pendant ce temps l'enfant rapporte à l'adulte ses lectures de la veille et les commente. Les jours se suivent et se ressemblent.

Samuel, le frère de Bentham, reçoit le jeune garçon quelque temps dans son château du sud de la France. Eloigné du père, il apprend le français vite et bien. A quatorze ans, il suit des cours à l'université de Montpellier. Pour la première fois, il pratique quelques activités physiques dont l'équitation et la natation, mais il avoue n'enregistrer aucun progrès. Toute sa vie, ce cerveau magnifique montre une maladresse insigne dans les gestes les plus élémentaires de la vie quotidienne. Il apprécie le mode de vie français, le compare à celui des Anglais, avoue qu'une année de liberté lui fait un bien fou.

A Paris, il habite quelque temps chez l'économiste Jean-Baptiste Say, il croise Saint-Simon (dont il dit souvent du bien), fait une halte à Caen, chez un ami de son père, avant de traverser la Manche, puis de retrouver la férule paternelle. A cet âge, quinze ans, il a lu Locke et Condillac, Helvétius et Bentham. Il écrit un texte dans lequel il s'oppose au préjugé couramment répandu dans l'Angleterre capitaliste et victorienne que les riches disposent d'une plus forte capacité morale que les pauvres !

2

Toujours sous le signe du père. Seize ans. John Stuart Mill, qui toute sa vie aura du mal à penser seul, du moins qui toute sa vie préférera penser accompagné (après son père, ses amis, après ses amis, sa femme, après sa femme, sa belle-fille), met en place une petite société d'amis baptisée « Société utilitaire ». On y discute le principe de l'utilité cher aux disciples de Bentham sous tous les angles possibles mais plus particulièrement ceux de l'éthique et de la politique. Trois personnes en constituent le noyau dur, jamais elle n'excédera la dizaine. Les membres s'y retrouvent tous les quinze jours pendant trois ans et demi.

Mill précise à cette occasion que c'est la première fois qu'on utilise le mot *utilitaire* dans cette acception philosophique (sans oublier d'ajouter que le terme se trouvait déjà dans un roman de Galt, les *Annales de la paroisse*, qui mettent en scène un prêcheur invitant ses paroissiens à observer les enseignements de l'Eglise afin de ne pas devenir « utilitaires »). Le zèle de Mill à user très fréquemment du mot « utilitariste », la présence parmi les trois membres du secrétaire de Bentham, le fait que les réunions se tiennent chez le vieux philosophe, tout cela donne sa consistance au concept. John Stuart en profite pour diriger les débats, animer le groupe, mener le jeu – jouer au père...

Remplir ce rôle de temps en temps doit lui tenir à cœur, car il dépend de son père pour tout : le formatage pédagogique, bien sûr, mais aussi l'année passée loin de lui en France, les gens rencontrés au domicile paternel, ses centres d'intérêt utilitaristes, son cercle de réflexion, les vacances menées sur le même rythme, mais dans une maison de campagne, et puis ce travail dans la Compagnie des Indes effectué sous les ordres directs de son géniteur – le philosophe y travaillera trente-cinq années : de dix-sept à cinquante-deux ans...

En même temps qu'il supervise les échanges de correspondances entre la Grande-Bretagne et les Indes, John Stuart Mill persiste dans l'entreprise benthamienne en inscrivant son nom dans la lignée des John Browning, George Grote, Etienne Dumont, auxquels revient la lourde tâche de fabriquer les livres de Bentham. Nul n'ignore ses manuscrits abondants, fouillis, inachevés, ses répétitions, ses phrases interminables, ses incises innombrables, ses fragments, et la nécessité de tailler, couper, coller, monter afin de proposer au lecteur un livre digne de ce nom.

Stuart Mill s'y attelle et édite cinq volumes à partir de trois manuscrits. Il démêle les phrases trop longues ou confuses, récrit, reformule, lit les traités des lois anglaises pour préciser ou affiner une analyse qu'il intègre dans le corps de l'ouvrage, il amende, corrige, augmente le texte ici, le réduit là. L'ouvrage intitulé *Manuel de la preuve judiciaire* sera édité par Mill en 1827. Quand il écrit son *Essai sur Bentham*, si violent pour le philosophe, il ne sauve que ses travaux sur la loi !

La lecture de la *Vie de Turgot* de Condorcet produit sur lui un effet considérable. L'auteur de l'*Essai sur les progrès de l'esprit humain* met en garde contre l'esprit de secte. Il souligne par ailleurs combien Turgot se méfiait des Encyclopédistes qui fonctionnaient sur ce principe. Dès lors, Mill renonce à se définir comme *utilitariste*, trop conscient du fait que les zélateurs de Bentham constituent eux aussi une secte dangereuse. Nous sommes vers 1824, Mill a dix-huit ans. Ce renoncement à se dire utilitariste compte pour beaucoup dans l'économie de la pensée, de l'œuvre et du devenir du philosophe – l'historiographie tient pourtant cet aveu pour nul et non avenu, réduisant bien souvent la pensée de Mill à une duplication de l'utilitarisme de Bentham.

Mill apprend la langue allemande et, toujours sous le coup du tropisme de la pensée communautaire, il constitue un nouveau groupe d'études. Deux réunions hebdomadaires entre huit heures trente et dix heures. Au programme : économie politique, logique syllogistique, psychologie analytique. Sur le premier thèmes, les amis ont choisi de travailler, lire et commenter le livre d'un certain... James Mill, *Eléments d'économie politique*.

L'époque est à la révolution industrielle, au capitalisme déchaîné, à la religion du libéralisme, au culte de la main invisible, aux vertiges du « laisser faire, laisser passer »; conséquemment, l'époque est à la pauvreté, à la misère, à la délinquance, à la prostitution, à l'alcoolisme, mais aussi à la naissance de l'antidote socialiste. Robert Owen la théorise pour la première fois dans *Une nouvelle vision de la société* (1813), puis il la met en pratique à New Lanarck, une usine gérée sur le principe socialiste – le mot date d'ailleurs de 1822 et on le lui doit en Angleterre.

Le libéral Jeremy Bentham investit de l'argent dans l'aventure d'Owen. Mill père la connaît, Mill fils aussi. Les owénistes disposent d'une société de disciples qui militent et portent la bonne parole socialiste de réunion en réunion. Cette « Société coopérative » organise des débats/rencontres. John Stuart Mill et ses amis décident de brocarder l'orateur en public (bien que, selon les dires de Mill lui-même dans son *Autobiographie*, il partage leurs objectifs !). Précisons tout de même que le militant à la tribune se nomme William Thompson et qu'il a signé un livre dans lequel il critique un certain... James Mill !

A dix-neuf ans, Mill écrit dans la revue *Westminster* en même temps qu'il s'en occupe. Parmi les auteurs... son père ! Le fils confie qu'il est difficile de le censurer, sinon d'apporter les simples rectificatifs ou les correctifs nécessaires au bon usage ! Mill le jeune y publie un texte élogieux des premiers acteurs de 1789. A cette époque il envisage d'écrire une histoire de la Révolution française.

En glanant les informations sur le père dans l'*Autobiographie*, on trouve bien sûr les éloges de rigueur – la reconnaissance pour sa tâche d'éducateur et d'auteur, ses qualités et autres vertus concédées par un bon fils –, mais aussi et surtout, en petites touches espacées, le portrait d'un homme rigide, austère, sévère, colérique, irritable, incapable de manifester le moindre sentiment d'affection ou d'empathie, tout entier dans le travail, la réflexion, l'esprit, les livres. Le fils brosse le portrait d'un père castrateur, craint, idéalisé, incarnant la loi, disposant de toutes les qualités habituellement associées à Dieu : omniprésent, omnipotent, omniscient... Ce qui ne peut manquer de créer une situation psychiquement catastrophique pour un fils sans enfance, un adolescent sans jeunesse, un jeune homme sans tendresse, un adulte sans chair au cerveau hypertrophié.

3

L'hapax existentiel. Dans *L'Art de jouir,* j'ai appelé *hapax existentiel* le moment dans une vie où tout bascule et autour duquel s'organise le restant de l'existence. Une expérience psychique et physique, spirituelle et corporelle, le dénouement d'un nœud, la résolution d'une contradiction, d'une tension, un genre de crise accompagné de somatisations spectaculaires. *Hapax,* car cette scène est sans double, elle ne se répète pas, elle est unique ; *existentiel* car l'hapax résout des problèmes qui rendaient l'existence difficile.

Je tiens que la plupart des philosophes qui comptent sur le terrain existentiel ont expérimenté un jour ce genre de traumatisme : Augustin dans son jardin à Milan ; Montaigne lors de sa chute de cheval ; Descartes et les songes dans son poêle ; Pascal et sa nuit de feu ; La Mettrie terrassé par une syncope au milieu d'un champ de bataille ; Rousseau sur le chemin de Vincennes ; Nietzsche et sa vision de Surlej ; Lequier dans le jardin familial ; Valéry à Gênes, etc.

L'hapax existentiel de John Stuart Mill date de l'automne 1826. Après vingt années d'existence passées sous le signe d'une sollicitation nerveuse sans relâche, le jeune homme se pose une question : « Imagine que tous tes buts dans la vie soient réalisés ; que tous les changements auxquels tu aspires dans les institutions et les opinions puissent être entièrement accomplis à cet instant précis : serait-ce pour toi une grande joie, un grand bonheur ? » Réponse : non. Devant la brutalité de cette évidence surgie du tréfonds de lui-même, Mill s'effondre d'un seul coup. Ce qui faisait le but de son existence ne serait donc qu'une illusion ?

Les nuages s'accumulent au-dessus de sa tête, il a perdu toute raison de vivre, rien ne lui offre une lueur d'espoir, la lecture n'agit pas en cordial, personne ne peut l'aider dans cette épreuve qui dure, aucun individu ne peut agir en ami, en complice, en confident pour traverser cette mauvaise passe : ni son père, dont il aurait condamné ouvertement l'éducation en avouant sa dépression, ni sa mère, absente ici comme ailleurs, ni les frères et sœurs, ni les complices de débats intellectuels, ni ses amis, qui sont ceux du père... Mill mesure la vacuité de son être et l'immense solitude dans laquelle l'éducation de son père l'a conduit comme dans une impasse. Il conclut : « L'habitude d'analyser tend à appauvrir le sentiment ».

Mill mesure le paradoxe : toute son éducation a été tendue vers l'hédonisme, son père a ouvert la voie utilitariste et voulu faire de son fils un être doué pour le bonheur, capable de créer les conditions du plaisir et l'évitement du déplaisir. Théoriquement tout cela semblait parfait; mais pratiquement, Mill en était incapable. Il se dit échoué dès le début de son voyage dans un superbe navire, doté d'un gouvernail en état, mais sans voiles... Cet état de prostration dure une année, jusqu'à l'hiver 1827.

4

Joie au meurtre du père ! Mill raconte la résolution de cette tension sans se rendre compte des informations qu'il donne, lui l'auteur d'un *Système de logique* qui fait grande place à la psychologie... Cette sortie de crise s'effectue avec un livre dont Mill donne le titre : « les *Mémoires* de Marmontel », or le titre exact de cet ouvrage est *Mémoire d'un père*... Dans cet ouvrage, ce qui libère Mill de sa profonde mélancolie, c'est la narration par Marmontel de... la mort de son père! Lisons-le : « Dès cet instant, mon fardeau s'allège. La pensée opprimante que tout sentiment était mort en moi disparaît ».

Certes, Mill passe à côté de l'information, à la manière dont on frôle la lettre volée sans jamais l'apercevoir chez Poe. Evidemment, il prétend que ce qui le remet en selle n'est pas le récit de la mort du père, mais les sentiments du narrateur au moment où Marmontel affirme à sa famille éplorée qu'il va devenir leur soutien. Emotion aux larmes, confie Mill – comme toujours dans l'hapax existentiel, abondamment arrosé par un flux lacrymal!

Version officielle, du moins donnée par l'auteur sorti de sa dépression nerveuse : la capacité de ressentir une empathie lors de la narration d'une épreuve vécue par un autre, la possibilité d'une sympathie pour le genre humain, la faculté de sentir en soi l'émotion altruiste du partage de peine, voilà les véritables raisons de son salut existentiel. Que l'occasion de cette preuve par l'amour du prochain se fasse à l'occasion du récit de la mort d'un père, que la mention du livre effectuée par Mill dans l'*Autobiographie* scotomise la partie qui, justement, exprime le nom du père, que le spectacle sublimé du décès paternel lisse l'angoisse du fils, voilà ce qui ne vient pas clairement à l'idée de Mill qui, pourtant, ne manquait pas de sagacité.

5

Leçons d'une dépression nerveuse. Cet épisode dépressif génère une connaissance nouvelle. Mill écrit là une très belle page de l'*Autobiographie*, mais également de son œuvre complète. Le jeune philosophe a donc vingt et un ans quand il dévoile sa « nouvelle manière de penser ». A l'évidence, le règlement de comptes commence avec le père, donc avec Bentham. Dans un premier temps, Mill conserve l'hédonisme et l'utilitarisme car il affirme que « le bonheur est le critère de toutes les règles de conduite et le but de la vie ».

Mais la singularité de John Stuart Mill se manifeste dans son hédonisme indirect et altruiste : on ne doit pas viser le bonheur pour soi, de façon *directe*, et le rechercher de manière égoïste comme le pense Bentham, mais de façon *indirecte* : cherchons d'abord à donner du plaisir aux autres, à augmenter le bonheur de la collectivité, à travailler à la promotion du plaisir et à l'éviction de tous les déplaisirs pour les autres, à réaliser le bonheur de l'humanité, ne cherchons pas à jouir de manière égoïste, autiste, solipsiste, ne recherchons pas un plaisir solitaire mais solidaire. Alors le plaisir pour soi arrivera comme le bénéfice personnel de notre investissement dans la joie de l'autre. Bentham croit au plaisir de l'individu coupé du monde, Mill père également; Mill fils veut le plaisir dans le monde, par le monde, pour le monde. D'où ses engagements politiques à gauche.

6

Une vie romantique. La vie de John Stuart Mill change. Trop longtemps il fut un cerveau, de la matière grise, une pure intelligence ; trop longtemps on l'a réduit à sa faculté de penser, de mémoriser, d'analyser, d'exposer, de retenir ; trop longtemps on a, chez lui, négligé, oublié le sentiment, le corps, la chair, la vie sensuelle et affective. Les vingt premières années d'une existence sont généalogiques de l'être, elles ne repassent pas, on ne les rattrape pas.

La dépression nerveuse coupe sa vie en deux. Avant ? Le cerveau sans le corps, la théorie sans les sentiments, Bentham et son père sans la vie, les livres sans l'action, les discours sans la pratique, la pensée sans effets autres que livresques. Après ? Non pas l'inverse, le corps sans le cerveau, les sentiments sans la théorie, ce qui serait une autre et même façon de vivre en hémiplégique, mais les deux instances réconciliées : la réflexion et l'action, l'écriture et la vie, la philosophie et le monde, cette cohérence recouvrée définit une vie philosophique, à savoir la meilleure assurance contre une vie mutilée.

L'historiographie réduit toujours un penseur et une pensée à quelques clichés et lieux communs sur lesquels on revient difficilement. En consultant l'entrée *John Stuart Mill* d'un dictionnaire ou d'une encyclopédie, on découvre toujours la même fiche signalétique : philosophe utilitariste, disciple de Bentham, libéral en politique, dans la tradition classique de l'économie politique du même Bentham. Ce qui peut tenir tant qu'on ne le lit pas et qu'on se contente de dupliquer les notices fautives, mais ne résiste pas à l'examen des textes. Car Mill l'écrit lui-même : il s'est affranchi de l'utilitarisme benthamien et il professe en politique un « socialisme tempéré » professé dans les livres et pratiqué dans la vie, y compris un temps sur les bancs de l'assemblée.

Après ce fameux hapax existentiel, John Stuart Mill va mener une vie romantique. Qu'est-ce qu'une vie romantique? Une vie dans laquelle les sentiments tiennent la plus grande part, la passion amoureuse n'étant pas la moindre. Qu'est-ce qu'une vie *philosophique* romantique? Une existence où l'individu se veut, dans la logique baudelairienne du dandy décrit dans *Le Peintre de la vie moderne* (1863, Mill a cinquante-sept ans), résistance incarnée à la veulerie de son époque, à la massification des temps, à l'unidimensionalité qui gagne, au règne des masses.

Lorsqu'il voit le jour à nouveau, Mill trouve son salut dans la poésie romantique de Wordsworth qui magnifie la « culture du sentiment ». Il aime sa passion pour la contemplation du spectacle de la nature, son goût pour le sublime des montagnes et des paysages, sa façon de toucher les natures non poétiques. Bentham n'aimait pas la poésie qu'il trouvait inutile – comble de la dépréciation pour un utilitariste... James Mill le suivait dans cette idée saugrenue. Mill fils, que la mort d'un père sauve (celui de Marmontel!), trouve donc sa sortie de l'obscurité dépressive grâce à la poésie.

N'oublions pas que Stuart Mill est le contemporain de Schubert et Brahms, Wagner et Berlioz, Delacroix et Whistler; que *La Liberté* (1859) paraît l'année du *Tristan* de Wagner; que *L'Utilitarisme* (1861) sort en même temps que se crée le *Quatuor op. 25* de Brahms ; que *L'Assujettissement des femmes* (1869) date de l'année de la mort de Berlioz – qui écrivit lui aussi ses *Mémoires* parus en 1864, alors que Mill commence son *Autobiographie* en 1854. L'hapax existentiel de Mill lui permet d'entrer de plain-pied dans l'époque romantique. Son socialisme, son féminisme, son individualisme, sa vie en témoignent.

7

Entre ancienne et nouvelle vie. La coupure existentielle est nette ; les effets produits dans la vie quotidienne ne se manifestent pas obligatoirement de façon aussi tranchée. Un livre critique paraît sur l'*Essai de gouvernement* de son père qui se défend, mais mal, avec des arguments ad hominem, en délaissant le fond sur lequel son fils aurait voulu le voir s'engager. La charge contre le père le fait réfléchir, l'idole se fissure un peu plus. Mill pense qu'il aurait fallu répondre sur le terrain de la logique.

Après cette dépression nerveuse, Mill poursuit sa route, clairement conscient de s'affranchir de plus en plus des idées, des méthodes, des avis, des sentiments de son père. A vingt-trois ans, en 1829, il rencontre les deux célèbres saint-simoniens Enfantin et Bazard. Il s'enthousiasme pour leurs critiques du libéralisme. Il trouve plus de socialisme chez Saint-Simon que chez Owen. Chez tous ces penseurs, Fourier compris, il aime, on s'en doute, la remise en cause de la famille traditionnelle.

La nouvelle des événements de 1830 le décide à traverser à nouveau la Manche pour suivre de près le déroulement des faits en France. Il rencontre La Fayette à Paris. Devient l'auteur d'articles pour un journal dans lequel il fait presque tout, l'*Examiner*. Puis il écrit *Essais sur quelques questions pendantes d'économie politique* – on appréciera « pendantes » dans une matière explicitement traitée par son père dans un *Principes d'économie politique* paru en 1822, un sujet lui aussi traité par le fils en 1848 sous le titre... *Principes d'économie politique*. Le fils confie qu'en 1830, il est désormais très loin de son père. A voir...

8

L'antipère au prénom de la mère. La rupture réelle, radicale, s'effectue avec une femme qui accomplit la vie romantique de Mill. L'*Autobiographie* le dit avec force détails. Comme toujours le genre autobiographique vaut pour ce qu'il ne dit pas, masque, cache, met en lumière pour mieux mettre de côté, il compte par ce qu'il dit *presque*, par les directions indiquées, et non par les chemins empruntés, il importe par les lapsus ou les actes manqués.

Ainsi de l'absence totale de sa mère dans les deux cent cinquante pages de cette autobiographie : aucune mention, pas même son nom, rien donc sur son rôle dans l'enfance, son rapport au père, ce qu'elle pensera et dira de l'histoire amoureuse de son fils, de l'éducation de son enfant, rien sur sa mort. John Stuart Mill parle une fois de sa petite sœur à laquelle son père lui fait donner des cours de latin, mais rien sur les sept autres membres de la fratrie...

La déclaration liminaire de cet ouvrage qui paraît l'année qui suit sa mort (1874) précise que l'ouvrage ne procède pas du narcissisme ou de l'égotisme attendus dans pareil exercice d'écriture, mais de l'autoportrait d'une conscience. De fait, Mill écrit une formation intellectuelle, la narration d'une construction de soi, il détaille la production d'une individualité d'exception, extravagante, à laquelle son livre intitulé *La Liberté* invite théoriquement. L'époque aime ce genre où le Moi sert moins le culte de l'ego que l'édification philosophique.

Mais Mill déborde l'intention déclarée dans l'ouverture : quand il rapporte le détail de sa vie de parlementaire, il a passé soixante ans et les faits en question entrent difficilement dans l'histoire d'une formation intellectuelle ! A l'évidence, ce projet s'élargit pour devenir une autobiographie classique, autrement dit un essai pour mettre de l'ordre et du sens dans une existence, lui donner une consistance, une façon, aussi, de doubler le biographe qui ne manquera pas de venir...

Parmi les zones d'ombre les plus significatives, la mère donc. Mill déborde de sentiments forts à l'endroit d'Harriet Taylor : reconnaissance et amour, passion et admiration, éloges et lyrisme. L'absence de références à la mère empêche qu'on apprenne son prénom qui est... Harriet. L'examen du manuscrit de l'*Autobiographie* montre qu'il fut çà et là question de la mère, mais ces mentions ne figurent pas dans l'édition imprimée...

La rencontre avec Harriet Taylor s'effectue en 1830 chez un pasteur organisateur d'un dîner qui les met en présence. A vingt-trois ans, elle est mariée, mère de deux enfants, John Stuart en a vingt-cinq. L'un et l'autre se connaissent pour avoir joué pendant leur enfance dans les jardins contigus de leurs familles.

M. Taylor, de onze ans plus âgé que son épouse, dispose d'une fortune confortable de marchand, il a convolé en justes noces avec une jeune Harriet de dix-huit ans. Mill en fait un homme bon, mais intellectuellement inférieur à sa femme, très peu enclin aux choses de l'esprit, et ne manifestant aucun intérêt pour l'art. Autrement dit, Harriet est mal mariée ! L'année qui suit cette rencontre, Harriet accouche d'un troisième enfant...

Le coup de foudre de cette première soirée produit des effets car Harriet informe son mari trois ans plus tard de son histoire d'amour avec Mill – qui, si l'on en croit son *Autobiographie*, était purement platonique... Le mari prend connaissance des faits, effectue son autocritique, avoue n'avoir probablement pas toujours été aussi tendre et attentionné qu'il aurait fallu. Son épouse quitte Londres pour Paris où John Stuart la rejoint.

9

L'adultère utilitariste. Malgré les distances prises avec l'utilitarisme orthodoxe de Bentham, Mill et Mme Taylor évoluent dans les eaux philosophiques utilitaristes. Leur situation offre une excellente occasion de travaux pratiques. La philosophie anglo-saxonne aime la casuistique, elle chérit les cas concrets, en voici un : sachant que John Stuart est amoureux d'Harriet, que cette dernière est l'épouse de M. Taylor, que ces derniers sont parents de trois enfants, que l'un des amoureux est célibataire et sans progéniture, l'autre marié, mais que tous deux sont éperdument amoureux, comment faire pour générer le plus grand bonheur possible du plus grand nombre ? Autrement dit, négativement : comment produire la moindre douleur, le moins possible de souffrance pour le plus grand nombre ? Quelle situation permettra au mari trompé, à la femme infidèle et au célibataire transi d'amour de ressentir le déplaisir le plus petit ?

Réponse à la question, tranchée probablement par les trois, chacun d'entre eux ayant eu à manger un peu de son chapeau : Harriet continue de vivre (platoniquement cette fois-ci...) sous le même toit que son mari pour sauver les apparences, ainsi elle peut également s'occuper de l'éducation de leurs trois enfants tout en leur assurant au quotidien des conditions de vie équilibrées, pendant que Mill se voit attribuer un droit de rencontrer sa dulcinée quand il veut, où il veut, y compris au domicile de la famille, ou dans leur maison de campagne, voire de partir en voyage avec elle.

Harriet et Mill ne peuvent donner la pleine mesure à leur histoire d'amour, certes, mais ils disposent tout de même de plages très étendues pour vivre leur aventure ; M. Taylor voit une partie de sa femme lui échapper, certes, mais il sauve les apparences, considérables dans l'Angleterre en passe de devenir victorienne, cette solution est bien utile pour maintenir son statut social ; même chose pour Harriet qui n'a pas son John Stuart sous la main, à la maison, certes, mais qui reste une femme convenable selon les apparences, et, plus important, qui peut éduquer ses enfants dans une sérénité préservée... Voilà un contrat utilitariste en bonne et due forme : des souffrances évitées par des décisions relatives qui condamnent des engagements absolus, une façon intelligente et non-violente de régler les problèmes amoureux où le cœur occupe la place que la raison lui donne. Règlement philosophique d'un problème vieux comme le monde...

10

Harriet, sa raison maïeutique. Le contrat utilitariste dure presque vingt ans, jusqu'à la mort de M. Taylor, emporté par une maladie qui permit à Harriet de lui prodiguer des soins attentifs avec une peine non feinte. Personne ne considéra la disparition de l'époux en juillet 1849 comme une aubaine. Deux années de décence plus tard, en avril 1851, John Stuart et Harriet s'épousent, mais pour seulement sept années et demie de bonheur. Car Harriet succombe à la tuberculose, un fléau qui, outre sa femme, causa à Mill la mort de ses deux jeunes frères, et de son père en 1836. La même maladie faillit l'emporter lui aussi...

Mais de 1830, date de sa rencontre avec Harriet, jusqu'à sa propre mort, Mill vécut sous le signe d'Harriet pour laquelle il n'a jamais ménagé ses démonstrations amoureuses, notamment en avouant de nombreuses dettes intellectuelles : avec elle, il pensait mieux, plus finement, dans des contrées où il ne s'était jamais engagé ; il découvrait des continents, dont l'engagement socialiste ; il formulait avec plus de précision des idées déjà actives chez lui, le féminisme par exemple. Lui qui aimait Socrate par-dessus tout, aurait pu faire d'Harriet sa raison maïeutique.

11

Le radicalisme philosophique. Mill travaille à son bureau de la Compagnie des Indes et file le parfait amour avec Harriet. À cette époque, il lit les philosophes français, notamment *De la démocratie en Amérique* (1835-40), un livre qui le ravit. Par la suite, il entretient avec Tocqueville une correspondance sur la tyrannie des masses, la dictature de l'opinion, la religion égalitariste dommageable aux individus et l'ère des foules.

De même, il s'enthousiasme pour le *Cours de philosophie positive* (1830-42), il échange avec Auguste Comte une série de lettres. Mais il se sépare du philosophe français à cause de l'identification de la politique à un genre de religion sociale qui propose la dilution des individus dans la communauté. Il prend également ses distances face à l'indigence des arguments de Comte sur la question féministe : celui-ci s'appuie en effet sur le moindre poids des cerveaux du beau sexe comparativement à ceux du sexe dit fort pour justifier l'éternelle infériorité ! Il écrira tout de même un *Auguste Comte et le Positivisme* en 1865.

Dans le même moment, John Stuart Mill s'illustre dans la promotion de ce qu'en Angleterre on appelle le « radicalisme philosophique ». Il dirige *London and Westminster*, une revue qui fonctionne en fer de lance de ce courant politique étroitement lié à l'utilitarisme libéral qui défend la démocratie via la promotion du suffrage universel et une éthique *libérale* très progressiste. Au printemps 1840, après quelques divergences intellectuelles avec l'équipe, il passe la main.

En 1843 paraît le *Système de logique déductive et inductive.* Mill affirme que tous nos raisonnements procèdent de notre expérience, de l'observation des faits. Il installe la connaissance non pas sur le terrain de la métaphysique et du spiritualisme, comme les philosophes allemands, mais sur celui de l'empirisme. L'ouvrage se termine sur des considérations éthiques : Mill souhaiterait qu'en morale on puisse construire avec le sérieux et la rigueur épistémologique des sciences dures une éthique qui, toutefois, ne soit pas une science, mais un art de rendre les hommes heureux.

C'est dans un même souci de contribuer au bonheur des hommes, notamment en cherchant les moyens de réaliser la justice sociale, que paraissent les *Principes d'économie politique* en 1848. Mill défend l'économie libérale classique, mais la succession des éditions de ce livre à succès montre qu'il s'éloigne de l'orthodoxie benthamienne en justifiant l'intervention de l'Etat pour empêcher que l'exercice de la liberté n'entrave la sécurité de tous et de chacun. A force de temps, de travail et de discussions avec Harriet Taylor, Mill pose les bases d'un socialisme libéral qui n'a rien à voir avec un libéralisme social – dans l'*Autobiographie,* il parlera de « socialisme tempéré »...

Mill n'attaque pas de front l'idéalisme allemand, mais il écrit clairement contre à plusieurs reprises en affirmant que ses fausses doctrines conduisent à de mauvaises institutions. Le *Système de logique* de Mill pourrait bien être une anti-*Critique de la raison pure* et *La Liberté* l'anti-*Principes de la philosophie du droit* de Hegel : empirisme contre transcendantalisme, individualisme contre étatisme, socialisme contre nationalisme, universalisme contre prussianisme...

12

Une œuvre écrite à trois. Mill a vécu plus de vingt ans le contrat utilitariste passé avec M. Taylor puis à la mort de ce dernier, sept années et demie avec la femme de sa vie. De 1830, l'année où il la rencontre, à 1858, date de sa mort, en passant par 1851, celle du mariage, voilà presque vingt-huit années de communauté spirituelle, intellectuelle, philosophique. Mill avoue qu'il pourrait signer ses livres avec Harriet tant elle a compté dans leur élaboration, l'établissement du texte, l'essai des idées, la discussion, l'évolution aussi vers un point de vue qui n'était pas originairement le sien. Elle fut la femme de sa vie, la complice en tout. Sa mort coupe son existence en deux, comme sa dépression nerveuse. Helen, la fille des époux Taylor, sa belle-fille donc, devient désormais sous sa plume « ma fille »...

Dans les temps du deuil, Mill voyage en Europe : Italie, Sicile, Grèce ; il obtient de la promotion dans son travail et bénéficie de cet avancement pendant deux années, le temps que ce bureau soit démantelé pour des raisons de politique politicienne et qu'il prenne sa retraite à l'hiver 1859. Sa belle-fille joue le rôle intellectuel et philosophique tenu jadis par sa mère. Dès lors, Mill parle d'une œuvre écrite à trois... Mill, mère, fille.

A cinquante-neuf ans, retraité donc, il devient député sans avoir mené campagne. A la tribune, il défend des causes progressistes, éclairées, pour tout dire de gauche : le droit de vote des femmes, le suffrage universel, le gouvernement représentatif, la défense des pauvres, des ouvriers, des fermiers irlandais, la lutte contre l'esclavage aux côtés de Jamaïcains, la défense de la contraception – Mill est arrêté pour avoir distribué des tracts qu'on dirait aujourd'hui du planning familial... Les électeurs ne lui renouvellent pas leur confiance, il renonce à se représenter aux consultations suivantes malgré la pression de ses nombreux soutiens populaires.

Dès lors, il regagne Avignon, travaille, lit, écrit, rédige sa correspondance, et souhaite profiter de sa liberté recouvrée pour mettre au point un certain nombre de textes, dont *L'Asservissement des femmes* qui paraît en 1869. Lors d'une herborisation sur les terres provençales, Mill contracte un érysipèle infectieux et meurt le 7 mai 1873 à l'âge de soixante-sept ans. Il est enterré avec Harriet dans le cimetière près duquel il avait acheté une maison d'où il pouvait voir, par la fenêtre, la tombe de la femme de sa vie.

13

Un utilitariste subtil. Peu avant de mourir, Mill et Harriet s'étaient proposé un plan de travail en trois temps : la morale, d'où *L'Utilitarisme* (1863), la liberté avec le livre éponyme en 1859, et la famille avec *L'Assujettissement des femmes* (1869). De fait, l'ensemble de la pensée de Mill, hors la logique, se trouve résumé dans ces trois titres. Trois thèmes permettent des variations, des croisements, des entrecroisements : le bonheur, la justice et la liberté, autrement dit le jeu de couples suivant : utilitarisme et hédonisme, féminisme et socialisme, individualisme et libéralisme, ces six instances fonctionnant évidemment en synergies singulières : féminisme hédoniste, utilitarisme libéral, socialisme individualiste, et autres combinaisons.

La plupart du temps, l'historiographie dominante met en exergue l'utilitarisme de Mill. Bien souvent elle fait de lui le philosophe ayant donné avec *L'Utilitarisme* un exposé clair, dense, systématique, de l'école de Bentham qui, lui, on ne l'ignore plus, produisait des pages d'écriture en désordre comme une usine à noircir le papier... Or l'utilitarisme subtil et *qualitatif* de Mill n'a pas grand-chose à voir avec celui de Bentham, mécanique et *quantitatif*: d'un côté une esthétique du plaisir, de l'autre une hydraulique du plaisir. Mill en artiste, Bentham en physicien.

Cette lecture fautive se double d'un second malentendu qui associe l'utilitarisme au libéralisme et range cette pensée complexe du côté des tenants de la droite politique, du moins du capitalisme des bourgeois. D'où, en philosophie, la mauvaise réputation durable de l'utilitarisme depuis l'assassinat par Marx de Bentham et des siens. Si l'on ajoute la domination de l'idéalisme allemand dans l'université française depuis deux siècles, on mesure combien l'historien des idées doit ramer à contre-courant pour donner du philosophe une représentation correspondant à ce qu'il a vraiment écrit, publié, dit et fait...

Les malentendus accumulés sur cette école de pensée sont tels qu'elle n'aurait jamais dû pouvoir se relever des attaques portées contre elle depuis sa première formulation. L'utilitarisme : la philosophie du libéralisme; une pensée du calcul des petits-bourgeois; une morale égoïste de l'intérêt; une conception du monde qui interdit l'héroïsme, le sacrifice de soi, l'amour de la patrie; une doctrine de froids raisonneurs incapables d'humanité concrète ; une vision du monde amorale, immorale, célébrant le plaisir animal, variation sur le thème antique des pourceaux épicuriens; une morale sans Dieu; un prétexte à casuistiques infinies avec lesquelles la vérité devient relative. Ou encore : Une belle construction de l'esprit, certes, mais totalement impraticable à cause de l'inaccessibilité de ses idéaux; un anti-hédonisme, puisque l'utilité passe avant le plaisir; une invitation à une arithmétique impossible à activer dans un réel qui va plus vite que le calcul. C'est pour répondre à ces objections, mettre les choses au point, réduire les adversaires à néant, et surtout montrer sa différence, que John Stuart Mill entreprend l'écriture de *L'Utilitarisme*, un livre qui paraît en 1861. Bentham mort, son propre père disparu, sa pensée peut enfin se libérer des tutelles responsables de sa crise nerveuse...

14

Qu'il faut tuer le père. Car Mill n'a pas toujours été serein avec Bentham, donc avec son père. La lecture de l'*Essai sur Bentham* en convainc volontiers... Le texte date de 1838, Bentham est mort depuis six années, son père deux, la voie est donc libre pour que Mill, âgé de trente-deux ans, écrive vraiment selon son cœur sur cette question sans craindre les foudres paternelles. La lecture de ce petit ouvrage interdit qu'on fasse de Mill un disciple de Bentham tant les différences séparent les deux pensées : Mill pense en réaliste de l'utilitarisme, Bentham en idéaliste; le premier réfléchit en philosophe soucieux des hommes comme ils sont, le second théorise en chef de secte déconnecté du monde.

Dans l'*Essai sur Bentham*, Mill alterne les compliments et les assassinats : par exemple, Jeremy Bentham est un grand homme de son pays et de son siècle car il a révolutionné la philosophie avec sa méthode. Certes, mais plus loin, on lit que cette méthode était déjà chez Platon, puis chez beaucoup d'autres penseurs, tant même que, dans d'autres livres, Mill donne une liste qui intègre Socrate, Epicure, Jésus, puis Dieu – auquel il ne croit pas... –, à la cohorte des utilitaristes !

Bentham passe un sale quart d'heure dans le bref essai. Liste des reproches qui tombent en cascade : il néglige les travaux des penseurs qui le précèdent dans l'Histoire, ce qui, écrit Mill, le disqualifie comme philosophe ; il pense que personne n'est capable de lui apporter quoi que ce soit de valable ou d'utile pour sa propre vision du monde ; il est imperméable à toute argumentation contraire à ses vues ; il écrit mal, ne compose pas ses livres, use d'un style alambiqué et illisible ; il parle de Socrate et de Platon en des termes affligeants, or ces deux-là brillent au panthéon de Mill ! Voilà pour le penseur...

Mill attaque également la personne, le tempérament et le caractère du philosophe : Bentham est naïf sur les hommes, il se les imagine plus qu'il ne les connaît, d'où un système entièrement inadapté, faux ; il est affectivement incomplet, inachevé sur le terrain émotionnel et sentimental, incapable de ressentir des passions, de connaître des expériences intérieures ; il n'a pas le sens de l'Histoire ; il est totalement dépourvu de sens poétique. Voilà pour l'homme...

Conclusions : Bentham exerça une influence nocive sur l'époque... Ce qui, dans un premier temps, est pour Mill une façon de jeter à la rivière l'enfance placée sous le signe pédagogique benthamien, le travail de jeunesse dans les revues qui, sous sa responsabilité, assuraient la promotion du « radicalisme philosophique », ou l'édition d'ouvrages de philosophie du droit effectués à l'âge de dix-huit ans (il est vrai que Mill sauve Bentham comme penseur des questions juridiques !), et la totalité des engagements paternels...

15

La vie après Œdipe. Une fois commis le meurtre du père, dès que la furie œdipienne se calme, quid de la construction, de la pensée positive, de la philosophie propre de John Stuart Mill ? A quoi ressemble son utilitarisme ? Mill propose un *utilitarisme qualitatif* quand Bentham défend un *utilitarisme quantitatif*, toute la différence réside dans cette opposition radicale.

Souvenons-nous de l'exemple pris par Bentham : à quantité de plaisir égale écrit-il, le jeu d'aiguilles vaut la lecture d'une page de poésie. Autrement dit, pourvu que les plaisirs soient au rendez-vous, le plus défendable sera le plus intense, le plus dense, le plus étendu quantitativement. Peu importe qu'il soit produit par une occasion noble ou triviale. Bentham en profitait pour flétrir les arbitres des élégances qui décidaient du bon et du mauvais goût, affirmant qu'il n'y avait rien que plaisirs, absences de plaisirs, quantités de plaisirs plus ou moins grands et que l'on devait chercher la grandeur maximale qui était l'utilité. Le plaisir agit en force brute spirituellement neutre.

Bentham excelle sur le terrain du mécanicien, du physicien, du mathématicien, de l'algébriste...

Certes, Mill partage avec Bentham les attendus utilitaristes cardinaux : il faut viser le plus grand bonheur du plus grand nombre; la morale consiste à rechercher le plaisir et éviter le déplaisir; le bien et le mal n'existent pas dans l'absolu, en revanche on peut parler de bon et de mauvais relativement à l'objectif hédoniste : est bon ce qui accroît le plaisir, mauvais ce qui le réduit; le bonheur se définit par l'absence de douleur, le malheur par l'absence de plaisir; le plaisir est identifiable à l'utile, et vice versa. Bentham et Mill sont d'accord sur ces points, cependant, le second préfère le plaisir pris à la poésie de Wordsworth à celui que donne une partie de whist. Pour quelles raisons? Parce que la quantité de plaisir lui importe peu, mais sa qualité, si.

16

Socrate insatisfait contre porc satisfait. La phrase fait partie des références classiques de l'histoire de la philosophie : Mill affirme dans *L'Utilitarisme* : « Il vaut mieux être un homme insatisfait qu'un porc satisfait; il vaut mieux être Socrate insatisfait qu'un imbécile satisfait ». De fait, si Bentham a raison en pensant que seule compte la quantité de plaisir, alors peu importent l'être qui l'éprouve, l'homme et la conscience qui l'accompagne, la démarche ou ce qui entoure la quête hédoniste : toute jouissance est bonne du simple fait qu'elle est jouissance, le plaisir est une fin en soi, et tout s'y subordonne, la morale, les vertus, la valeur, peu importe ce qui nous y conduit. Dès lors, le plaisir animal fait aussi bien l'affaire qu'un autre. En revanche, si Bentham a tort, la théorie utilitariste doit être repensée de fond en comble.

Or, Bentham a tort. Pour le démontrer, Mill pose une question simple : quel homme échangerait son statut d'homme pour celui d'animal si on lui promettait une plus grande intensité, une plus grande quantité de plaisir ? Aucun. Ce qui prouve que, dans le plaisir, on ne recherche pas la quantité, mais autre chose que seul l'homme est capable d'ajouter, de rechercher et de trouver, à savoir un raffinement des plaisirs, d'où la nécessité de viser la qualité au détriment de la quantité.

Voilà pourquoi, même à quantité de plaisir égale, Mill préfère les plaisirs élaborés, subtils, humains, à leurs versions frustes, épaisses, grossières, animales. L'hédonisme épicurien avait déjà eu à batailler contre le reproche de faire de l'animal (le pourceau en l'occurrence...) un modèle en matière de plaisir, alors qu'Epicure avait manifesté clairement sa préférence pour les plaisirs de l'esprit à ceux du corps.

L'utilitarisme benthamien a beaucoup choqué en son temps pour les mêmes raisons. Mill reproche à Bentham de n'avoir pas écrit sur la morale, et d'avoir laissé paraître, par l'entremise de Dumont, une *Déontologie* à laquelle il n'accorde aucun crédit. La funeste image du jeu d'aiguilles et du poème trouvée dans *Théorie des peines et des récompenses* a beaucoup fait pour la (mauvaise) réputation du philosophe. La morale utilitariste passe pour une éthique bestiale ? Mill pense qu'on peut effectivement le croire si l'on prend le parti de cet *hédonisme de la quantité*... En revanche, se proposer un *hédonisme de la qualité* interdit ce genre de critique.

Mais comment juger de la qualité du plaisir? Pas plus qu'on ne dispose d'un dynamomètre benthamien permettant de mesurer exactement la quantité d'un plaisir, on n'a sous la main un instrument millien de mesure de la qualité. Pour résoudre le problème, Mill en appelle à l'empirisme : « la sensibilité et le jugement de ceux qui en ont fait l'expérience », voilà comment mesurer la qualité d'un plaisir. Sensibilité, jugement, expérience, Mill renvoie aux facultés humaines subjectives.

Lisons en parallèle l'essai que Mill consacre à la *Nature* (rédigé entre 1854 et 1858, publié de manière posthume en 1874 dans *Trois Essais sur la religion*). Dans ce court texte, le philosophe s'oppose à toute une tradition de philosophie antique, des cyniques aux stoïciens en passant bien sûr par les épicuriens ou les sophistes, qui invite à prendre modèle sur la nature pour construire sa philosophie existentielle. A sa manière, Bentham ajoute son nom à la liste. Mill tient pour une anti-nature et défend la civilisation, la culture, qui se développent toujours en contrariant, en contredisant, en amendant, en corrigeant la nature. L'hédonisme benthamien est naturel; celui de Mill, culturel. Toute vertu est une victoire sur l'instinct et non sa justification.

Les plaisirs naturels? Boire, manger, copuler... Avouons qu'ils sont courts, répétitifs, souvent coûteux en déplaisirs physiques, sinon psychiques. Les plaisirs culturels? Tous les autres, vastes, infinis, variés, différents : la conversation, la lecture, la musique, la poésie, l'amitié, l'amour, les voyages, l'écriture, la peinture, tous les arts, mais aussi ce qui permet de sublimer les plaisirs naturels en leur donnant une dimension culturelle. Mill ne détaille pas, mais sa théorie permet qu'on extrapole : la sexualité en tant qu'elle est érotisme, la nourriture et la boisson lorsqu'elles génèrent les plaisirs gastronomiques ou œnologiques. Des plaisirs de qualité – plaisirs d'hommes contre plaisirs de bêtes.

Finalement, Mill théorise le plaisir d'être humain. Les hommes, dit-il, – au sens générique bien sûr, ce qui vaut également pour les femmes... – disposent d'un « sens de la dignité », d'un goût pour la liberté, d'une passion pour l'autonomie qui les distinguent radicalement des animaux. Seuls les individus conditionnés par une éducation fautive, troublés par un mauvais déterminisme des jeunes années ou formatés par une société immorale, préfèrent les plaisirs vulgaires aux plaisirs subtils.

Certains n'ont pas été habitués, éduqués, or l'hédonisme n'est pas naturel mais culturel; d'autres n'ont jamais eu l'occasion d'exercer leurs facultés supérieures dans leur existence : intelligence, analyse, raison, discernement, mémoire, déduction, jugement... Comment dès lors leur faire le reproche de ne pas savoir ni pouvoir goûter la subtilité des plaisirs qualitatifs? On en est incapable quand on n'a pas été éduqué au plaisir. Même ceux qui ont connu les deux types de plaisir – animaux et cérébraux – conviennent de la supériorité des seconds. Quiconque est initié par la culture préférera toujours une page de poésie à une heure de jeu d'aiguilles...

17

Le plaisir par surcroît. On a beaucoup questionné l'utilitarisme de Mill pour savoir s'il était bien un hédonisme car, en disant que le plaisir n'est pas le fin mot de l'affaire, qu'il faut, pour juger notamment de sa qualité, faire intervenir des considérations extérieures, en l'occurrence des valeurs antérieures au jugement, Mill ne fait pas du plaisir une valeur absolue, un fétiche d'un genre platonicien paré de toutes les vertus. On chercherait en vain dans son travail quelque chose qui ressemble à une religion (idéalisée) du plaisir, car on y trouve une philosophie (pragmatique) du plaisir. Bentham dit du mal de Platon, certes, et Mill du bien, mais le plus platonicien des deux n'est pas celui qu'on croit !

Mill se distingue également de Bentham sur la question de l'obtention du plaisir. Après sa dépression nerveuse, Mill affirme qu'il ne faut pas rechercher le plaisir comme fin mais qu'il advient en passant, de surcroît, et ce quand on pratique de manière altruiste le plaisir pour les autres, l'humanité souffrante, le monde. L'*hédonisme altruiste* de Mill s'oppose donc à l'*hédonisme égoïste* de Bentham : ce dernier pense qu'il faut rechercher son propre plaisir et que, de manière automatique, on augmente la somme générale du bonheur, donc celle des autres, par un genre d'opération inexpliquée. Mill invite quant à lui à donner du plaisir à autrui, ce qui, en retour, produit du plaisir pour soi.

Hédonisme de la qualité contre hédonisme de la quantité, hédonisme altruiste contre hédonisme égoïste, Mill et Bentham s'opposent également sur l'existence d'un sens moral antérieur à toute entreprise éducative. Bentham tient pour la cire vierge : nous sommes ce que l'on a été déterminés à être ; Mill affirme l'existence en l'homme d'un sentiment social naturel, d'une envie de vivre ensemble en paix, en harmonie, d'un désir d'équité et de justice sociale. La faculté morale est naturelle, mais elle se développe, innée mais acquise en même temps, d'où la nécessité d'un travail d'éducation, d'une pédagogie de l'utilité hédoniste – et donc, d'une politique ad hoc.

18

Les hédonismes frères ennemis. Bentham croit au libéralisme – et à l'utilitarisme – comme à une religion. Rien dans son œuvre, sinon le pur postulat de la raison pratique, ne permet de comprendre comment on passe du plaisir individuel au plaisir de la communauté : comment la jouissance d'un être peut-elle augmenter la jouissance générale de la communauté, sinon par une opération magique ? Même remarque sur le terrain politique : comment passer de l'enrichissement d'une nation à celle de la totalité des membres qui la constituent ? Voilà probablement des apories dues à la méconnaissance de la nature humaine que Mill prête au fondateur de l'utilitarisme. La puissance de la main invisible en économie ? La mystérieuse homéostasie morale ?

Mill ne sacrifie pas à ces approximations philosophiques. Au libéralisme utopique de Bentham il oppose un socialisme individualiste qui part des mêmes principes utilitaristes, mais pour produire des effets radicalement autres. L'un exècre les interventions de l'Etat et croit à la sainteté du marché, l'autre veut la régulation de l'Etat, car il ne pense pas les hommes naturellement bons, ni les choses naturellement harmonieuses. Suite aux effets de la contre-nature théorisée par Mill.

Hédonisme de la quantité contre *hédonisme de la qualité*, puis *hédonisme égoïste* contre *hédonisme altruiste*, avec cette nouvelle opposition entre *hédonisme libéral* et *hédonisme socialiste* l'écart entre Jeremy Bentham et John Stuart Mill se creuse encore. L'un finit par panoptiser tout ce qui résiste à sa politique en la contredisant, l'autre passe sa vie à célébrer l'individu qui se rebelle contre toute entreprise panoptique.

Après la question du bonheur, examinons celles de la justice et de la liberté : la logique libérale ne suffit pas pour produire justice et liberté, il faut les vouloir, créer les conditions de leur existence. Bentham pense que la doctrine du « laisser faire - laisser passer » réglera un jour la totalité des problèmes et qu'adviendra le règne de la justice sociale, de l'harmonie entre les hommes, de la prospérité économique, du salut de la communauté et du bonheur pour tous. Pensée religieuse, croyance magique, foi politique, effets du libéralisme utopique...

Mill pense que le bonheur individuel est d'abord affaire de volonté : pour jouir, il faut une volonté de jouissance, un goût pour la vie, un amour de la vie, une envie de vie, une passion pour la vie. Sans ce moteur, rien n'est concevable pour un individu. La logique vaut également pour la communauté et l'on peut étendre les principes : pas de bonheur social sans une envie de ce bonheur. On ne peut attendre, comme par miracle, une pacification du réel par la simple action d'une économie libre-échangiste : on doit d'abord et avant tout travailler à une société hédoniste. Dernière pomme de discorde : *Hédonisme du laisser-faire* benthamien contre *hédonisme volontariste* millien.

19

Le socialisme antitotalitaire. Le « socialisme tempéré » revendiqué par Mill dans l'*Autobiographie* est passé de mode après sa destruction par le rouleau compresseur autoritaire marxiste. On rêve d'un réel combat de papier (et de tribune aussi...) mené par Mill contre Marx, combat envisageable puisque les deux hommes sont contemporains, que les œuvres paraissent en même temps, et que Marx ne se prive pas d'attaquer les écrits économiques du père et du fils, notamment dans la *Critique de l'économie politique* (1859).

Car *La Liberté* (1859) fonctionne en antidote et en manifeste antiautoritaire (pour ne pas dire libertaire...) ou antitotalitaire avant l'heure, tant il donne les moyens de prévenir les effets pervers de la gauche marxiste théorisée dans le *Manifeste du parti communiste* (1848). Dans cet ouvrage, Mill célèbre en effet la résistance des subjectivités rebelles par leurs extravagances, et offre ainsi une réponse romantique aux extrapolations purement économistes de Marx...

Pour le formuler dans le jargon marxiste, John Stuart Mill ne croit pas que l'infrastructure économique capitaliste, et plus particulièrement libérale, conditionne la superstructure idéologique, dont la philosophie. Sans pour autant tabler sur une nature humaine immuable, Mill sait que la psychologie, l'éthologie (le concept se trouve dans la sixième partie de son *Système de logique*, elle y est définie comme la « science de la formation du caractère »), la déontologie (au sens de Bentham), vivent de façon relativement autonome par rapport aux modes de production économique.

Mill corrige les effets pervers de l'économie libérale par une politique *socialiste*; Marx ne veut pas réformer mais révolutionner : il propose l'abolition du capitalisme pour une société *communiste*. Avec l'attelage Mill-Marx, nous disposons de l'un des premiers couples réformateur-révolutionnaire, sachant qu'on peut réformer radicalement, ce qui semble plus souhaitable que révolutionner seulement l'économie – qui n'est jamais que l'économie ! L'Histoire a prouvé qu'une révolution produit bien souvent plus d'injustice qu'elle n'en abolit. Aux yeux du communiste marxiste, Mill passe pour l'inventeur de la social-démocratie, une épithète infamante...

Or le socialisme individualiste mis au point par Mill va beaucoup plus loin qu'une simple critique désinvolte pourrait le laisser croire. *La Liberté* affirme que l'époque souffre de maux dangereux : tyrannie de la majorité, dictature de l'opinion, unidimensionnalité fabriquée par l'économie, pouvoir considérable du journalisme, puissance de l'opinion publique, développement des moyens de transport... Autant de symptômes clairs pour un diagnostic juste – pour mémoire, ces constats visionnaires datent de 1859 !

Afin de résister à ce mouvement de masse, Mill invite à multiplier les belles individualités, les singularités rebelles, les natures d'exception, il célèbre la force de l'extravagance, l'exemplarité de l'existence atypique. Que dit d'autre Baudelaire quand, effectuant son portrait du dandy dans *Le Peintre de la vie moderne* (1863), il révèle ses quatre points cardinaux : cultiver l'idée du beau dans sa personne, satisfaire ses passions, sentir et penser... Le tout dans une période où le nivellement fait la loi, à l'orée de l'ère des foules, quand l'esprit aristocratique (qui n'a rien à voir avec la noblesse de sang...) jette encore ses derniers feux avant le règne sans partage de la pensée unique.

20

Célébration de l'individu. On peut comprendre qu'aux temps généalogiques, la société peinant à se faire, elle condamne et pourchasse les individus rebelles – d'autant que le rôle majeur des fortes individualités dans la constitution du groupe primitif était alors puissant et déterminant. Mais une fois la communauté constituée, quelles raisons la société pouvait-elle avoir de persécuter encore les esprits forts, les tempéraments remarquables? Aucune...

Par nature, la société veut l'uniformité, elle vise la fusion dans un groupe homogène qui engloutit les particuliers, s'en nourrit, les digère et régurgite une totalité parée de vertus nouvelles – de la tribu du village primitif aux masses des nations industrielles, en passant par l'aristocratie féodale médiévale. La tribu, l'aristocratie, les masses? Très peu pour Mill qui ne se range pas à la loi de l'ère des foules...

Mill veut un individu totalement libre, dans la limite où sa liberté ne constitue pas une nuisance pour autrui. Avec le temps, cette aspiration simple, claire, nette semble devenue banale. Le philosophe travaille sur le point de jonction entre droit de l'individu à être et à faire, et devoir à l'endroit de la société; de même, il interroge les situations dans lesquelles les droits de la société sur l'individu doivent et peuvent être mis en avant. Marx n'aura pas cette souplesse intellectuelle qui désigne sans coup férir le démocrate réel.

Mill défend une liberté de conscience et d'expression totale – et Marx ? – car il pense qu'un propos est soit vrai, soit faux : s'il est vrai, pourquoi craindre la publicité ? S'il est faux, la discussion, la confrontation, l'échange intellectuel finiront par établir sa fausseté. Dès lors, que doit-on craindre de la liberté d'expression ? L'interdiction, la censure ne sont jamais de bonnes solutions. La manifestation publique de la vérité en même temps que celle de l'erreur accélèrent le progrès social, donc le bonheur du plus grand nombre.

Dans le même état d'esprit, Mill défend une liberté d'action totale, mais là aussi dans la limite où elle ne nuit pas à autrui. L'intervention ne se légitime que pour empêcher le déplaisir d'autrui ou de la société. Mais dans ce cas de figure, il faut être vraiment certain que le déplaisir surviendrait vraiment si l'on n'agissait pas... Seul ce qui génère déplaisir individuel et communautaire, peine et souffrance, malheur et misère, autorise la limite de l'exercice de la liberté. Cette immense latitude en matière de liberté de pensée, de réflexion, de publication et d'action fonde un comportement que dans les pays anglo-saxons on nomme *« liberal »* – mais l'homophonie et le double sens permettent et entretiennent la confusion avec le « libéral » de la politique politicienne et endommagent ce concept définitivement inutilisable sur notre continent...

21

De nouvelles possibilités d'existence. Ces limites posées, *La Liberté* plaide pour l'invention de nouvelles possibilités d'existence : chacun dispose d'un droit absolu à inventer sa vie, selon les modalités de son choix. Mill affirme l'utilité des différentes expériences dans la façon de vivre. L'uniformisation des comportements lui déplaît souverainement, et l'exemple du contrat hédoniste pratiqué sur le terrain affectif et amoureux avec le couple Taylor pendant vingt années prouve que le philosophe joignait le geste à la parole.

L'invention existentielle produit du bonheur personnel, et, déjà, en tant que telle, la chose est défendable. Mais elle est également susceptible de générer du bonheur à d'autres qui n'auraient pas songé à ces possibilités d'existence inédites. Voilà un exemple qui prouve de façon claire comment s'articulent un bonheur individuel et un bonheur collectif et de quelle manière le plaisir des uns peut produire celui des autres – un maillon manquant dans la pensée benthamienne.

L'importance de ces propositions existentielles réside moins dans les faits et gestes induits que dans le genre d'homme produit. Mill revendique « l'idéal grec du développement personnel » qui permet les fortes sensibilités, les caractères énergiques, les individualités excentriques, les tempéraments originaux, les esprits supérieurs, les personnes de génie. Ce que Mill veut pour chacun ? « La plénitude de vie dans sa propre existence ».

22

Des limites à la liberté. Au contraire de Bentham qui propose sa vision du monde avec les hommes tels qu'ils devraient être, et panoptise l'homme tel qu'il est, Mill pense pour l'humanité réelle. Il n'ignore pas que certains êtres constituent ce que, dans la belle traduction ancienne faite par Georges Tanesse de *L'Utilitarisme,* il nomme des « fléaux ». Qu'est-ce qu'un fléau ? Une personne plus ou moins inapte à faire partie de la communauté des êtres humains. Que faire avec cette engeance ? Y a-t-il un moyen de l'empêcher de nuire ? De quelle façon répondre à sa nuisance ? Comment prévenir et guérir ?

La réponse à cette question passe par une réflexion sur la justice. Mill veut une société juste, une punition juste, une limitation juste à la liberté en cas de stricte nécessité d'en limiter l'usage, il aspire au règne de la justice et croit nécessaire de mettre en place des structures à même de travailler à l'augmentation de la justice. Or, comment définir cette belle notion ? La justice c'est l'utilité sociale confondue au plus grand plaisir du plus grand nombre.

Tournant le dos à la liberté des libéraux (qui définit la licence et la possibilité pour le fort d'étrangler le faible, pour le riche d'exploiter le pauvre, pour le plus grand nombre d'étouffer la minorité), Mill met en place des machines à générer la justice : l'école, l'éducation et la pédagogie sur le terrain éthique, mais aussi, relayé sur le terrain politique, l'instauration de la démocratie, le suffrage universel, le pouvoir pour l'Etat d'intervenir sous forme de réglementations. L'Ecole et l'Etat en instruments de l'utilitarisme millien confondu à ce fameux « socialisme tempéré », on navigue à des milles de la côte benthamienne...

Mill tient les inégalités sociales pour aussi injustes que « les aristocraties de couleur, de race et de sexe ». Que peut-on mettre en place pour lutter contre tout cela ? Des réformes constitutionnelles, des textes de loi, une démocratie réellement représentative, des minorités oppositionnelles dignement représentées, un suffrage universel doublé d'une pédagogie du peuple, un droit de vote accordé aux femmes, une presse libre, une édition tout aussi libre, des débats publics, des discussions publiques de ces questions. Faut-il comparer avec le programme de Marx ?

23

Pour un Etat contrôleur. La confiscation de John Stuart Mill par les libéraux pur sucre fait fi des éditions successives des *Principes d'économie politique*, des corrections et des additifs qui racontent le virage à gauche de sa pensée – sous l'influence de sa femme, disent les mauvaises langues. Mill défend l'Etat contrôleur, l'Etat-providence, l'Etat protecteur, l'Etat social, l'Etat qui défend les faibles contre les forts, les colonisés subissant la loi des colons, les femmes brimées par le pouvoir des hommes, les travailleurs pressurés par les capitalistes oisifs, les pauvres grugés par les agioteurs.

L'utilitariste veut le plus grand bonheur du plus grand nombre, il travaille au moindre mal, à la maximisation de la jouissance, à la minimisation des souffrances ? Mill demande alors que l'Etat l'aide à accomplir ces tâches, car l'Etat utilitariste réalise l'hédonisme sur le terrain politique quand il vise un eudémonisme social auquel les socialismes contemporains d'Owen, de Fourier ou de Saint-Simon contribuent eux aussi, chacun dans leur style.

Dans *La Liberté*, Mill défend donc les taxes sur les produits dangereux pour la santé – ainsi l'alcool –, sur les activités désocialisantes – les maisons de jeux par exemple ; il légitime le pouvoir contrôleur d'individus mandatés par l'Etat pour vérifier que les professionnels disposant d'un pouvoir sur autrui en usent avec justice – le principe de l'inspection du travail ; il défend pour ce faire un substantiel droit du travail à même d'assurer la dignité dans les ateliers, les entreprises, les bureaux ; il tient absolument à une éducation donnée à tous, la condition pour lui de l'exercice du suffrage universel ; il confie l'instruction non pas à une instance étatique dont on pourrait craindre la partialité et l'endoctrinement, mais à des personnes talentueuses dans ce domaine ; dans cette perspective, il ouvre l'enseignement à d'autres individus que les diplômés ou les professeurs reconnus par l'institution ; il propose d'aider les familles en difficulté pour s'acquitter de cette tâche – le système des bourses ; il aspire à des examens d'Etat pour contrôler le degré d'acquisition des connaissances. Mill libéral partisan du laisser-faire, du moins de gouvernement possible, de l'Etat minimal ? Finissons-en avec les caricatures...

24

Un socialisme modéré? L'utilitariste Mill n'aime pas la pauvreté ou la misère parce qu'elles génèrent souffrance et déplaisir. La justice sociale est désirable car elle permet la diminution de la négativité, donc l'expansion hédoniste du plus grand nombre. De même, soucieux de santé publique, Mill trouve qu'on pourrait faire reculer grandement la maladie en activant un vaste projet de prophylaxie, de prévention, d'éducation et d'hygiène. Travailler au progrès de la science constitue une activité utilitariste majeure.

Dans cet ordre d'idées, face aux malheurs de l'époque, Mill milite pour le contrôle des naissances et la contraception, car il a constaté que la pauvreté touche évidemment plus cruellement les familles pauvres, les plus riches en enfants. En réduisant leur nombre, on augmente la part du salaire destiné à l'entretien de chacun, ce qui n'empêche pas qu'en même temps on doive assurer un revenu digne aux travailleurs afin qu'ils puissent subvenir correctement aux besoins de leur progéniture et qu'on garantisse l'emploi pour tous. Devoir de l'Etat.

Dans son programme politique, Mill souhaite en finir avec l'idée que quiconque ne travaille pas ne devrait pas avoir à manger, faisant remarquer que les oisifs les plus dangereux pour la société sont moins les travailleurs au chômage que les rentiers et les propriétaires agioteurs. S'il faut consentir à la logique (de droite) et aux arguments qui la soutiennent, opposons-lui cette idée (de gauche) : les riches vivant de la spéculation boursière, qui ne travaillent donc pas, ne devraient pas non plus avoir le droit de manger !

L'opposition entre les riches oisifs qui mangent à leur faim, vivent dans le luxe, et les prolétaires exténués au travail, qui ne disposent pas du minimum pour vivre et, la plupart du temps, sautent leurs repas pour nourrir leurs enfants, ne satisfait pas Mill révolté par l'injustice sociale. D'où sa proposition de répartir les bénéfices effectués par les capitalistes dans des instances sociales et politiques soucieuses de l'intérêt général et du bien public, puis d'en distribuer encore à l'ensemble des acteurs de la production, dont, bien sûr, les travailleurs. En termes contemporains : les impôts et la participation chère au capitalisme populaire gaullien...

S'il défend l'individu, la propriété privée, le libéralisme économique, on le voit, ça n'est pas sans demander à l'Etat et aux puissances publiques d'agir, dans le sens utilitariste, pour contribuer à la justice sociale, voire au socialisme. Dans *La Liberté*, on trouve ainsi un éloge de la propriété commune des matières premières du globe, autrement dit, avec les mots d'aujourd'hui, d'une nationalisation des sous-sols. Un libéral partisan de la propriété publique des richesses géologiques, voilà une nouvelle occasion pour un portrait inattendu et démythologisé de John Stuart Mill !

Quand Mill parle de son « socialisme modéré », faut-il vraiment le croire sur l'épithète « modéré » ? Récapitulons en effet : défense des taxes et des impôts ; obligation des familles à l'instruction ; paiement de bourses pour les foyers en difficulté ; hausse des salaires les plus bas; droit du travail et inspecteurs chargés de le faire respecter; généralisation du contrôle des naissances; condamnation de la spéculation; participation des travailleurs aux bénéfices; taxation des profits; nationalisation des sous-sols; mais aussi – et j'y arrive –, droit de vote pour les femmes; suffrage universel; parité en politique; critique du système de la colonisation – il prend le parti des révoltés en Jamaïque; cens basé sur l'aptitude intellectuelle et non plus sur la propriété...

Nous sommes dans le deuxième tiers du XIXe siècle, brutal, violent, sans pitié pour la majeure partie de la population : un million de gens meurent de faim en Irlande lors des mauvaises récoltes pour la seule année 1847-1848; six cent mille Irlandais émigrent en Amérique : Mill propose de transformer les jachères en propriétés cédées aux paysans qui meurent de faim. Owen consacre les premières pages de sa *Nouvelle vision de la société* (1813-16) en citant la loi sur le recensement, selon laquelle les trois quarts (soit quinze millions de personnes) de la population des îles Britanniques vivent dans la pauvreté. Mill ne propose pas comme Bentham de panoptiser tout ce monde-là, mais veut un socialisme dont le développement serait étendu dans le temps et soutenu par une vaste entreprise d'éducation populaire. S'il est modéré, c'est sur la méthode.

25

Une vie socialiste. Mill ne s'est pas contenté de parler à gauche, il a également mis la main à la pâte en militant pour les causes auxquelles il croyait, notamment le féminisme, mais également en devenant député. Elu député de Westminster en 1867, il souhaite, avant d'être élu, que les campagnes législatives soient prises en charge par l'Etat ou les collectivités locales afin que tout le monde, y compris les ouvriers, puisse solliciter les suffrages. Aux ouvriers, justement, il accorde s'ils le désirent une édition bon marché de ses livres et renonce aux droits d'auteur de certains d'entre eux, susceptibles d'éclairer la classe ouvrière : *Principes d'économie politique*, *La Liberté* et *Le Gouvernement représentatif*.

Comme Mill défend sur les bancs de la Chambre des communes les idées qu'il professe dans l'opposition, dans ses articles, ses livres, ou les réunions publiques préélectorales, autrement dit, comme il est cohérent, sincère, honnête en politique, il n'est pas réélu aux consultations suivantes. Malgré les nombreuses sollicitations amicales, il ne repart pas au combat et retrouve avec bonheur le soleil d'Avignon, la tombe de la femme de sa vie, ses livres, l'écriture et l'herborisation à laquelle il s'adonne.

John Stuart Mill vécut également une véritable vie socialiste avec son épouse aimée, adorée, l'unique femme de toute une vie, avec laquelle il a pensé, écrit, aimé, probablement souffert, qui a été sa muse, sa confidente, sa complice intellectuelle, son compagnon de route, son initiateur sur des voies inédites. Avec elle il a mis au point *L'Asservissement des femmes*, un livre magnifique sur la triste condition du prétendu deuxième sexe et la nécessité de révolutionner leur situation.

Le constat est impitoyable, mais juste : les femmes vivent un réel état d'esclavage, d'autant plus que, contrairement aux esclaves dans les plantations, elles ne disposent pas d'un temps de répit, car leur servitude dure vingt-quatre heures sur vingt-quatre, nuit et jour, et ce leur vie entière ; servitude sexuelle, domestique, ménagère ; servitude d'épouse et de mère de famille ; servitude politique car on leur refuse le statut de citoyen ; servitude sociale, quand on les prive d'emplois dignes, ou qu'on leur interdit de participer à la compétition intellectuelle ; servitude intellectuelle, parce que, privées de formation, d'éducation et de culture, elles évoluent entre la totale inculture des illettrées et la culture de la répétition mondaine, ce qui, de facto, leur interdit la création... Nous sommes en 1869 (le livre a été écrit en 1861), mais aujourd'hui encore *L'Asservissement des femmes* reste un ouvrage d'actualité pour des milliards de femmes...

Les hommes font les femmes sottes et leur reprochent ensuite leur sottise. D'aucuns, Auguste Comte en première ligne, avancent même le pitoyable argument selon lequel leur cerveau serait plus petit que celui des mâles, prouvant par là que l'encéphale du fondateur du positivisme, pour être saturé d'hormones mâles, n'en est pourtant pas moins gonflé de bêtise ! Leur plaisir passe toujours après : après le mari, après l'époux, après les enfants, après les tâches ménagères, après les devoirs sociaux, après la tyrannie de la réputation bourgeoise, après les convenances.

Mill veut une égalité totale, absolue, intégrale des femmes, en tout et pour tout : ce qui est accordé à un sexe doit l'être à l'autre. Les femmes doivent et peuvent gouverner, être élues, représenter des hommes, accéder à tous les métiers, disposer de toutes les formations intellectuelles, culturelles, spirituelles. L'éloge qu'il fait des individualités extravagantes n'exclut pas les femmes, bien au contraire : Mill voit dans l'avènement de ce progrès pour l'humanité qu'est l'égalité entre les sexes une chance pour accélérer le règne de la justice...

Quelque temps avant son mariage avec Harriet, il lui avait écrit une lettre en prenant l'engagement que, malgré leur union, il n'userait jamais des prétendus « droits » que l'institution lui ouvrait, à savoir la domination de sa compagne. A quoi il ajoutait, par-delà la formalité, qu'il laissait évidemment à son épouse l'intégralité de ses droits d'avant le contrat : notamment celui d'agir et de disposer d'elle-même comme s'il n'y avait jamais eu d'épousailles. Le contrat hédoniste et utilitariste fut respecté à la lettre. Harriet et John Stuart vécurent en romantiques heureux – un oxymore aux belles promesses...

II

ROBERT OWEN

et « le bonheur progressiste »

1

L'enfant autodidacte. Les philosophes qui, selon l'adage de Bergson, agissent en hommes de pensée et pensent en hommes d'action, n'encombrent guère l'histoire des idées. Et pour cause : leurs actions débordent rarement les pauvres limites de leurs petits bureaux, ce qui les contraint à des brassages du monde en chambre, à des révolutions dans vingt mètres carrés, ou à des cosmogonies élaborées dans trente mètres cubes d'air vicié, et Karl Marx n'échappera pas à la règle...

Voilà pourquoi le destin, la vie et l'œuvre, le trajet intellectuel, idéologique et politique de Robert Owen, méritent l'intérêt. Car cet homme fut un entrepreneur génial, un acteur du capitalisme paternaliste, l'un des premiers penseurs du socialisme, sinon le premier, un activiste des communautés utopistes, un inventeur de microsociétés communistes construites pour résister à la violence du libéralisme de la révolution industrielle ou supprimer la paupérisation qu'il déplorait.

Sixième de sept enfants, Robert Owen naît à Newtown, dans le nord du pays de Galles, le 14 mai 1771, l'année où Diderot commence la rédaction de *Jacques le Fataliste*. Son père exerce les fonctions de sellier, forgeron, quincaillier et receveur des postes. Sa mère s'occupe de la maisonnée. A l'école, Owen se montre un si brillant sujet qu'il devient l'assistant du maître. Déluré et intellectuellement vif, il rétorque à trois vieilles méthodistes qui entreprenaient de le convertir en écrivant trois petits sermons sur les religions : l'enfant de huit ans conclut à leur inanité au regard des trop nombreuses contradictions présentes dans le texte biblique. Sa vie durant, Owen se montre un opposant farouche aux religions tout en défendant un déisme modéré, vaguement agnostique, lucide sur les limites et l'impuissance de la raison pour démontrer l'existence ou l'inexistence de Dieu.

A neuf ans il quitte l'école et travaille une année chez un mercier-épicier. La suite de sa formation échappe au formatage scolaire et relève d'un travail d'autodidacte assidu. L'année suivante, il quitte cet emploi, part pour Londres travailler chez son frère sellier. Il consigne ses commentaires de lectures sur un petit carnet qui ne le quitte pas. Parmi les ouvrages lus, nombre de philosophes anciens. Son sujet de prédilection ? Les religions.

Jeune commis drapier, il dispose déjà des intuitions de son œuvre à venir. Notamment sur le libre arbitre. Il estime fautives toutes les religions qui croient à son existence et, parallèlement, défend l'idée que la société, l'éducation, les rencontres, les influences, déterminent l'identité de l'être. A partir de cette thèse, Owen construit un profond système de réforme sociale destiné à produire un homme nouveau

– une idée centrale dans la pensée socialiste et communiste.

2

L'entrepreneur prodige. A dix-huit ans il emprunte de l'argent, trouve des associés et crée un atelier de filage avec trois employés. Pour réunir les fonds, il sous-loue son appartement. Deux ans plus tard, il entre dans une entreprise de cinq cents personnes. Son talent fait des merveilles, il améliore la qualité des métiers, augmente la productivité, produit un fil d'excellente qualité vendu beaucoup plus cher que celui des concurrents. Son patron relève son traitement, lui propose une association à laquelle il consent.

Owen ne reste pas longtemps dans cette situation. Certes, il continue dans la filature, mais, à ce jeune âge, il a déjà expérimenté la création d'entreprise, la direction d'une grande manufacture, l'amélioration technique des métiers et il désire autre chose. En 1794, il reprend sa liberté, crée un nouvel atelier, s'associe avec deux complices et reste le meilleur sur ce créneau.

A vingt-six ans, il rencontre Anna Caroline Dale lors d'un voyage d'affaires à Glasgow. Le père de cette jeune fille possède la plus grande filature de New Lanark. Accessoirement, le vieil homme est aussi banquier et prédicateur... Demande en mariage, tergiversations de la belle-famille, puis acceptation : Owen achète l'entreprise du beau-père et se trouve à la tête de l'une des plus grandes usines anglaises de l'époque. Nous sommes en 1800, il n'a pas encore trente ans.

Robert Owen aspire à faire de New Lanark un modèle économique et social. Dans cette perspective, il entreprend de travailler non pas en exploitant les ouvriers, leurs femmes et leurs enfants, à l'instar des tenants du cynisme libéral de l'époque, mais en transformant chacun en partenaire associé à la bonne marche de l'entreprise. En termes contemporains, disons qu'il invente les cercles de qualité ! Des commentateurs s'appuient sur certaines formulations de son ouvrage, *Une vision nouvelle de la société ou Essai sur le principe de formation du tempérament de l'homme et sur la mise en pratique de ce principe* (1813-1816) pour flétrir sa personne et atteindre son entreprise humaine par ricochet.

On trouve en effet sous la plume d'Owen des expressions douteuses pour qualifier les ouvriers : « mes machines vivantes », « les machines de chair et d'os », « les instruments vivants » ou « les instruments humains »... De fait, les mots choquent sortis du contexte militant dans lequel ils se trouvent. Car Owen s'adresse à des patrons, des gens du clergé, des personnages puissants, des gouvernants, qu'il souhaite rallier à sa cause. Or ces interlocuteurs entendent moins facilement le langage philanthropique que celui de l'entrepreneur !

La manufacture peut être dite métaphoriquement une machine dont les travailleurs constituent les rouages : si un fragment de la machine grippe, l'ensemble patine, ralentit, s'arrête. En revanche, si tout est correctement ajusté, huilé, alors la mécanique fonctionne à plein régime et augmente ses performances... Les mots d'Owen doivent se lire en relation avec sa pratique ouvriériste. Ses *actions* envers ses employés disent l'humanité de son projet; ses *mots* destinés à rallier les soutiens et à engranger les subsides utilisent le verbe de l'adversaire à convaincre pour y parvenir plus sûrement.

3

Le capitaliste paternaliste. A l'époque, Owen pose les bases d'une pensée qui évolue vers le socialisme, puis le communiste. Pour l'instant, il humanise le capitalisme, l'améliore et ne le met pas en cause. Dans le cadre de la propriété privée, Owen incarne la démarche philanthropique qui, on l'oublie souvent, constitue l'une des sources du socialisme. A l'époque, on ignore la révolution prolétarienne, et le réformisme radical présente un incontestable progrès sur la brutalité libérale du moment.

Son talent dans la manufacture de cotonnade de New Lanark génère d'immenses bénéfices. Owen investit dans l'instrument de production, évidemment, mais aussi dans l'amélioration des conditions de travail et d'existence de son personnel, femmes et enfants compris. Le logement, l'hygiène, la santé, l'éducation, la nourriture, le temps de travail deviennent ses chantiers prioritaires.

En moderne, et en libéral, il travaille sur la division des tâches dans la manufacture pour réduire les pertes d'énergie et concentrer la force de travail sur la production. Le gain de productivité obtenu, Owen abolit le travail des enfants de moins de dix ans. Le temps de labeur quotidien est fixé à dix heures trois quarts. Owen souhaite instruire et éduquer les enfants afin qu'aucun d'entre eux n'arrive sur le marché du travail sans savoir lire, écrire et compter.

Certes, on peut trouver la proposition modérée, mais, à l'époque, on envoie des enfants de six ans à la mine pour des journées de travail qui excèdent quatorze heures. Qu'on lise ou relise *Promenades dans Londres* de Flora Tristan... Owen souhaitait retarder encore l'entrée des enfants dans le monde du travail mais, sur ce terrain comme sur tant d'autres, ses associés lui rendaient la vie épouvantable en combattant ses projets au nom de la rentabilité, puis de la compétitivité nationale et internationale... Owen aurait plus d'une fois radicalisé ses expériences politiques si ses partenaires financiers ne l'en avaient empêché.

Quand il n'obtient pas le soutien de ses associés, Owen sollicite les employés de son entreprise. Dans l'ensemble de son personnel, il écarte les individus frustes et primitifs, alcooliques ou violents, demeurés ou vindicatifs, pour en choisir quelques-uns qu'il estime les plus éclairés. Il les informe de ses projets philanthropiques. Puis il leur demande de servir d'intermédiaires avec la masse et préfigure ainsi le principe d'une avant-garde éclairée au service d'un projet réformiste radical.

Après avoir réorganisé la production en rendant plus performant chacun des postes, Owen extrait les enfants du circuit de la manufacture afin de les placer dans des écoles créées par ses soins. Dans ces lieux pédagogiques, on active le principe libertaire qui exclut la mémoire, table sur le jeu et la dimension ludique de l'apprentissage, interdit la brutalité, les sévices corporels, sollicite de façon jubilatoire le corps et l'intelligence. Les éducateurs enseignent à faire à autrui ce que nous voudrions qu'il nous fasse. Dans ce dispositif pédagogique révolutionnaire, l'éducation religieuse n'a pas sa place... Owen aspire à la création d'un « automatisme du bien » chez les enfants.

En 1806, les Etats-Unis retiennent leur coton dont ils interdisent le départ vers les ports anglais. Par ce boycott économique, ils protestent contre les positions diplomatiques de l'Angleterre contraires à leurs intérêts. La majorité des patrons anglais licencient leurs employés. Pour sa part, Robert Owen refuse cette solution et continue de payer ses ouvriers qui s'occupent en entretenant les métiers de la manufacture. L'embargo dure quatre mois. Le patron philanthrope verse l'intégralité des salaires pendant la durée du conflit. A l'issue de cette douzaine de semaines, Owen a acquis chez ses employés une réputation en or.

Pendant cette dure période, les travailleurs de New Lanark se fournissent en denrées de première nécessité, mais aussi en vêtements, dans les épiceries et magasins construits par Owen. Les fournitures achetées en grande quantité sont vendues au prix coûtant. Les ouvriers peuvent dès lors se nourrir et s'habiller sans engloutir la plus grosse part de leur salaire – plus élevé chez eux qu'ailleurs. La journée de travail est descendue à dix heures trente avec des pauses régulières. La médecine et les soins sont gratuits.

4

Le « moniteur silencieux ». La part paternaliste de ce capitalisme ne doit pas faire oublier sa dimension capitaliste... Outre le recours à un usage performant de la division du travail, Owen met sur pied une discipline intérieure qui maximalise la productivité. Rappelons que les gains obtenus de cette manière contribuent à l'amélioration de la condition ouvrière. Owen qui se trouve souvent à la tête d'une immense fortune n'en use jamais pour lui, préférant investir, sinon engloutir, la totalité de ces sommes dans ses projets humanitaires.

Contre la lutte des classes, réelle, effective, certes, mais pas encore formulée, donc nullement perçue par tous ; contre la révolution prolétarienne, encore dans les limbes conceptuelles, évidemment, mais viscéralement ressentie par quelques-uns ; contre la violence du capitalisme dans sa formule libérale, Robert Owen propose donc un dispositif de collaboration de classes, un réformisme radical et un capitalisme paternaliste humaniste.

Sa discipline d'entreprise passe par l'invention du « moniteur silencieux ». De quoi s'agit-il ? D'un morceau de bois à quatre faces, chacune comportant un numéro et une couleur, qui permet de juger des conduites de chacun à son poste. Mauvaise, indifférente, bonne ou excellente, noir, bleu, jaune, blanc, un, deux, trois, quatre, et voilà chacun jugé, jaugé, noté, apprécié quotidiennement par un genre de contremaître. Le morceau de bois est accroché à côté de l'ouvrier. Le total de ces notes est consigné sur un registre changé tous les six mois. On tâche ainsi d'amender les plus insociables, les plus violents, les plus improductifs aussi. Owen ne dissocie jamais la dimension politique de sa corrélation éthique en visant le progrès moral des individus.

Les bénéfices de l'entreprise dépassent ceux des concurrents. Robert Owen accélère son processus de réforme. Ses associés résistent, ils voudraient une répartition moins philanthropique des bénéfices. Ils récusent la logique réformiste et leur résistance met en jeu l'existence même de l'entreprise. Le rachat menace. Les ouvriers portent à la connaissance des votants qu'en cas d'éviction de Robert Owen, tous démissionneraient comme un seul homme. Changement de majorité, départ d'anciens associés, arrivée de nouveaux, Owen se trouve reconduit à la tête de New Lanark; les employés de la manufacture lui réservent un triomphe. Dans la liste des nouveaux associés on remarque un certain Jeremy Bentham...

5

L'invention du socialisme. En 1813, Robert Owen publie *Une nouvelle vision de la société ou Essai sur le principe de formation du tempérament de l'homme et sur la mise en pratique de ce principe.* Succès immédiat et européen... Cet ouvrage théorise la pratique de New Lanark. Loin des considérations théorétiques de penseurs déconnectés du monde, inaptes au réel, qui pensent en chambre, Owen livre les résultats obtenus expérimentalement, sur le terrain, dans ses manufactures, et avec un bonheur constatable sur place.

On se presse pour visiter New Lanark; on y voit les ateliers, les ouvriers à leurs métiers, les écoles, les élèves dans leurs classes, les cours de récréation et les exercices physiques conduits par les éducateurs; on y découvre les services infirmiers et médicaux; on entre dans les commerces et l'épicerie sociale. Des milliers de gens de toute condition se rendent sur place, mais aussi les puissants du moment, les hommes politiques, dont le tsar Nicolas, des princes, des ambassadeurs venus pour rendre compte de l'expérience à leurs gouvernements, des évêques, des nobles. Napoléon aurait pris connaissance du texte à l'île d'Elbe et fait savoir qu'il envisageait d'en faire son programme politique en cas de retour aux affaires. On ne sache pourtant pas que les Cent Jours aient été owéniens !

Une vision nouvelle de la société (1813) passe pour la première manifestation théorique de pensée socialiste. De fait, quelques idées majeures de ce courant de pensée s'y trouvent : le caractère et le tempérament des pauvres procèdent non pas d'une nature corrompue, mais d'une culture inadéquate, d'une société injuste, inique, susceptible de réforme ; le changement d'une société produit celui des individus qui la constituent ; les hommes ne sont pas responsables de ce qu'ils sont et font, on doit, en revanche, en créditer la société ; les riches et les puissants sont coupables de l'état de fait, car ils disposent de moyens d'en finir avec cette réalité qu'ils entretiennent pour leur bénéfice personnel ; la réforme viendra d'en haut et non du peuple : d'où un militantisme en direction des puissants et des grands de ce monde pour tâcher de les convertir au bien-fondé des idées neuves ; le crime, la misère, la prostitution, l'alcoolisme, et autres fléaux produits par les conditions de ce vieux monde, peuvent disparaître si on fait le nécessaire : prévention, éducation, instruction, amélioration des conditions de travail et d'existence.

6

Un « système du bonheur ». L'ouvrage propose un « système du bonheur », autrement dit « le bonheur de la société ». Aux antipodes des libéraux, le penseur socialiste ne propose pas la richesse comme une fin en soi. Le souverain bien de son éthique et de sa politique? « Le bonheur du plus grand nombre »... Owen donne la feuille de route : supprimer le jeu, l'alcool, en légiférant contre, tout en rendant désirable un monde que ne voudraient plus fuir les victimes qui s'adonnent aux cartes ou à la boisson; donner à chacun du travail, autrement dit les moyens de la dignité qu'interdit la charité chrétienne qui avilit et humilie; rendre ce travail moins pénible, travailler à son adoucissement puisqu'il est nécessaire et indispensable; décider de vastes chantiers nationaux permettant aux travailleurs de vivre honnêtement. La Révolution de 1848 en France s'en souviendra!

En 1815, Owen travaille à un projet de réforme de la législation protectrice du travail. Selon son heureuse expression, il combat « l'esclavage blanc ». On le retrouve défendant ses thèses auprès des patrons et des chefs d'atelier à qui il explique que l'amélioration des conditions de travail, si on ne la justifie pas par des raisons philanthropiques, peut du moins se défendre au regard de considérations économiques cyniques : un ouvrier dont on améliore les conditions de travail augmente sa productivité, il accroît donc les bénéfices de l'entreprise.

Extrapolant les réussites de New Lanark à la totalité

de son pays, Owen souhaite l'adoption au Parlement sur le travail des enfants, le temps de labeur journalier et la création de postes d'inspecteurs du travail qui veilleraient à la bonne application de ces dispositions légales sur le terrain. Quatre années durant il défend ces idées, milite, passe de débats en réunions, va de brochures en publications, il rencontre l'hostilité affichée des patrons, directeurs, employeurs, contremaîtres, chefs d'atelier. Le pasteur du village de New Lanark fait lui aussi le nécessaire pour nuire – amour du prochain oblige !

Les arguments des opposants à l'humanisation des conditions de travail sont les mêmes depuis cette époque : la réduction du temps de travail accroît la fainéantise, elle amollit, supprime le courage, entretient la paresse ; en travaillant moins, on gagne moins, donc on augmente la pauvreté des pauvres, donc leurs vices, donc la délinquance ; de plus, les ouvriers vont faire un mauvais usage de ce temps libre dégagé (jeux, boisson, prostitution) : ils vont s'adonner plus encore au vice et au crime ; en travaillant moins, on produit moins, dès lors on est moins compétitif sur le terrain national et international ; en sortant les enfants des manufactures pour les instruire à l'école, on va entamer la puissance de l'autorité paternelle... La bonne et saine concurrence chérie par les libéraux interdit ces vues de l'esprit : qu'on sursoie donc à pareilles vues de l'esprit, chantent en chœur, hier comme aujourd'hui, les défenseurs du marché libre !

Saboté, mutilé par les pressions de tous ces adversaires déterminés qui disposent de relais à la Chambre des communes, son projet de loi arrive enfin à l'assemblée. Robert Owen ne le reconnaît pas. Le vote sanctionne un ersatz de ses thèses. Du moins le patron philanthrope triomphe-t-il sur un terrain non négligeable : désormais on n'exclut plus que le gouvernement et l'Etat interviennent dans les affaires des entreprises. La doctrine du « laisser-faire » chère aux libéraux a été mise à mal...

7

L'entrepreneur d'utopie. En 1825, après un quart de siècle de bons et loyaux services, Robert Owen cesse de diriger New Lanark. Le patron de gauche, le philanthrope socialiste est âgé de cinquante-quatre ans, l'heure pour lui de dépasser le capitalisme paternaliste de New Lanark avec de nouvelles aventures qui infléchissent son socialisme dans une direction communiste en donnant le jour aux premières communautés réellement implantées.

Owen a accumulé une fortune avec New Lanark. Cette somme ne sert pas sa jouissance égoïste, car il engloutit son bien dans une nouvelle aventure politique. Elle lui permet, toujours dans le cadre capitaliste qu'il ne met pas en question, de créer des alternatives au monde libéral en attendant que, par capillarité, l'univers entier se convertisse à l'harmonie par imitation et duplication de l'exemple. (Cette méthode influencera bientôt Charles Fourier.) A Orbiston (Indiana), aux Etats-Unis, Owen achète un village de communistes religieux, il y pose les bases de la « Nouvelle Harmonie ».

Sans distinction de qualités ou de motivations, la communauté accueille toute personne qui se présente. Une faune s'y précipite, elle rejoint les huit cents sectaires protestants déjà sur place : des intellectuels curieux, des opportunistes fainéants, des aventuriers posant leur sac, des cyniques affairistes, des exaltés lyriques et millénaristes, des allumés en tout genre, des délinquants relationnels, des femmes faciles...

Pendant les trois premières années, Owen s'arroge les pleins pouvoirs afin de lancer le mouvement. Puis il rentre en Angleterre. Mais la communauté est un échec complet. Qui préférerait travailler quand personne ne l'y oblige et qu'il peut passer ses journées à danser avec de belles oisives dans la salle des loisirs? Quel intellectuel prendrait la fourche, la pelle, la bêche pour contribuer aux travaux du jardin, des champs ou du potager, puisque rien ne l'y invite et que personne ne lui reprochera de rester sur sa chaise longue?

Ceux qui travaillent et assurent la subsistance de la totalité des parasites rechignent, puis se rebellent. Querelles, factions, sécessions, dissidences : les habituelles questions de pouvoir éclatent le groupe. Les sept constitutions promulguées par Owen en moins de deux années ne suffisent pas à maintenir la communauté en vie : elle se dissout au printemps 1829. Toujours optimiste, Owen cherche un autre endroit, notamment au Texas, puis au Mexique, pour établir une nouvelle communauté... En vain.

Une éphémère nouvelle aventure a lieu à Queenwood (Surrey) en 1840. Owen a soixante-neuf ans et devient le gouverneur de la nouvelle communauté. Une fois de plus, l'échec guette. Mis en minorité par les owénistes eux-mêmes, Robert Owen repart aux Etats-Unis retrouver ses fils. Dissolution de Queenwood, querelles juridiques sur les avoirs encore dans les caisses. Echaudé, Owen ne retouchera plus aux communautés se réclamant de sa pensée. Le reste de son existence se place sous le signe du prosélytisme verbal : conférences, débats, brochures, publications, congrès, placards, livres, adresses, il ne recule devant rien pour tâcher de ramener à lui un grand homme à même de mener son œuvre à bien.

A la fin de son existence, Owen force le trait messianique qui travaille le siècle. Nombre de réformateurs, à commencer par Saint-Simon et ses disciples Enfantin et Bazard, ou bien Auguste Comte, ne reculent pas devant une formule politico-religieuse de leurs projets. Owen n'échappe pas à cette façon très XIXe siècle de convoquer un nouveau millénium, ou d'en appeler à un genre d'apocalypse. Il attend le second avènement du Messie, parle de Jérusalem universelle, affirme l'existence de forces spirituelles qui irriguent et guident les puissants de ce monde... Au cours de séances de spiritisme il questionne l'âme des grands hommes morts sur ses projets. Owen a passé quatre-vingt-cinq ans, ceci explique peut-être cela... Ses dernières forces vont à la rédaction de son *Autobiographie*. Elle paraît, inachevée, l'année suivant sa mort qui survient le 17 novembre 1858. Il avait quatre-vingt-sept ans.

8

Faisons table rase. Owen a donc traversé un large spectre politique qui l'a conduit du capitalisme paternaliste aux communautés utopistes communistes en passant par le souhait d'une « République universelle ». Mais il existe chez lui, à cette époque où socialisme, communisme, anarchisme ne font l'objet d'aucune définition précise et ne recouvrent encore rien de très distinct, un tropisme libertaire qui n'épargne rien du vieux monde capitaliste libéral et judéo-chrétien.

Revenons sur cette « République universelle » communiste dont les détails se trouvent dans *L'Universelle Révolution* (1849) : Owen souhaite réaliser une modalité agraire du communisme en commençant par des mesures transitoires et en procédant par paliers, de manière dialectique. A l'origine, Owen charge des hommes d'élite d'éclairer les gouvernements en place, notamment leurs chefs, afin de les convaincre pacifiquement et de les amener progressivement à sa cause. Ensuite, une armée d'ouvriers formés aux nouveaux principes effectue un travail de persuasion du même type. Les idées? Nationalisation progressive du sol; répartition égalitaire des biens; éducation communautaire des enfants; division du territoire en communes rurales de surfaces équivalentes; réappropriation communale de la terre; fédération desdites communes et, de fait, expansion de la réalité communiste à la totalité de la planète; ainsi se trouve dessiné un objectif clair : la disparition des gouvernements au profit d'une autonomisation de la production.

William Godwin et Robert Owen étaient en relation et ils partageaient le même souci d'un nouveau monde. Le second va plus loin que le premier, certes en agissant réellement dans le monde concret du travail, ou en créant des communautés communistes, mais également en pensant son projet dans le détail de la réalisation. Owen songe par exemple à donner une forme architecturale à cette utopie. La cellule de base, la commune agraire et communiste, appelle une réalisation de pierre qui propose l'antidote au panoptique.

Owen dessine des bâtiments, pense leur agencement dans un espace, il évite les cours, les allées, les ruelles, retient les volumes simples, cubes et parallélépipèdes, pose sa ville en plein milieu de la campagne pour éviter la prolifération des mégapoles, et il n'oublie aucune construction afférente au quotidien de l'utopiste de base : cuisine et réfectoire, douches et dortoir, infirmerie et hôpital, lieux de culte et espaces de loisir, jardins et ateliers, logements pour les étrangers et bâtiments pour les Harmoniens... Les fermes autogérées se trouvent non loin des pâturages, ce qui n'exclut pas deux ou trois bâtiments industriels. (Là aussi, là encore, Charles Fourier retiendra la leçon...)

On imagine que le passage de l'ancien monde au nouveau emportera avec lui toutes les scories d'une humanité corrompue. Dans cet exercice de nettoyage des parasites du monde d'avant, Robert Owen établit une liste souvent retrouvée sous sa plume. Elle est jubilatoire et montre incontestablement l'ardeur chez lui de ce fameux tropisme libertaire. Que trouve-t-on dans la liste des indésirables et des « institutions sataniques » – selon sa propre expression ? Les indésirables : les prêtres, les avocats, les magistrats, les militaires, les hommes politiques, les notaires, la religion, les lois, le mariage, la propriété privée. Les institutions : le libéralisme, le marché faisant la loi, l'or, l'argent et toutes les matières utiles à la spéculation. De quoi, de fait, rendre difficiles, voire improbables, les ralliements d'empereurs et de princes, d'évêques et de tsars, de chefs d'Etat et de capitaines d'industrie !

9

Le fléau libéral. Pour bien connaître ses confrères patrons de manufacture, et avoir vu de près cette engeance et son fonctionnement, la voix de Robert Owen pèse quand il déclare le libéralisme l'un des plus grands fléaux du monde... Car cet antilibéral sait de quoi il parle. Owen a visité des prisons et constaté, comme Flora Tristan qu'il a d'ailleurs rencontrée, qu'on y trouve essentiellement des miséreux sans travail, sans argent, démunis, pauvres de tout, des femmes contraintes à vendre leur corps faute d'un travail, des enfants forcés à la mendicité, au vol ou, eux aussi, à la prostitution, et ce pour un seul repas par jour. Là où Bentham ne s'émeut pas et envisage la multiplication de prisons panoptiques modernes pour punir cette population obligée de recourir à ce que la loi interdit, Owen propose non pas de changer les hommes pour qu'ils s'adaptent à une société à laquelle il ne faudrait rien toucher, mais, à l'inverse, de changer la société pour que les hommes s'y sentent mieux, bien, et y trouvent une place digne. Les victimes du système social emprisonnées témoignent non pas de la nécessité d'amender ces victimes, mais le système social. Changeons-le.

A plusieurs reprises Owen montre de l'animosité envers les riches. Nous ne sommes pas encore dans la terminologie marxiste qui opposera bientôt les « bourgeois », un concept définissant quiconque possède les moyens de production, et les « prolétaires » pour signifier à l'inverse toute personne qui ne les possède pas. Owen parle simplement de « riches » et de « pauvres », puis il affirme sa franche détestation des premiers, son désir de justice pour les seconds, et déclare la responsabilité des uns (qui ont) dans la situation des autres (qui n'ont rien).

Quand un libéral pense la richesse bonne en soi, Owen émet des doutes. Il croit au contraire que l'immense richesse génère la tyrannie, l'injustice et la présomption. Par ailleurs, il perçoit intuitivement la logique de la paupérisation : l'augmentation de la richesse des riches, et la diminution de leur nombre, en même temps que l'augmentation de la pauvreté des pauvres, et l'augmentation de leur nombre. En conséquence, il existe une évidente relation de cause à effet entre la richesse des fortunés et la pauvreté des miséreux, la première causant la seconde. Owen connaît le mécanisme spoliateur de la constitution des fortunes : les profits s'effectuent sur le dos des travailleurs dont on exploite le travail. Par ailleurs, les riches dilapident l'argent et gaspillent le produit de leur larcin légal. Proudhon ne dira rien d'autre en écrivant : « La propriété c'est le vol »... Owen conclut : aucun riche ne peut être juste ou bon. Les choses ont le mérite d'être clairement dites...

10

Abolir la propriété privée. Conséquent avec ses analyses, Owen propose l'abolition des trois piliers de l'ancien monde : la propriété privée, la religion et le mariage. Dans le premier quart du XIXe siècle, cette déclaration de guerre agit comme une bombe ! Ces thèses traversent le siècle en irriguant avec bonheur les pensées socialistes. Songeons au *Nouveau Monde amoureux* de Fourier, à *Qu'est-ce que la propriété?* de Proudhon, à *L'Origine de la famille, de la propriété privée et de l'Etat* d'Engels ou au *Capital* de Marx...

Son projet de « nouveau monde » va de pair avec une détestation du personnel politique en place. La richesse génère l'oisiveté d'individus médiocres qui s'engagent dans la politique politicienne. N'ayant pas besoin de gagner leur vie, ne sachant quoi faire de leurs journées, ces personnes viles se présentent aux suffrages des électeurs et, par le jeu des mécaniques représentatives, elles se retrouvent sur les bancs de l'assemblée nationale. Dès lors, les oisifs concoctent des lois qui leur permettent de continuer à piller en toute légalité les pauvres hères qu'ils exploitent enchaînés à leurs postes de travail dans les manufactures. Deux ou trois individus de cet acabit se battent comme des chiffonniers pour parvenir au sommet de l'Etat, là où la pratique délinquante devient possible sur un terrain de grande envergure et en toute impunité.

Pour en finir avec le personnel politique corrompu provenant de la classe des riches, l'objectif est clair : abolir la propriété privée. La septième des dix *Conférences sur les mariages religieux dans le vieux monde immoral* (1835) l'exprime sans ambages : finissons-en avec la loi du marché, la libre concurrence généralisée, le règne de l'argent, la religion du veau d'or; et opposons à cela une nouvelle politique fondée sur l'équité, la justice, le partage. L'objectif reste « le plus grand bonheur du plus grand nombre », une formule utilitariste explicitement couchée dès 1813 sur le papier d'*Une vision nouvelle de la société.*

11

Supprimer la religion. Deuxième pilier à abattre : la religion. En déiste emblématique, Owen défend un Dieu de physicien ou de naturaliste : il nomme Dieu une force supérieure et organisatrice du monde. Mais en aucun cas le socialiste ne souscrit à la fiction des théologiens. On classe donc souvent à tort Owen chez les athées. Des premières années où l'enfant de dix ans pointe les contradictions et conclut à la fausseté des religions, au presque nonagénaire refusant l'assistance d'un prêtre dans ses derniers instants, Owen exprime son mépris de toutes les constructions cléricales du monothéisme chrétien.

Robert Dale Owen, son fils, rapporte une anecdote dans son autobiographie *Au fil de ma vie.* Le jeune homme interroge son père sur Jésus que sa mère, très pieuse, lui présente comme un modèle à suivre. Suit une question sur la relation du Christ à Dieu : le premier est-il bien le fils du second comme l'enseigne la mère? Owen père répond que des millions de musulmans n'y croient pas, tout en priant eux aussi un seul Dieu. « Sur chaque douzaine de personnes, il y a seulement un protestant, dit le père. Es-tu tout à fait sûr que celui-ci ait raison et que les onze autres aient tort? » Leçon de relativisme historique et de liberté philosophique...

En fils du siècle des Lumières, Owen ne refuse pas de nommer « Dieu » la cause du monde, mais il récuse les religions à cause du pouvoir qu'elles autorisent sur les hommes et le monde. Une « religion rationnelle » qui enseignerait les principes éthiques du Christ (amour du prochain, bonté, partage, charité, pardon, douceur, etc.) ne mériterait pas les foudres qu'en revanche on doit réserver à la religion chrétienne, car elle obscurcit tout ce qu'elle touche depuis plus d'un millénaire.

De même, la fiction du libre arbitre met Owen en colère : la Genèse est un récit mythologique qui défend l'idée d'un homme doté du pouvoir de choisir librement. En défendant pareille idée, la religion chrétienne rend l'homme responsable de son choix, donc coupable, donc punissable au regard des conséquences de son prétendu choix. Owen s'insurge : comment peut-on passer sous silence les divers déterminismes, le pouvoir de la société, l'absence d'éducation ou d'instruction, et tout ce qui contribue à faire d'un être ce qu'il est? Le tempérament et le caractère procèdent d'une série d'influences extérieures à l'individu. Le responsabiliser suppose déculpabiliser la société sur laquelle reposent les misères de la plupart. Le christianisme justifie et légitime la logique carcérale d'un libéral de type benthamien; la sociologie causaliste d'Owen interdit la perspective disciplinaire et table sur des politiques préventives.

Une religion rationnelle tournerait le dos à la religion anglaise. Owen constate que l'Eglise chrétienne *enseigne* la vérité, l'honnêteté, la justice, la pauvreté, le travail, la paix, la tolérance, l'harmonie, la tempérance, la chasteté, la charité. Or, l'Histoire en témoigne, cette même Eglise chrétienne n'a jamais cessé de *pratiquer* le mensonge, la malhonnêteté, l'injustice, la richesse, l'oisiveté, la guerre, l'intolérance, les mésintelligences, l'intempérance, l'orgie, l'égoïsme... La solution? Une pure et simple abolition des religions.

12

Détruire le mariage. Troisième pilier de l'édifice à saper afin de réaliser l'harmonie du « nouveau monde » : le mariage. Owen peste contre le clergé car les prêtres professent des lois contraires à la nature. En matière d'éthique, la culture chrétienne vaut moins que la nature païenne, leçon des libertins de toujours. Dès lors, les invites religieuses à agir de telle manière plutôt que de telle autre génèrent des comportements déraisonnables. La négativité dans la civilisation procède de cette erreur méthodologique. Bien avant les freudo-marxistes, Owen met en perspective la morale castratrice et la généalogie du déplorable dans la société. L'idéal ascétique chrétien produit des maladies individuelles et collectives. Le refus du plaisir se paie de souffrances personnelles et sociales.

Ainsi en matière de sexualité. La loi religieuse oblige au renoncement, elle célèbre l'idéal de la chasteté, y compris dans le mariage : éviter la sexualité, et, si l'on ne peut s'y soustraire, tâcher de ne pas y prendre de plaisir. Sinon, l'Eglise tonne et sort les gros mots : péché, culpabilité, faute, punition, damnation, enfer, on connaît l'arsenal de l'appareil répressif chrétien. Depuis saint Augustin, le christianisme et l'hédonisme se mènent une guerre sans merci. Owen n'a pas de mots assez durs pour critiquer cette institution mortifère, morbide, malheureuse.

En 1835, il donne dix conférences sur le mariage :

elles sont d'une violence sans nom pour l'époque. L'ensemble paraît sous le titre *Conférences sur les mariages religieux dans le vieux monde immoral.* Dans la logique judéo-chrétienne, le mariage est une « chose maudite » qui relève des « institutions sataniques », voilà la chose clairement dite... Le style est redondant, comme souvent chez Owen. L'orateur cherche à persuader, à convaincre, à ramener vers lui une assemblée nullement préparée à entendre ce discours-là.

Qui, en effet, tient à cette époque un tel langage libérateur et libertaire en matière d'amour et de sexualité ? Sade fait entrer la question du sexe dans la philosophie moderne, on le sait, mais en gnostique chrétien, haineux du corps des femmes, voluptueux dans la douleur infligée, dévot de la pulsion de mort, négateur de la vie et du plaisir d'autrui. A l'inverse, Owen agit en hédoniste postchrétien, amoureux du plaisir de l'autre sexe, joyeux de la joie donnée, adorateur de la pulsion de vie.

13

La funeste institution. Owen établit une longue liste des griefs associés au mariage : il induit la tromperie et l'hypocrisie en contraignant à ne pas dire qu'on souffre ou s'ennuie avec l'autre ; il conduit au renoncement à soi, au désir, au plaisir, à la joie, à la jubilation, à la sexualité épanouie ; il rend méchant, parce que frustré ; il débouche sur le crime à cause de l'insatisfaction qui lui est consubstantielle ; il entretient la prostitution, conduisant dans la chambres des femmes vénales les époux insatisfaits du lit familial ; il produit l'indifférence à l'autre qu'on connaît dans les moindres détails et qui dès lors ne peut plus nous surprendre; il sécrète la routine d'un quotidien gris à mourir; il génère le malheur des enfants qui subissent le spectacle désolant du couple de leurs parents contraints à reproduire les mêmes erreurs pour n'avoir pas pris connaissance d'alternatives à cette impasse; il tire vers le bas l'un et l'autre : il suffit, pour s'en rendre compte, d'assister aux conversations indigentes dans les foyers ou aux commentaires perfides du couple après le départ d'invités; il agit en transférant le pire de l'un chez l'autre, par un genre de capillarité inconsciente; il modifie les caractères respectifs; il active entre l'époux et sa femme un désir de domination, donc d'écraser l'autre... Comment souhaiter pareil fléau?

Le titre des conférences renvoie explicitement au « mariage religieux », mais le contenu montre qu'Owen élargit sa critique au mariage dans tous les cas de figure, et plus spécifiquement à la cohabitation. Le contrat n'est pas en jeu, le sacrement non plus, la légalité juridique ou la moralité religieuse comptent pour rien dans le portrait du mariage comme catastrophe. Ce qui rend délétère une relation, même initiée dans l'amour, c'est le partage d'un toit unique, d'une même vie, d'un quotidien semblable.

Tout homme marié désire autre chose que ce que sa femme lui donne. Dès lors, il va voir ailleurs, notamment dans les maisons de prostitution où il retrouve ce qu'on ne lui donne plus : l'originalité, la fraîcheur, la nouveauté. L'erreur consiste à rendre l'autre responsable de la décrépitude du couple, car la raison en est un mouvement naturel et inéluctable d'usure. Le tort du clergé? Répandre des erreurs dommageables du genre : l'amour dure une vie entière, le mariage est indissoluble et le divorce une faute en même temps qu'un péché. Car on ne peut aimer la même personne une vie durant. Pareille idée va à l'encontre de tous les enseignements de l'Histoire. Penser ainsi mène à d'inévitables souffrances, à des déceptions, des désillusions.

Pour quelles raisons, alors, le clergé a-t-il intérêt à propager pareilles contrevérités? Les prêtres contribuent à la reproduction du système auquel ils doivent leurs prébendes : le mariage et la famille constituent les premiers rouages de la mécanique sociale, permettant de pérenniser les inégalités sociales, de conforter les riches dans leur richesse et de maintenir les pauvres dans leur pauvreté grâce aux alliances utiles pour augmenter le capital familial. Via l'héritage, et avec la bénédiction du clergé, cette mécanique rodée augmente le processus de paupérisation...

14

Le couple à l'essai. Dans le « nouveau monde moral » owénien, le mariage existe, mais révolutionné, parce qu'indexé non plus sur les lois fautives du clergé, mais sur de saines lois naturelles. L'amour dure aussi longtemps que le désir – qui, lui, s'entretient; or le désir meurt dès qu'on l'encage dans un couple marié vivant sous un même toit. Solution? L'union libre et le mariage à l'essai. Autrement dit : laisser l'affection et le sentiment mener le bal, avant, pendant et après. On aime, on vit ensemble le temps que dure cet amour, puis, quand il cesse, on se sépare. Rien de plus simple...

Owen donne le détail de la gestion du couple dans la « Nouvelle Harmonie » : le dimanche, on rend son désir public devant l'assemblée des Harmoniens. Trois mois plus tard, on réitère ses sentiments, la chose se trouve alors consignée sur un registre. Le mariage devient possible. Un an plus tard, si l'aventure ne paraît pas concluante à l'un des deux, ou aux deux, on rend encore publique la cassation. On vit encore six mois pour expérimenter le bien-fondé de sa décision : veut-on vraiment, oui ou non, se séparer? Si après ce délai de réflexion la réponse reste positive, la séparation devient effective et légale. Les deux membres du couple recouvrent totalement leur liberté pour de nouvelles aventures amoureuses et sexuelles.

Dès lors, les individus expérimentent la véritable chasteté qui n'est pas, contrairement à ce qu'enseigne l'Eglise, renoncement à la sexualité, ou refus du plaisir dans la relation sexuelle, mais sexualité harmonieuse, guidée, conduite par de véritables sentiments amoureux. Partager la vie d'un être qu'on n'aime plus, entretenir avec lui des relations charnelles sans affection, voilà l'obscénité majeure à laquelle contraignent les lois perverses du clergé chrétien. En revanche, associer le corps et la passion pour un être, voilà une chasteté bien plus enviable.

Dans la sixième conférence, Owen met en perspective ce couple réussi et le bonheur, la joie. En même temps, il relie la misère sexuelle et affective, amoureuse et corporelle, à nombre de pathologies somatiques ou psychiques. Le « vieux monde immoral » vit de renoncements, de castrations, de mauvaises chastetés, de chair triste et de contraintes relationnelles ; le « nouveau monde moral », quant à lui, célèbre l'épanouissement des corps, donc des âmes, la joie de tous et l'Harmonie généralisée. En 1838, Owen écrit le *Catéchisme du nouveau monde moral*.

15

Une pédagogie du bonheur. En émule des philosophes du XVIIIe siècle, Rousseau et Helvétius au premier chef, Robert Owen affirme la nature bonne et la société responsable de la méchanceté, du mal et de la misère des hommes. La solution pour en finir avec le vieux monde ? Abolir la propriété privée, la religion et le mariage. Disciple cette fois-ci du communisme de Mably ou Morelly, de l'anticléricalisme de Meslier et d'Holbach, mais de personne sur la question du mariage qu'aucun philosophe n'a à ce point maltraité, Owen continue d'incarner le message des Lumières dans l'Angleterre de la Révolution industrielle.

Disciple de l'optimisme progressiste de Condorcet, Owen envisage un avenir nouveau, amélioré, changé, meilleur. Dans sa *Vision nouvelle de la société* (1813) il invite à la réalisation personnelle du « bonheur de soi » comme préalable au « bonheur de la communauté ». Pas d'arithmétique magique sur le mode libéral du genre : le bonheur collectif s'obtient par la pure et simple addition des bonheurs individuels, mais une pensée individualiste et communiste.

L'individu ne représente pas le contraire de la communauté, mais l'une des parties qui la constituent. En ce sens, la pensée politique d'Owen récuse l'un des termes de l'alternative – ou le Tout, ou la Partie – au profit d'une lecture de bon sens : la communauté se constitue d'individualités à considérer comme telles. Pas question de diluer les singularités et les particularités dans un ensemble transcendant et tout-puissant. Son communisme ne se pose pas en ennemi de l'individualisme, mais comme sa réalisation.

Owen veut le bonheur de la collectivité. L'hédonisme libéral extrapole le bonheur de quelques-uns à celui de tous, le socialisme vise le bonheur de tous. L'alchimie owénienne se réalise avec une révolution rationnelle et raisonnable appuyée sur la conversation, la rhétorique, la persuasion. Echos de la pensée de William Godwin avec lequel Owen entretenait de bonnes relations. L'éducation réalisera cette métamorphose en tablant sur une intersubjectivité révolutionnée. L'objectif chrétien – « ne fais pas à autrui ce que tu ne voudrais pas qu'il te fasse » – laisse place à un dessein hédoniste – « fais à autrui ce que tu voudrais qu'il te fasse ». La neuvième conférence contre le mariage précise les enjeux : « donner un bonheur progressiste au genre humain ».

Le programme consiste à enseigner à l'école les principes simples et vrais. L'instruction nationale et publique permet d'arracher les progénitures à la mauvaise influence de leurs familles. Dans les milieux pauvres, miséreux, alcooliques, violents, criminels, la descendance se retrouve affligée des mêmes travers. En revanche, une fois sortis de l'influence des déterminismes délétères, les enfants accèdent à un monde radicalement autre et peuvent espérer connaître le bonheur.

Le pédagogue, l'éducateur, l'instructeur partent d'un principe simple : enseigner à l'enfant qu'il doit d'abord vouloir le bonheur de son semblable. Cette mise entre parenthèses de soi au profit de l'autre est payée de retour car, chacun étant l'autre d'un autre, tous bénéficient du désir de réaliser le bonheur d'un tiers. Cet altruisme bien compris génère en cascade une série de bonheurs individuels. L'objectif pédagogique? Apprendre aux enfants à se rendre heureux mutuellement afin qu'ils prennent le pli du bien et qu'un automatisme moral s'ensuive.

L'homme n'étant que ce qu'on le fait être, l'école a pour finalité et fonction d'initier cette révolution rationnelle radicale. Où l'on retrouve les beaux projets du Condorcet des *Cinq Mémoires sur l'instruction publique.* A la manière militante et spirituelle de William Godwin, Robert Owen pense moins en termes de révolution économique et politique qu'en termes de révolution spirituelle et éthique, pédagogique et morale.

Le communisme owéniste de la nouvelle société harmonieuse ne procède pas d'une appropriation collective des moyens de production, sur le mode marxiste, mais d'un dépassement des logiques chrétiennes au profit d'un réformisme radical. La société du clergé fabrique la misère, le malheur, la souffrance; la société de la raison produit le bonheur, la prospérité, la santé physique et mentale, l'harmonie. L'arbre des Lumières pousse encore dans les premières décennies du XIXe siècle.

16

Former les caractères. A New Lanark, en 1816, Robert Owen a créé un « Institut pour la formation du caractère » visité chaque année par deux mille personnes. Le lieu agit en laboratoire de cette révolution rationnelle. Dès l'âge de deux ans on accueille les enfants éduqués loin des livres qu'on évite jusqu'à l'âge de dix ans. On leur préfère des conversations adaptées, le recours à des reproductions d'animaux, l'observation des plantes ou des produits du jardin, des objets, des cartes. Les champs et les bois remplacent la salle de classe. Toute autorité est bannie, les châtiments corporels également. La punition n'existe pas, car elle fait autant de tort à l'individu qui la subit qu'à celui qui l'inflige.

Dans cet institut révolutionnaire, le premier maître d'école n'est pas un instituteur bardé de diplômes et féru de pédagogie de papier, mais un ouvrier tisserand sachant à peine lire et épeler. En revanche, il a une voix douce, un ton aimable et une patience qui fait des merveilles. Son rôle ? Non pas le maintien de l'ordre, la discipline, mais la transmission de valeurs utiles au nouveau monde, et ce sans jamais encombrer la mémoire.

Les enseignants s'instruisent en instruisant. Le mouvement habituel suppose un professeur qui sait (tout) et un élève qui ne sait rien avec une circulation d'autorité du sommet vers le bas. A New Lanark, il n'existe pas d'autorité de droit divin, mais une relation horizontale entre les pédagogues et les enfants. L'apprentissage ne suppose pas l'ennui, la contrainte, la peine, comme dans la logique de l'ancien monde où le travail va de pair avec la souffrance, vieil écho du péché originel, mais l'amusement, la joie. Le savoir va sans le pouvoir.

Pour autant, Owen ne pense pas le monde réel en iréniste. Il sait que la guerre peut parfois être nécessaire, et qu'il faut être toujours prêt, puis savoir la mener. Cette pédagogie libertaire n'exclut donc pas l'apprentissage de la discipline, au contraire. Garçons et filles pratiquent les exercices physiques, la danse, le chant comme art du corps, mais aussi la marche au pas, le défilé sur le mode militaire. Les visiteurs voient ainsi passer en rangs les enfants d'une cité qui, pour être radieuse, n'en est pas moins prête à défendre son existence face à d'éventuelles menaces.

Cette scolarisation dès le plus jeune âge, ce pliement de l'âme au bien général, ce désir de former le caractère, cette envie de construire le bonheur du plus grand nombre, cette discipline libertaire, cet art de préparer par la pédagogie des lendemains qui chantent, cet optimisme hérité des Lumières, ce projet d'Homme nouveau, cette confiance dans la Raison éducatrice, cette pédagogie de l'utilité communautaire constituent le premier temps dans la révolution souhaitée par Robert Owen. New Lanark agit en laboratoire local de ce qui devrait exister de manière nationale.

17

Une éducation nationale. La pratique de New Lanark débouche sur une théorie plus générale de projet d'« éducation nationale ». Dans *Une vision nouvelle de la société*, Owen pose les bases d'un système dont l'essentiel se retrouve presque deux siècles plus tard dans la modernité européenne. Nous sommes loin des projets pédagogiques disciplinaires panoptiques d'un Jeremy Bentham... L'école libérale sert à entretenir la machine économique du libre échange ;

l'école socialiste vise la construction d'une société heureuse dans laquelle les citoyens s'épanouissent.

A l'époque, la plupart du personnel enseignant relève du clergé. Les familles riches disposent de précepteurs. Pendant ce temps, les enfants de pauvres partent directement travailler dans les manufactures, les ateliers ou les mines. Le projet owénien de scolariser au plus tôt, puis de ne pas accepter d'enfants de moins de dix ans sur un poste de travail, enfin d'exiger que tous à cet âge sachent lire, écrire, compter, choque la plupart des Anglais de son temps. Dans cette ambiance, la systématisation d'une éducation nationale produit un véritable séisme.

Owen souhaite l'organisation d'un recrutement correct du personnel d'éducation. Si à New Lanark on préfère un tempérament, un caractère à un pédagogue de profession, dans le projet général théorique, on vise un formateur formé. Dans le vocabulaire contemporain, disons qu'Owen souhaite un institut de formation des maîtres – mais dans lequel on ne pratiquerait pas la religion pédagogique... Personne ne peut enseigner sans avoir été formé à cette tâche.

Ensuite, une fois ces professeurs dûment estampillés, Owen souhaite la création de collèges sur la totalité du territoire. Dans ces endroits, on réfléchirait à la finalité de l'école. Toujours en vocabulaire contemporain, on concocterait un projet pédagogique à même de mobiliser une équipe enseignante dans le sens d'une dynamique collective harmonieuse entre les professeurs et les élèves, mais aussi dans la perspective du bien-être de tous et de l'intérêt général de l'Etat.

18

Un homme nouveau. Ce projet de révolution rationnelle débouchera sur la création d'une « nouvelle race d'êtres rationnels et supérieurs ». Au regard des deux siècles qui nous séparent du penseur, cette formule comporte des mots à expliciter. La « race » d'Owen n'a rien à voir avec le concept racial d'un Gobineau par exemple, qui publie son *Essai sur l'inégalité des races humaines* en 1853 et construit son analyse à partir d'une discrimination entre les couleurs de peau.

Entendons plutôt le mot dans son acception simple, celle de Littré par exemple, qui définit ainsi les races : « Tous ceux qui viennent d'une même famille », autrement dit les humains. Owen ne peut être suspecté de racisme ou de racialisme, d'autant qu'il précise dans le quatrième essai d'*Une vision nouvelle de la société* que l'école s'ouvrira « à toutes couleurs de peau ». La « nouvelle race » renvoie donc à un nouvel homme indépendamment des sexes (cet homme-là dit aussi les femmes...) et des pigmentations...

Le terme « supérieur » fait peur lui aussi. D'abord à cause de l'idéologie national-socialiste pour les raisons que chacun sait, ensuite à cause du culte démocratique de l'égalitarisme, une religion qui se pratique souvent au mépris de l'équité et de la justice, mais aussi, et souvent, de l'égalité véritable... Le spectre nazi, conjugué aux souvenirs d'un Nietzsche mal lu, du moins lu avec les lunettes nationalessocialistes, qui lui aussi emploie les termes « supérieurs » et « inférieurs » chargés de dynamite, oblige à une mise au point.

Quand Owen recourt au concept de « race supérieure », il exprime une option d'ontologie politique. Un individu est supérieur à ce qu'il était lorsqu'il a donné à la raison les pleins pouvoirs sur son être, sa vie, sa pensée et son action. S'il buvait, jouait aux dés, fréquentait les maisons closes, frappait sa femme et ses enfants, volait, commettait des crimes et des larcins, il évoluait dans un monde éthique inférieur à celui qui tourne le dos à ces activités, respecte sa femme, éduque ses enfants ou les fait éduquer, choisit une vie droite.

Voilà pourquoi, ailleurs dans l'œuvre, Owen parle d'« enfants artificiels inférieurs » et d'« enfants naturels supérieurs ». Formatés par l'idéologie chrétienne, contenus par le clergé dans une vision du monde fautive, élevés dans l'artificialité de l'idéal ascétique, grandis au milieu de congénères terrorisés par la religion de la culpabilité, ces enfants se situent sur une couche éthique, ontologique, métaphysique inférieure à celle des enfants éduqués selon les principes de la nature, accompagnés par la Raison, visant l'utilité de la communauté, voulant le bonheur du plus grand nombre, et devenus des adultes désireux de relations égalitaires avec les enfants, les femmes ou les gens de couleur.

Pas de projet racial pour une société inégalitaire avec des sujets inférieurs au service d'une caste d'individus supérieurs chez Robert Owen ; pas de Nouvelle Harmonie préfigurant les sociétés totalitaires communistes du XXe siècle ; pas de tyrannie d'un peuple élu, parce que éclairé par la vérité owéniste, sur la majorité des citoyens soumis; mais un « vieux monde immoral » qui laisse place à un « nouveau monde moral ». Fin de la religion, abolition de la propriété privée, disparition du mariage, aspiration à l'eudémonisme social, désir du plaisir de l'autre dans une communauté ainsi nouvellement formée, sortie d'une ère religieuse au profit d'une ère rationnelle, Owen pose les bases d'un socialisme humaniste.

19

Le règne de la justice. La Nouvelle Harmonie veut dépasser la charité qui humilie, soumet, interdit de dignité et désocialise, au profit de la justice. Pour ce faire, Owen invente le statut de fonctionnaire en faisant en sorte que l'Etat donne du travail à toutes et à tous, ce qui constitue la meilleure garantie pour, d'une part, abolir la charité et le pouvoir du clergé sur les pauvres, d'autre part, offrir un salaire en paiement d'un travail qui autorise le logement, l'habillement, le chauffage, la nourriture, l'éducation des enfants, autrement dit la dignité recouvrée.

D'où la création d'« emplois perpétuels d'une réelle utilité nationale » pour créer des routes, les maintenir en état, ouvrir des canaux, construire des ports, des docks, des bateaux, etc. Plus tard on parlera de service public. En regard de ces propositions révolutionnaires de 1813 chez Owen, le gouvernement des Quarante-Huitards créera, en France, des Ateliers nationaux pour donner à des milliers de pauvres une dignité, un travail, un salaire, la possibilité d'une vie à peu près décente.

20

Les moyens de la révolution. Pas d'appropriation violente des moyens de production, pas d'expropriations par les armes, pas de dictature du prolétariat, pas d'avant-garde éclairée de la classe ouvrière constituée en parti, nulle machine de guerre de type marxiste dans le socialisme communiste d'Owen, mais, en disciple de William Godwin, donc d'Helvétius leur père à tous les deux, une croyance aux pleins pouvoirs de la Raison militante.

La vie de Robert Owen abonde en actes et gestes militants : conférences, brochures, livres, prospections auprès des grands de ce monde pour les convertir à son projet; des microcommunautés utopiques appelées à essaimer pour produire l'internationalisation de l'idéal par capillarité; des associations militantes; d'innombrables débats et réunions publiques; des créations d'écoles ou d'épiceries sociales : sa longue existence se place sous le signe de l'espoir, de l'optimisme, de la foi...

A l'heure du bilan, et au regard de ce que l'Histoire enseigne, Robert Owen laisse des idées fortes dans le monde socialiste ou communiste : le libéralisme cause la paupérisation et non la prospérité de tous; la misère qu'il génère est une affaire de mauvaise répartition sociale qu'un autre mode de distribution supprime; la délinquance est un produit des sociétés et non des individus; la religion agit en facteur de conservatisme social; un homme nouveau est possible par un usage approprié de la raison grâce à une pédagogie libertaire; la politique ne se sépare pas de l'éthique; le souverain bien d'une communauté ne se confond pas avec l'augmentation de la richesse nationale mais avec le bonheur des citoyens; les malaises physiques et psychiques des individus et des collectivités procèdent de la logique chrétienne culpabilisante et de la théorie libérale désocialisante.

Ces idées-forces irriguent les siècles suivants, elles produisent des réalisations sociales durables sur : la réduction du temps de travail, le labeur des enfants, la création d'un corps d'inspecteurs du travail, la constitution d'une éducation nationale, le recrutement étatique du corps enseignant, la promotion d'une école laïque pour tous, le statut de fonctionnaire, le service public, l'Agence nationale pour l'emploi, mais aussi : le principe d'une Sécurité sociale alimentée par des fonds de pension, la mise en place de retraites, puis de maisons pour accueillir les anciens.

Les libéraux activent les logiques disciplinaires panoptiques; les socialistes préfèrent les politiques préventives et la compassion pour les victimes de la brutalité du système. Dans *La Révolution dans l'esprit et dans la pratique de la race humaine* (1849), Robert Owen se félicite que, dans les asiles et les écoles, on ne pratique plus les châtiments corporels, il prédit qu'un jour il en sera de même dans la société et qu'à l'endroit des victimes de la brutalité du système libéral, plutôt qu'une politique de répression (la fameuse « discipline pénitentielle » libérale de Bentham...), les hommes opteront pour « la patience, la bonté et la tolérance totale ». Nous sommes encore loin du compte...

III

CHARLES FOURIER

et « la féerie sociétaire »

1

Le cosmos comme un bordel. Fourier traîne dans son sillage une série d'histoires extravagantes qui le constituent en personnage atypique, ce qu'il était, et parmi cette quantité d'anecdotes, une réputation de ne jamais rire. Dieu sait si, pourtant, la lecture de son œuvre en offre de multiples occasions : la mer transformée en vaste étendue de limonade une fois réalisé le projet politique fouriériste; l'« archibras » qui pousse au milieu du thorax des Harmoniens et sert à tout, y compris de parachute; la copulation des planètes par « jet spermatique aromal »; la queue des habitants du soleil; le « corps aromal » promis à chacun après la mort; le déplacement de la couronne boréale pour modifier les climats; le bestiaire d'« antianimaux »; les orgies sexuelles entre les enfants et les vieillards; et autres moments *sérieux* de l'œuvre, prêtent à rire...

Fourier rêve sa vie et en fait un système extravagant. L'homme qui, chétif, malingre, vit avec un bras hypertrophié, annonce l'avènement d'un archibras en forme de trompe d'éléphant qui pousse, tel un membre ornemental et perfectionné, et sert, grâce à sa force et à sa dextérité, à signifier notre puissance de travail infinie ; le vieux garçon amateur de bordels et de prostituées invente un « nouveau monde amoureux » dans lequel la prostitution devient sacrée et les fantaisies sexuelles (gratte-talon, pince-cheveux, pouponnage, angélicat...), une bénédiction ; le voyageur de commerce familier des hôtels et des tables d'hôtes françaises et européennes donne à la cuisine un rôle majeur dans la construction de son monde futur sous la rubrique « gastrosophie » ; l'amateur de fleurs qui meurt rue Saint-Pierre-de-Montmartre à Paris dans sa chambre au plancher couvert de terre et transformée en serre, propose que le jardin d'agrément – mais potager aussi... – tienne une place majeure dans l'élaboration d'une sensibilité harmonieuse ; le parent, par son beau-frère, de Brillat-Savarin, auteur de *La Physiologie du goût*, fantasme des guerres à venir avec pour armes lourdes des petits pâtés pivotaux et des explosions de bouchons de champagne ; le musicien, joueur de guitare et de violon, propose que l'opéra constitue, avec la gastrosophie, le noyau dur de l'éducation harmonienne. La société idéale fouriériste élargit au cosmos le fantasme personnel d'un homme extravagant ! On parlera, pour ce projet fou, de socialisme utopique : utopique, certes, socialisme, à voir... Fourier semble bien plutôt un gnostique licencieux perdu en plein siècle industriel !

2

Débuts du Bisontin. François Marie Charles Fourier naît le 7 avril 1772 à Besançon, la ville natale de Pierre-Joseph Proudhon (1809-1865), dans une famille de commerçants en drap. Père autoritaire, mère sotte, bigote, avare, illettrée. Mort du père en 1781, Fourier a neuf ans : la mère prend en charge l'éducation de son unique fils. Il vit désormais au milieu d'une ambiance féminine avec ses trois sœurs. L'œuvre complète témoigne de son féminisme de la première heure : Fourier écrit de très belles pages sur les femmes et leur destin brisé par le pouvoir des hommes dans un monde (y compris intellectuel...) où règnent la misogynie et la phallocratie.

Mme Fourier s'associe à son beau-frère pour maintenir le petit commerce familial. Très vite, la parentèle gruge la veuve et la ruine. De nombreux procès s'ensuivent. Une fois encore, Fourier prend des leçons qui produisent de violentes philippiques sur le petit commerce en régime de Civilisation, les banqueroutes, les faillites, mais aussi, et malheureusement, sur le rôle des Juifs dans la machine capitaliste du moment...

Etudes au collège privé de la ville. Enfant doué en mathématiques, dessin et musique, et ce sans rien apprendre. L'adolescent voudrait faire carrière comme ingénieur militaire mais, pour suivre une pareille voie, il devrait exhiber des quartiers de noblesse inexistants. Dès lors, après avoir refusé la banque, il consent à ce qu'on veut pour lui : une existence vouée au commerce... Dans quelques villes françaises – Rouen, Lyon, Marseille, Bordeaux –, il occupe des places subalternes dans un monde qui ne lui plaît pas. Evidemment, il n'excelle pas dans ces activités...

Pour son travail, il voyage en Europe – Suisse, Hollande, Allemagne, peut-être Russie – et profite de ces moments pour remplir des cahiers de notes sur les us et coutumes des pays visités. Fourier inaugure à sa manière la méthode du sociologue. En 1830, dans son *Cours de philosophie positive*, Auguste Comte invente le néologisme « sociologie » pour caractériser et nommer la « physique sociale ».

Fin 1789, en chemin pour Rouen, une ville qu'il trouve mortelle, Fourier effectue une halte à Paris et rencontre Brillat-Savarin (qui n'a pas encore écrit l'ouvrage qui le rendra célèbre) avec lequel il essaie quelques tables. Dans *La Fausse Industrie*, Fourier blâme l'auteur de *La Physiologie du goût* (1825) pour être passé à côté de la « gastrosophie » et n'avoir évolué que dans le monde de la « gastro-ânerie », un travers qu'il reproche à Berchoux et Grimod de La Reynière dans *Le Nouveau Monde industriel et sociétaire*.

3

La pomme et le riz. Fourier entretient une relation ambiguë avec la Révolution française. A la date des Etats généraux, Fourier a dix-sept ans. En 1791, il travaille à Lyon comme apprenti marchand drapier. Dans la boutique, il mesure, taille, coupe, travaille à la comptabilité. Pas de salaire, mais gîte et couvert assurés. Il accompagne son patron, avec lequel il entretient de bonnes relations, dans ses voyages en province. L'année suivante, sur sa demande, il supervise le transbordement des marchandises sur les quais de Marseille.

En 1792, il assiste à une scène qui le marque profondément et agit en lui comme un révélateur politique : sur les quais, des courtiers empochent une somme énorme en vendant une seule cargaison. A cette occasion, il constate que les intermédiaires, les « parasites », amassent des fortunes considérables en spéculant, pendant que les commerçants et les artisans dégagent de beaucoup plus petits bénéfices. Sa haine du régime du marché libre s'enracine dans ces expériences biographiques.

D'autres moments contribuent eux aussi à la culture anticapitaliste et antilibérale de Fourier : dans un restaurant parisien, chez Février, il déjeune avec une personne à qui l'on vend une pomme plus de cinquante fois son prix d'achat au producteur; par ailleurs, sur les quais de Marseille, il préside en qualité de commis à la destruction d'une tonne et demie de riz corrompu à cause du spéculateur qui patientait afin de dégager le maximum de bénéfices. Perversion des marges bénéficiaires et vice de la spéculation, voilà des certitudes obtenues dans le jeune âge de Fourier : elles constituent les fondations de son projet politique d'inversion de ces fausses valeurs.

4

Le mangeur de chat. En 1793, l'année de la Terreur, il quitte Lyon pour revenir à Besançon récupérer le pactole de l'héritage paternel. La somme est versée en assignats, une monnaie extrêmement dévaluée qui dévalorise son pactole de soixante pour cent... Fourier a vingt et un ans. De retour à Lyon, il achète des denrées coloniales. La ville se rebelle contre le représentant jacobin de la politique du gouvernement révolutionnaire parisien. L'insurrection est un succès, Fourier y participe ; on promulgue un gouvernement fédéraliste.

Le chef jacobin de Lyon est décapité. La ville devient le centre de ralliement des royalistes et des contre-révolutionnaires. Paris fait assiéger la ville pendant soixante jours. Les balles de coton de Fourier, réquisitionnées, servent à la construction des barricades. Son riz, son sucre et son café nourrissent la soldatesque. Fourier est ruiné. On le retrouve incorporé dans l'armée royaliste. Pendant le siège qui continue, la population mange des légumes pourris et des chats. Dans *Le Nouveau Monde industriel*, Fourier écrit : « on mange fort bien le chat, même sans famine »...

La Convention récupère la ville et envisage de la raser. Les suspects de contre-révolution sont pourchassés, jugés, exécutés. Fouché organise des exécutions de masse. Dans une même journée, par trois fois, et grâce à trois mensonges, Fourier échappe à la rafle, donc à la guillotine. Il quitte la ville et se cache dans les bois alentour pendant plusieurs semaines. Il vit de rapines, de mendicité, puis part vers Besançon où il retrouve sa famille fort opportunément ralliée aux idées de la Révolution.

Sans papiers, déambulant librement dans Besançon, Fourier se fait arrêter et placer en prison. Tranquille, il y passe son temps à jouer de la guitare et du violon ou à mettre au point un nouveau système de notation musicale. Il écrira : « j'ai été en prison pendant la Terreur et on y était fort gai »... Son beau-frère, membre du comité révolutionnaire, obtient son élargissement.

Mais il est aussitôt incorporé, par protection, dans une unité d'élite, et non dans l'infanterie comme son statut de célibataire sans enfants l'y destinait. En ce mois de juin 1794, Fourier a vingt-deux ans. Pendant dix-huit mois, il participe à des opérations de maintien des positions. Le ravitaillement n'arrive pas, les conditions de vie sont pénibles. Dans ces circonstances, il mesure une fois encore l'étendue du pouvoir des fournisseurs qui profitent de la situation pour engranger de formidables bénéfices sur les produits destinés aux troupes. Fourier obtient une réforme pour raisons de santé le 23 janvier 1796. Rentré à Besançon, il fait ses comptes : il a perdu tout son argent – d'autant qu'une partie de sa fortune avait été investie dans un bateau qui a coulé au large de Livourne...

Faut-il s'en étonner? Charles Fourier tient en piètre estime la Révolution française, ses prétendus droits de l'homme, son « ascétisme républicain », ses fictions verbeuses, ses fausses fêtes révolutionnaires, son Etre suprême, son Robespierre, homme à principes, prêt à massacrer pour des idées, sans aucun souci du réel et du concret, des milliers d'hommes sacrifiés à une cause fausse. Fourier déteste les philosophes et ne croit qu'aux pragmatiques, aux hommes capables de microexpériences réussies susceptibles d'extrapolations en laboratoire pour un monde nouveau.

5

Gésine gnostique. Retour à Lyon en 1800. Fourier devient courtier marron, autrement dit, courtier sans brevet légal ni caution. De quoi pénétrer encore et mieux les arcanes de la fausse industrie ! En novembre 1803, soit le 11 frimaire an XII, il publie dans le *Bulletin de Lyon* la première expression connue de sa vision du monde. Débuts des ennuis avec la police qui, après enquête, conclut au doux dingue...

1808 : publication de son premier opus, *Théorie des quatre mouvements*. Fourier propose un genre de philosophie de l'histoire qui lui permet de tailler dans le réel quatre phases de l'histoire universelle (chaos ascendant, plénitude ascendante, plénitude descendante, chaos descendant), la Civilisation constitue la partie du cinquième temps de la première phase... Personne ne comprend rien à cet ouvrage truffé de néologismes, de divisions et subdivisions, de considérations extravagantes – sur la « conversion de l'aimant immercuré au pôle boréal », la « désinfection et parfum des mers par le fluide boréal », l'« extinction de la couronne boréale », les « douze passions radicales d'octave » par exemple... Deux ou trois journalistes rejoignent la police dans le diagnostic de folie douce... Fourier a trente-six ans.

La presse passe le livre sous silence ; les acheteurs, donc les lecteurs, aussi. Fourier devient expert vérificateur de drap à partir de 1811. L'année suivante, il hérite d'une pension à la mort de sa mère. Dès qu'il reçoit le pécule, il s'arrête de travailler dans le commerce et se met au polissage intellectuel et conceptuel de son grand œuvre. L'insuccès de la *Théorie des quatre mouvements* est suivi de quatorze années de silence.

Durant les Cent Jours, l'ancien Girondin acoquiné avec les monarchistes et les contre-révolutionnaires en 93 semble avoir joué un rôle, mais on ignore lequel. A l'endroit de Napoléon Bonaparte, Fourier a toujours hésité entre admiration et détestation (ce qui n'est jamais le cas pour Robespierre, par exemple, qu'il déteste en toute circonstance comme le prototype de l'idéologue. Lire par exemple, dans *Le Nouveau Monde amoureux*, l'étrange développement qu'il lui consacre sous le titre « La queue de Robespierre ou les gens à principe »...).

Fourier aime Napoléon quand il l'imagine en homme providentiel, à même d'amorcer la pompe harmonienne du premier Phalanstère appelé à faire tache d'huile et à contaminer l'univers entier avec la théorie géniale ; en revanche, il n'aime pas l'Empereur quand il découvre son indifférence à l'égard de son projet – malgré sa *Lettre au grand Juge* et les pages de la *Théorie des quatre mouvements* par lesquelles Fourier sollicite directement Napoléon pour lui proposer, au vu de son caractère « unitéiste », de recourir à la manière forte afin de sortir de la Civilisation et d'entrer en Harmonie. Napoléon ne fut pas plus owénien que fouriériste !

6

Les nièces bordéliques. En 1814, âgé de quarante-trois ans, Fourier se retire en campagne dans le Bugey pour travailler à son grand traité qui n'avance pas. Il reste cinq ans, jusqu'en 1821, en compagnie de ses nièces qu'il prend d'abord pour des oies blanches avant de découvrir qu'elles mènent dans son dos une vie franchement dissolue – du moins au regard des principes de la Civilisation. L'oncle, qui célèbre les orgies dans son *Nouveau Monde amoureux*, se fait remarquer par une pruderie qui fait rire l'une de ses nièces : elle ne comprend pas qu'il ne profite pas de la situation pour « tirer sa part du gâteau » (selon son expression) de cette orgie bourguignonne !

Clarisse lui plaît bien, mais elle ne lui rend pas son affection. A défaut, il expérimente ce qui deviendra sous sa plume théorique le « parentisme ». Moins jolie, mais plus consentante, Hortense met du zèle à nettoyer la chambre du tonton, à coudre les cahiers de ses manuscrits, à lui tenir compagnie tard dans la soirée, à donner son avis sur les pages rédigées dans la journée, avis dont il tient compte. Impressionné par la qualité de sa collaboration, Fourier, déjà très angoissé, sinon « malade des nerfs » comme on dit à l'époque, craint la perte de cette complicité. Elle souhaitait un vieux mari assez riche pour la laisser tranquillement vaquer à ses affaires amoureuses ? Qu'à cela ne tienne, Charles Fourier propose d'être cet homme-là et se met en devoir de trouver un travail dans le commerce afin d'amasser les sommes qu'il projette de lui verser.

Lors d'une balade dans les bois alentour, il découvre Hortense en compagnie d'une de ses sœurs et d'un galant dans une position sans équivoque. Pas bégeule, le philosophe écrit qu'« il vaut mieux s'entendre sur le partage des hommes que se les disputer ». Elle est parfois sur ses genoux, lui tire l'oreille, mais l'un des amoureux des sœurs met le holà à ces jeux. Hortense s'en donne à cœur joie avec son amant. Fourier écrit : « j'ai pour principe que les jeunes femmes étant victimes du préjugé, elles font bien de se dédommager en secret »...

La tension augmente pourtant entre la nièce et son oncle. Fourier menace de son départ. Les filles craignent que la désertion de l'oncle ne les prive d'une couverture morale utile pour l'extérieur. Hortense insulte Fourier, lui reproche de ne pas se comporter en homme et de n'avoir « pas profité des belles charges qu'il a eues ». Intrigué, Fourier reste, car il veut comprendre le mécanisme du libertinage de ses nièces. Enquêtant dans les alentours, il découvre des filles aussi libérées qu'on peut l'être. Le philosophe apprend également que, dans la région, les adolescentes sont déflorées très tôt, avec l'assentiment de leurs parents, par des soldats de passage ou des anciens combattants des guerres napoléoniennes récemment mis à la retraite. Fourier quitte l'endroit.

Dans *Le Nouveau Monde amoureux*, on retrouve nombre de traces de ces expériences effectuées dans la maison de Talissieu en Bugey : le « céladonisme » ou amour purement intellectuel, caractérise le sentiment de l'oncle pour sa nièce ; la « cour d'amour » permet de repérer les fantaisies amoureuses envisageables ; le « pivot amoureux ou fidélité transcendante » suppose, malgré l'exercice de la « passion papillonnante », un retour constant et régulier à la même personne ; la « communauté momentanée » nomme l'agencement contractuel et hédoniste ponctuel ; sinon l'inceste à même de qualifier les relations de Charles et d'Hortense. Toutes ces constructions théoriques procèdent d'expérimentations personnelles.

On pourrait également convoquer d'autres registres fournissant de nouveaux concepts issus de l'observation du microcosme de Talissieu : ainsi l'« hypercéladonie », l'« angélicat », l'« omnigamie », la « trigynie », ou de nouveaux dispositifs amoureux : la « polygamie furtive », les « amours puissanciels ou partages harmoniques », la « philanthropie amoureuse », la « fidélité composée puissancielle » et autres agencements susceptibles d'entrer sous la rubrique du « libéralisme amoureux », autrement dit d'« amour tolérant », que promet le *Nouveau Monde amoureux*...

7

Le temps des disciples. En novembre 1822, Fourier a cinquante ans et publie le *Traité de l'association domestique agricole, ou Attraction industrielle.* Nouvel échec commercial. L'ouvrage a pourtant été largement distribué en services de presse. Fourier n'a pas mégoté sur les destinataires importants qu'il veut amener à son projet – rois, princes, industriels, journalistes, banquiers et autres gens riches ou influents, dont Chateaubriand... Son temps libre et une partie de sa fortune disparaissent dans ces exercices de prosélytisme forcené.

Robert Owen a reçu un exemplaire accompagné d'une lettre dans laquelle notre auteur se propose de jouer auprès de lui un rôle d'expert... Réponse polie, courtoise, sous forme de fin de non-recevoir d'Owen qui, ne lisant pas le français, fait répondre un ami dans la langue de Fourier. On peut penser que l'animosité dont Fourier poursuivra Owen le restant de sa vie date de cette réponse que n'attendait pas le Prophète de l'Harmonie. Car Fourier était convaincu de marquer l'histoire du monde à la manière d'un Newton qu'il prétendait avoir dépassé par sa découverte de la Théorie de l'Attraction...

Retour à Lyon en 1825 dans une maison de commerce où, loin de la « métempsycose des bouquins », du « quadruple vice des limbes sociales » ou des « sept conditions du lien sociétaire » (titres des chapitres du livre au fiasco...), Fourier devient caissier... L'année suivante, il s'installe à Paris où il vivra le restant de ses jours. A cette époque, il occupe les fonctions de commis chargé de la correspondance et de la comptabilité dans une maison de commerce américaine spécialisée dans l'import-export de textiles. En 1829, il publie à Besançon sous forme abrégée – cinq cents pages tout de même... – son *Nouveau Monde industriel et sociétaire ou Invention du procédé d'industrie attrayante et naturelle distribuée en séries passionnées.*

En 1814, Just Muiron, fonctionnaire de la préfecture du Doubs, sourd et dévoreur de livres, découvre la *Théorie des quatre mouvements* : emballement immédiat... Longtemps il fut le seul disciple, car il faut attendre 1831 pour que l'Ecole Sociétaire se constitue. Les fameux disciples contiennent l'extravagance de Fourier et lui conseillent de proposer dorénavant des projets « raisonnables » ! De fait, la cosmogonie furieuse, l'astronomie fantasque, l'érotique débridée, la numérologie foisonnante, la religion du néologisme, contribuent à la réputation d'un Fourier pas très sérieux... Les compagnons de route du prophète souhaitent une Harmonie plus facile à vendre.

En 1832, d'autres disciples lancent la première tentative de construction d'un Phalanstère à Condé-sur-Vesgre. Echec... La même année, les fouriéristes se dotent d'une revue hebdomadaire de huit grandes pages intitulée *Le Phalanstère, journal pour la fondation d'une Phalange agricole et manufacturière associée en travaux et en ménage*. La réputation de Fourier s'étend, on parle de lui, en bien ou en mal, les journalistes s'en mêlent, ses idées sont enfin discutées. Mais les frictions ne tardent pas. Les disciples financent aussi bien le journal que le philosophe, qui accepte mal de payer cet état de fait par un silence sur une ligne éditoriale qui lui échappe. Le journal cesse de paraître en 1833. Quelques communautés se créent et se réclament de lui.

8

Fourier répandu. *La Fausse Industrie* paraît en 1835, un livre de mille deux cents pages... Des Russes et des Roumains créent des communautés fouriéristes. Fourier l'ignore. George Sand et Sainte-Beuve s'intéressent à lui. Théophile Gautier aussi, mais pour moquer son extravagance. Balzac en parle lui aussi. Les caricaturistes le représentent avec une queue de singe – un attribut d'Harmonien. Sa popularité est telle que les enfants du Palais-Royal crient sur son passage « Voilà le fou : riez ! » Fourier ne réagit pas, garde son calme, conserve son flegme. Deux ans avant sa mort, le Vatican met son œuvre à l'index. Quelques femmes traversent sa vie – Louise Courvoisier, Désirée Veret une jeune couturière de vingt-deux ans, saint-simonienne. Fourier a soixante-deux ans. On découvrira plus tard sur une feuille volante qu'une seule femme lui a fait envisager le mariage : elle avait quatre-vingts ans et lui vingt-cinq...

Sa santé décline. Troubles digestifs, crampes, nausées, fièvres. Fourier rend les marchands de vin et les boulangers responsables de son état à cause de leurs produits frelatés. Henri Heine le voit sous les arcades du Palais-Royal emmitouflé dans une redingote, une bouteille de vin et une miche de pain dans les poches : il ne sort plus qu'avec ses victuailles. Il a toujours aimé boire, mais sur la fin, il ingurgite plus que de raison ! Il titube dans la rue. En 1837, il se fracasse le crâne en tombant dans son escalier. Une réunion publique avec deux cents personnes le met en présence de Robert Owen – il ne s'en rend même pas compte. Paralysie du bras, accroissement des symptômes.

Le 10 octobre 1837, sa femme de ménage, la seule qui ait autorisation de le visiter, le trouve mort, agenouillé au pied de son lit au milieu de sa serre de plantes vertes dans son petit appartement de Montmartre. Enterrement religieux. Les disciples se réjouissent de sa disparition car ils vont pouvoir enfin faire parler les textes à leur guise en taillant tout ce qui les gêne. Victor Considérant rachète les meubles pour, dit-il, réaliser un musée qui, bien sûr, ne verra jamais le jour. Le même laisse la tombe à l'abandon. Sur la dalle on peut lire : « Ici sont déposés les restes de Charles Fourier. La série distribue les harmonies. Les attractions sont proportionnelles aux destinées. » Ces deux phrases résument les plus de six mille pages écrites par le philosophe. Mais la compréhension de cette synthèse oblige à quelques développements...

9

Une philosophie gothique. L'œuvre complète de Charles Fourier contient douze volumes. Une *Théorie des quatre mouvements et des destinées générales* (1808), une *Théorie de l'unité universelle* (entre 1822 et 1841) en quatre volumes, *Le Nouveau Monde industriel et sociétaire* (1829), *Le Nouveau Monde amoureux*, puis *La Fausse Industrie* (1835 et 1836) en deux volumes, et mille cinq cents pages de manuscrits publiés dans la revue *La Phalange*. Première difficulté, l'étendue en nombre de pages du champ théorique.

Deuxième difficulté : l'abondance de néologismes. A la lumière de la définition du philosophe donnée par Deleuze dans *Qu'est-ce que la philosophie ?* et qui répond : un créateur de concepts et de personnages conceptuels, nul doute que Fourier passe l'examen et décroche son diplôme haut la main. Car chaque page comprend au moins une dizaine de mots forgés par ses soins et incompréhensibles sans une référence explicite à la définition donnée en amont. Une liste des hapax sémantiques de Fourier constituerait un dictionnaire. Parmi ceux-là : « séristère », « poupart », « sibyl », « hyperfée », « garantisme », « sarcocèle », « lunifères », « solité » – liste non exhaustive à compléter avec deux ou trois centaines d'autres termes.... Le plus connu étant « phalanstère » puisqu'il contient la totalité des extravagances théoriques et pratiques du philosophe. Mais également « gastrosophie », sur lequel je reviendrai.

Les néologismes procèdent parfois des changements de sexe, ou des compléments de sexe attribués à des substantifs afin d'équilibrer le concept par son double inversé en genre : ainsi les couples « ange/angesse », « troubadour/troubadoure », « bayadères/bayaders », « fée/fé », « faquir/faquiresse », « bonins/bonines » autrement dit, petits et petites bonnes au sens de femme de ménage, « mentorins/mentorines » pour les petits mentors mâles et femelles, etc. Mais, écrit-il dans la *Théorie de l'unité universelle*, il s'est contenté de n'avoir recours aux « néologies » (sic !) (II.74) qu'en cas d'absolue nécessité !

A d'autres moments, les néologismes permettent (prétendument) d'organiser le plan, d'exposer les idées, de développer la théorie. A ce jeu, Fourier semble un Hegel français qui recourt à l'apparence d'un ordre scrupuleux pour dissimuler une extravagante fantaisie. Le chaos qui préside à la composition des livres du philosophe suppose pourtant « antiface », « citerface », « ulterface », mais aussi, pour ne pas laisser s'ennuyer le mot « prolégomènes », « cislégomènes », « trans-légomènes » ou « post-légomènes », et ailleurs, « cis-médiante », « médiante », « trans-médiante », autant de créations dont Fourier s'offusque qu'on puisse ne pas les comprendre puisque, dit-il, l'étymologie aidant, chacun devrait saisir leur sens sans explication.

Si Fourier est bien un philosophe au sens deleuzien par la création de concepts, il l'est également par la fabrication de personnages conceptuels qui peuvent être « Fakma », une magnifique géante d'une beauté surhumaine qui satisfait tous les désirs d'une foule innombrable dans *Le Nouveau Monde amoureux*, ou bien « Valère » et « Urgèle », le premier est âgé de vingt ans, la seconde de quatre-vingts, elle occupe le poste de « haute matrone, ou hyperfée de l'armée du Rhin, exerçant le ministère des sympathies accidentelles pour les trois cent mille hommes et femmes », tous deux filent le parfait amour qu'en civilisation on dirait gérontophile... Mais aussi « Ganassa », superbe faquiresse du Malabar, ou « Lamea », bayadère de Bénarès, ou « Zéliscar et Zétulbe » chérubin et chérubine de horde, le « Petit Kan », tous ces personnages servant, parmi d'autres, à raconter les usages en Harmonie – le monde fouriériste d'après la Civilisation...

En mixte des productions de concepts et des créations de personnages conceptuels, Fourier invente également des expressions qui produisent des effets sémantiques, certes, mais aussi esthétiques, poétiques, au sens étymologique. Ainsi des « crachats de diamant », des « vestalats d'harmonie », des « petites hordes » (à ne pas confondre, bien sûr, avec les « petites bandes »...), des « gimblettes harmoniques », des « cacographies passionnelles », des « séries hongrées », de la « création septigénérique », de la « dissolution lactée » de la « copulation des astres », etc. Nous nous attarderons sur l'« attraction passionnée », la clé de voûte du système...

10

La numérologie furieuse. Résumons-nous : première difficulté pour saisir la pensée de Fourier, cachée et dissimulée dans une jungle savamment entretenue : l'épaisseur de l'œuvre complète et la multiplication des répétitions d'exposés; deuxième difficulté : l'abondance des néologismes sous forme de mots, de personnages, d'expressions inventées pour construire, proposer, exposer, illustrer la pensée de l'auteur. Troisième difficulté : la passion numérologique, le fantasme classificateur. Nouvelle jungle dans la jungle...

Fourier classe, sépare, dénombre, établit des séries, constitue des ensembles, chiffre, compte, calcule, multiplie, déduit, répartit dans des tableaux. Ainsi, il se donne des allures de mathématicien qui cherche le Chiffre du monde. Rien n'établit la participation du philosophe aux sociétés secrètes de franc-maçonnerie, mais il fréquentait certains adeptes de cette religion ésotérique et partage avec eux le goût d'une quincaillerie intellectuelle faussement scientifique qui scintille, certes, mais d'un or philosophique de contrebande. Fourier moque les repas – les agapes – maçonniques, trop longs, et aux antipodes des pratiques gastrosophiques d'Harmonie. En revanche, il admire la potentialité « unitéiste » de la secte qui, potentiellement, constituait un ferment idéal de propagation du fouriérisme !

Troisième difficulté, donc, la profusion de tableaux et de chiffres : un tableau du cours du mouvement social se déploie sur trois pages dans la *Théorie des quatre mouvements*. Simplifions et gardons l'ossature : ce cours du mouvement social se sépare en deux : vibration ascendante, vibration descendante. Ces deux temps sont eux aussi coupés en deux : chaos ascendant et harmonie descendante pour le premier, harmonie descendante et chaos descendant pour le second; entre ces deux moments, on trouve tout de même un temps intermédiaire. Ces quatre moments se subdivisent à nouveau en neuf périodes. Première vibration, première division, cela donne : Eden,

Sauvagerie, Patriarcat, Barbarie, Civilisation, Garantisme et Sociantisme. Nous sommes en fin de Civilisation.

Un autre tableau propose une répartition schématique des douze passions radicales : premier temps, passions sensuelles ; deuxième temps, passions animiques. Dans le premier temps, luxisme avec passions sensitives ou sensuelles (les cinq sens) ; dans le second temps, deux temps : groupisme (quatre passions affectives ou cardinales) et sériisme (trois passions distributives ou mécanisantes) à savoir : cabaliste, papillonne et composite... On constate en passant l'imbrication des difficultés : néologismes, passion classificatoire et numérologie...

Fourier s'en donne à cœur joie dans *Le Nouveau Monde industriel et sociétaire* avec le détail de l'organisation d'une « Phalange en grande échelle ». Nouveau tableau sur deux pages. Répartition en ordres, genres, âges et nombres. De la naissance à vingt ans, des poupons aux jouvenceaux, en passant par lutins, bambins, chérubins, séraphins, lycéens, gymnasiens (et leur féminin à chaque fois), Fourier établit des séparations entre les âges, parfois avec des années et demie de séparation. L'ensemble rejoint des cases arbitraires nommées « complément ascendant », « transition ascendante », « aileron ascendant », « aile descendante » et, sur le mode de la série inversée des compositeurs sériels du XXe siècle, un « centre », puis une « aile descendante », un « aileron descendant », une « transition descendante », un « complément descendant » chacun de ces temps disposant d'un coefficient chiffré cabalistique...

D'où des « solitone », « bitone », « tritone », « tetratone », « hexatone », « pentatone », « omnitone » pour établir l'échelle des caractères et des tempéraments. Des chiffres, des numéros, des nombres, des calculs abondent. Ils sont effectués sans raisons, en regard de la seule logique interne du philosophe qui fait entrer le divers et le multiple de l'Histoire dans les cases et les tiroirs qui conjurent l'angoisse par la production d'un ordre artificiel. La série chiffrée apaise le philosophe qui avoue des fragilités nerveuses...

Jadis, les hommes mesuraient 73 pouces de Paris et demi, en Civilisation, ils sont tombés à 63 pouces, mais en Harmonie ils s'élèveront d'1/7e en plus de la nature primitive, donc ils passeront à 84 pouces, et ce pour une raison bien simple, et, de fait, elle emporte les suffrages dès que Fourier la donne : la mesure en pouces est convertie en pieds de Paris – 7 – parce que le pied du Roi est la mesure naturelle du fait qu'il est égal à la 32e partie de la hauteur d'eau dans les pompes aspirantes... CQFD. Voilà effectivement un argument supplémentaire en faveur de l'excellence du projet fouriériste !

11

Parachèvement du gothique. Quatrième difficulté : les signes cabalistiques. Dans *Le Nouveau Monde industriel* (VI.63) Fourier donne les « détails distributifs sur les relations des groupes d'une série » et complète ce tableau des accords avec une nouvelle série chiffrée, celle des 32 groupes cultivant les variétés d'un végétal. Le schéma propose un calligramme ayant l'allure d'un sapin !

Les bords du conifère sont en chiffres et le cœur

du dispositif en signes cabalistiques : « X » pour signifier le contre-pivot, le même, mais allongé sur le côté, pour le groupe de pivot ; un « Y » pour le sous-pivot ascendant, le même, mais inversé, le haut devenant le bas, pour le sous-pivot descendant ; un « K » pour le groupe d'ambigu ascendant, la même lettre, mais en miroir, inversion pliage, le côté droit devenant le côté gauche, pour le groupe d'ambigu descendant ; un « D », enfin, pour le groupe de diffraction.

Les chiffres relèvent d'une logique interne dont le mécanisme reste obscur – même pour les mathématiciens de profession... Qu'on en juge : « La sympathie sera moins forte de 1 à 12 et 14, de 5 à 16 et 18, moindre encore de 1 à 11 et 15, de 5 à 15 et 19. Elle ira ainsi en déclinant jusqu'aux deux quarts d'échelle, où elle cessera de sorte que 13 n'est plus sympathique avec 7 et 19, encore moins avec 8 et 18, où commence une légère antipathie ; elle s'accroît de 13 à 9 et 17, et l'échelle de discord se renforce consécutivement au point de former une antipathie très prononcée de 13 à ses deux contigus, 12 et 14 ; elle est un peu moins forte de 13 à ses sous-contigus 11 et 15, et ainsi de suite ». Ainsi de suite, en effet...

Imbrication là encore des registres : néologismes débridés, taxinomie furieuse, numérologie fiévreuse, signes cabalistiques, Fourier porte à son paroxysme la création d'une langue propre pour signifier un monde créé de toutes pièces. La langue et les chiffres créent le réel qu'ils prouvent tout en permettant à son démiurge d'y vivre mieux, plus à l'aise que dans le monde de la réalité triviale du commis drapier, du marchand de tissu ou du caissier dans son échoppe.

Pour corser le tout, Fourier laisse ses manuscrits

dans un état définitivement hermétique pour le lecteur. Ainsi, dans *Le Nouveau Monde amoureux*, quand il n'est pas sûr de trouver le bon mot au bon endroit pour la bonne idée, il se contente de le passer et laisse un blanc... Puis, le manuscrit ayant eu une fortune extravagante à cause des « disciples » que les idées choquaient, les cinq cahiers multicolores croupissent dans une cave de l'Ecole normale au Centre de documentation sociale créé par Célestin Bouglé.

En 1940, les manuscrits sont mis en sûreté au château de Vincennes... qui brûle. Le texte fut longtemps cru perdu. En fait, il a été placé dans une annexe, puis remis aux Archives nationales où il se trouve encore. La première édition eut lieu grâce au soin de Simone Debout en 1967 pour le compte des éditions Anthropos qui réalisèrent alors l'œuvre complète en douze volumes. Pour ajouter à l'histoire rocambolesque, les pages ont été endommagées par les souris qui ont rongé une partie du cahier 51... De sorte que, cinquième difficulté, on doit composer avec des manuscrits inachevés, incomplets, troués par le défaut d'inspiration de l'auteur et l'incisive du petit mammifère...

12

Un gnostique postindustriel. Du point de vue de la *forme*, de la structure, de l'architecture et des matériaux de construction, l'œuvre philosophique de Charles Fourier s'apparente au travail de Viollet-le-Duc (1814-1879), sinon à celui de Louis II de Bavière (1845-1886). Au regard du *fond*, elle fait songer à la constellation hérétique des gnostiques licencieux

(Simon, Basilide, Carpocrate, Valentin, Cérinthe, Epiphane, Nicolas...) qui, eux aussi amateurs de néologismes (« plérômes », « éons », « archontes », « pneuma », etc.), sinon de personnages conceptuels (« Seth », « Lilith », « Barbélo », le « Serpent », les « Envoyés », le « Désir-feu », etc.), proposent dès le Ier siècle de l'ère commune une vision du monde appuyée sur une cosmogonie baroque, une théodicée licencieuse, une transvaluation radicale [1]. Fourier semble un gnostique licencieux perdu dans le siècle de la révolution industrielle.

La cosmogonie de Charles Fourier est la partie la plus occultée par les lecteurs, des premiers disciples – Just Muiron, Victor Considérant – aux derniers – René Schérer par exemple. Difficile, en effet, de souligner que la fondation de l'édifice philosophique repose sur des considérations ni scientifiques ni philosophiques, mais... théologiques. Car les défenseurs d'un Fourier libérateur de la sexualité et maître à penser de la révolution des mœurs de Mai 68 laissent de côté les passages dans lesquels le philosophe attaque violemment les athées et défend l'existence d'un Dieu à l'origine de toute chose, mais surtout, de l'« attraction passionnée », son concept majeur, l'architectonique de sa pensée, qu'on peut difficilement comprendre si on ne le met pas en perspective avec l'impulsion donnée au monde par un Dieu défini comme l'« Eternel géomètre » (IX.691). Dieu nomme le principe actif et moteur ; la matière, le principe passif, mû. Dès lors, Dieu c'est l'attraction passionnée – et vice versa.

---

1. Voir *Le Christianisme hédoniste*, tome II de la *Contre-Histoire de la philosophie.*

13

L'« attraction passionnée ». Ainsi, le réel fouriériste est une théodicée qu'il s'agit d'apprendre à lire pour y consentir et adhérer à ce que la Nature, donc Dieu, nous enseigne, afin de parvenir à la félicité personnelle et collective. Car Dieu a voulu les passions, les désirs, les pulsions, le tropisme hédoniste, il a crypté le réel, truffé de hiéroglyphes et de codes un monde que la philosophie n'a pas saisi pendant plus de vingt siècles. La découverte de l'« attraction passionnée » ouvre une nouvelle ère et réduit à néant (dixit Fourier !) les 40 000 livres de philosophie caducs depuis 1808, date de la parution de la *Théorie des quatre mouvements.*

L'athéisme procède d'une méconnaissance des lois de la nature. Normal pense Fourier, car les philosophes se fourvoient depuis des siècles et passent à côté de la vérité. Affirmer que Dieu n'existe pas, c'est être victime de l'état de décomposition de la Civilisation dans laquelle nous nous trouvons, ce qui a trop longtemps duré. La méconnaissance de la Providence, l'ignorance des lois de Dieu, les méfaits et ravages de l' « industrialisme », la conjuration des philosophes fourvoyés, voilà les sources de l'athéisme. Or, seul le génie de Fourier, sa découverte, sa trouvaille, lui permettent de revendiquer modestement (dit-il !) un dépassement de Newton qui, lui, est passé non loin de cette découverte, certes, mais n'a pas su, ou vu, ce qu'il aurait pu en tirer de grandiose. Heureusement Fourier vint...

Son affirmation de l'existence de Dieu se complète

avec l'éloge des Evangiles, de leur esprit (dont on ignore la nature tant qu'on commet l'erreur de les lire indépendamment des lunettes fouriéristes), et la fustigation de l'Eglise (qui a pendant trop longtemps empêché les progrès et la découverte majeure de l'attraction passionnée). Fourier propose une grille de lecture, *la* grille de lecture, pour comprendre enfin les textes évangéliques : ils annoncent deux révélations, deux révolutions, la première, celle du Christ, la seconde, celle de Fourier. Et l'une est l'autre, car l'annonce du royaume de Dieu se comprend comme annonce du royaume de Dieu ici et maintenant, sur terre, grâce à la perspective messianique du fouriérisme ! Fourier manquait donc au Christ, qu'il réalise par sa doctrine. L'Harmonie, voilà l'autre nom du royaume de Dieu...

Car la fin de la misère, de la pauvreté, de l'esclavage, de l'exploitation, la disparition de l'angoisse, de la peur, de la crainte, l'abolition de toute négativité, le règne du bonheur, de la joie, les béatitudes annoncées par les Evangiles, voilà le programme auquel invite *Le Nouveau Monde industriel.* L'attraction passionnée, c'est l'autre nom de Dieu, du moins l'une de ses modalités d'apparition. Le Saint-Esprit communique son impulsion collective par l'Attraction. L'Harmonie ? « La nouvelle Jérusalem » (VI.380)...

14

Girafe, antigirafe, contregirafe. La théodicée fouriériste suppose donc la théorie de l'« attraction passionnée », certes, mais aussi la théorie de l'analogie. Si dans l'univers tout est lié (ainsi que l'écrit Schelling dans une phrase que Fourier cite souvent), alors tout correspond, à la manière des voyelles colorées de Rimbaud. La théorie de l'analogie est « une science nouvelle » (VI.454). Elle nécessite qu'on s'en occupe véritablement, notamment en subventionnant des recherches à même d'établir les tableaux – encore ! – de ces équivalences. Au nombre d'un million – autrement dit : la matière de 4 000 volumes !

Quel est donc le principe de l'analogie ? Puisque dans l'univers tout est lié et se correspond, il existe des « hiéroglyphes » à déchiffrer. Les détails des plantes, des animaux, etc., renseignent sur les passions humaines, les relations sociales, l'intérieur des hommes. A la manière du portrait chinois, Fourier propose des équivalences. Voyons du côté de l'ornithologie – que développera son disciple Toussenel dans *L'Esprit des bêtes. Zoologie passionnelle* et dans *Le Monde des oiseaux. Ornithologie passionnelle.* Le chardonneret, à la tête coiffée de rouge, baigne par son cerveau dans cette couleur qui signifie l'ambition. Son plumage gris boueux, mais propre et lustré, signale une pauvreté industrieuse, des parents désargentés qui transmettent le désir de promotion sociale auquel il consent. Le bout jaune de ses plumes dit l'aide de ses parents dans cette aventure. L'enfant pauvre n'a pas peur des embûches de la science. Il aime le chardon, plante épineuse et sympathique. Le serin, oiseau gâté, au babil agréable, se faisant servir et obéir, commandant à toute sa famille, ce que démontre la couronne sur sa tête, pourvu de bons maîtres, ne vit que de friandises comme les enfants gâtés. Le perroquet, verbeux sans raison, plumage chamarré, jaune à l'aile, rouge en pointe, ou l'inverse, symbolise les sophistes du monde philosophique. Etc.

Les hiéroglyphes peuvent être géologiques, végétaux, animaux... Quand il s'interroge sur la vérité, Fourier convoque la girafe : car le propre de la vérité consiste à surmonter les erreurs et que la girafe, grâce à son long cou, élève sa tête au-dessus de tout. Elle ne sert à rien, marche à l'amble et ne s'admire que quand elle est au repos – comme la vérité que l'on n'aime qu'en théorie... Ses bois coupés court par Dieu, comme la vérité, sectionnée par l'autorité et l'opinion. En Civilisation, elle ne sert à rien. Dans un autre état de Civilisation, on dispose de la « contregirafe », autrement dit du renne dont on tire tous les services possibles – ce qui justifie que Dieu l'ait sortie des climats sociaux puisque nous n'avons rien à faire de la vérité en Civilisation... Quand l'ordre sociétaire aura modifié notre rapport à la vérité, nous disposerons d'une antigirafe, grand et magnifique serviteur qui surclassera le renne dans l'utilité...

Dans la *Théorie des quatre mouvements* (I.288), Fourier écrit que la théorie de l'analogie suppose le contraste (la ruche et le guêpier), l'alliance (le cochon et la truffe), la progression (dans les familles, les branchus par exemple). Mais les civilisés sont incapables de donner la raison de ces correspondances. Qui, par exemple, peut expliquer pourquoi, et selon quelles modalités, « le diamant et le cochon sont hiéroglyphes de la 13e passion » ? Qui en effet ? Sinon l'auteur...

Dès lors, l'analogie entre la morale et la mûre via la maturation tardive ; l'éléphant et la civilisation via la trompe saillante et luxiste ; la betterave et l'esclavage via le suc rouge ; le chou-fleur et l'amour sans obstacles; la pomme de terre et l'inégalité; le faisan et le mari jaloux; le paon et l'ordre sociétaire via les ocelles multiples; le serpent à sonnette et la calomnie via le bruit répandu; le canard et le mari docile via la voix éteinte; l'araignée et le commerce mensonger via sa toile, piège de la libre concurrence; le pavot et la masturbation via le parfum amer et repoussant; l'autruche et la pauvreté d'esprit, via un gros corps sans tête; toutes ces analogies donc, parmi une infinité, ne seront véritablement décryptées que quand on aura à travaillé sur le sujet. En Civilisation, on en est loin...

Plus tard, donc, on comprendra pourquoi, dans les raves, la grosse rave incarne le paysan épais; le navet le fermier huppé qui traite avec les grands; la petite rave ronde l'opulent; la petite rave, le riche approfondissant le sujet; la carotte, l'agronome raffiné, expérimenté; le céleri, les amours champêtres; on saisira les mystères qui permettent, grâce à la copulation des planètes à l'aide de jets d'arômes, la production du fer, du chien et de la violette, via la copulation de la terre avec elle-même; celle de l'étain après étreinte avec Herschel; du jasmin après câlins avec le Soleil; la jonquille avec Jupiter; le narcisse avec Jupiter et le Soleil... D'ici là, faisons confiance à Fourier. Et ajoutons la théorie de l'analogie au rang des difficultés – la sixième – pour entrer pleinement dans l'œuvre avec facilité...

15

Nos corps d'éther immortels. Cette science (!) nouvelle prouve l'existence de l'âme, car l'analogie montre que rien ne se perd, rien ne se crée, mais tout se transforme... Fourier croit au magnétisme, à la pluralité des mondes, à la transmigration des âmes, à la vie éternelle. Sur terre, ici et maintenant, nos corps se composent de terre et d'eau. Mais plus tard, après la mort, ils se recomposent en éther et arômes. Seule la connaissance des deux théories (l'attraction passionnée et l'analogie) permet de saisir pourquoi les hommes se réincarnent et de quelle manière. Le bonheur ici-bas, en Civilisation, génère le bonheur au-delà, dans le Cosmos, des âmes qui subissent, par attraction, l'état de passion dans lequel nous nous trouvons. Ainsi, quand nous souffrons en Civilisation, les âmes souffrent dans le Cosmos; dès lors, en Harmonie, quand nous jouirons, elles connaîtront la jubilation dans le Cosmos...

Les passions ont été créées par Dieu qui les a voulues ainsi. Mauvaises dans l'usage de la Civilisation, les mêmes, une fois inscrites dans une mécanique sérielle et sociétaire, deviennent bonnes, facteur d'équilibre, de paix, de satisfaction. Connaître les lois de Dieu, percer le mystère de l'Attraction, donc du code divin, permet la réalisation du plan hédoniste de Dieu. Or la clé de ce code est fournie par Charles Fourier. D'où la considération de son travail par ses soins comme une prophétie achevant le messianisme chrétien. Ce qu'annoncent les Evangiles, le fouriérisme le réalise...

16

Fausseté de la Civilisation. Théodicée, cosmogonie, attraction et analogie constituent la base métaphysique du fouriérisme. Examinons deux temps de sa pensée : la politique et l'érotique. Dans son analyse du libéralisme, du capitalisme de la révolution industrielle, Fourier évite les néologismes, les chiffres et les nombres, les signes cabalistiques. Laissons de côté la place occupée par la Civilisation dans le tableau du cours du mouvement social (ses 4 phases et ses 32 périodes, depuis l'infection des mers par le fluide astral jusqu'à la dissolution lactée !) et retenons qu'il s'agit du moment dans lequel nous nous trouvons.

Le capitalisme génère paupérisation et misère, indigence et pauvreté, esclavage des travailleurs et aliénations généralisées. Le libéralisme, défini comme la libre concurrence sans frein, sans Etat, sans loi, est présenté dans *Le Nouveau Monde industriel* comme « le mode le plus pervers qui puisse exister » (VI.400). L'excès d'industrie devient sous sa plume l'« industrialisme », mal majeur de notre époque car le progrès de l'industrie est un leurre pour la multitude qui souffre. Cette production confuse et sans méthode, sans rétributions personnelles, sans partages, sans garanties pour le producteur et le salarié de participer à l'accroissement des richesses, cet état des choses doit cesser.

Les parasites encombrent la place, les marchands, les vendeurs, les intermédiaires empochent des bénéfices considérables. On a vu que la pomme facturée dans un restaurant cinquante fois son prix d'achat sidère le philosophe qui développe en retour une théorie sur ce moment devenu fondateur de sa pensée économique. Cette pomme s'inscrit dans un « quadrille de pommes célèbres » (selon une note de 1820) dont la première est celle d'Adam, on en connaît l'histoire et surtout les conséquences, nul besoin de s'appesantir; la seconde est celle de Pâris, prince de Troie qui, pour avoir destiné la pomme d'or à Aphrodite, déesse de l'amour, engagera son destin dans la destruction de sa patrie; ces deux pommes, écrit Fourier, sont célèbres pour les désastres induits; les deux autres laissent une trace dans l'histoire pour leurs promesses et les services rendus à la science : d'abord celle de Newton qui, dit-on, aurait découvert la loi de l'attraction universelle en voyant l'une d'elles tomber de son arbre, ensuite, celle de Fourier qui devient dans les *Manuscrits pour La Phalange* (X.17) une « boussole de calcul » puisqu'elle conduit le penseur sur la voie de son système intégral. Quatre ans après l'aventure du restaurant Février, Charles Fourier découvre la « théorie des groupes industriels », puis les « lois du mouvement universel manquées par Newton »...

17

Pauvreté naît d'abondance. Cette fausseté dans la distribution se double d'une fausseté dans la répartition. L'autre anecdote revendiquée par Fourier dans la formation de sa pensée politique est la destruction du stock de riz dans le port de Marseille pendant que partout ailleurs les gens meurent de faim. D'un côté, des riches se gobergent, raffinent leurs plaisirs dans les grands restaurants des villes, meurent d'indigestion; de l'autre, les pauvres souffrent de la faim en campagne, ou dans les taudis urbains, puis disparaissent, emportés par la malnutrition ou la famine. En Harmonie, l'abondance régnera en tout.

En Civilisation, on meurt de « faim pressante », au

pied de la lettre, quand on n'a rien à manger du tout; ou bien de « faim spéculative », autrement dit en s'intoxiquant par l'ingestion de produits frelatés, toxiques, chimiques, conçus malhonnêtement par les marchands pour obtenir le plus grand bénéfice sur un aliment, un vin, avec le moins de frais possibles; enfin, on meurt de « faim imminente » par les excès de travail ou de fatigue à l'origine de fièvres, maladies, accidents de santé ou infirmités. Et tout cela à cause du « despotisme de l'argent » (VI.212). En Harmonie, le plus humble des paysans mangera autant que son appétit le lui permettra.

Sous le règne de l'argent, de la libre concurrence déchaînée, du marché libre, la loi est : « La pauvreté (naît) en Civilisation de l'abondance même » (VI.35). Fourier établit une corrélation entre la richesse des riches et la pauvreté des pauvres : la fortune des uns suppose la pauvreté des autres, l'argent abondant ici explique l'argent manquant là. Le libéral se refuse à examiner la possibilité d'une relation de causalité entre ces deux états. Le socialiste affirme en revanche l'existence d'une relation de conséquence. La hutte en terre des paysans français, leurs litières de feuilles pourries infestées de vermine, supposent les palais d'or et de brocarts, les objets de luxe et les meubles raffinés des bourgeois fortunés enrichis par la Révolution française... En Harmonie, les plus modestes ouvriers logeront dans des palais magnifiques.

18

L'invention de l'écologie. Fourier met en perspective le mode de production industriel et la mauvaise qualité des aliments, des produits, des nourritures, des boissons. On a beaucoup dit qu'en philosophie, on ressassait depuis la plus haute antiquité et que depuis vingt-cinq siècles aucun problème philosophique nouveau n'avait vu le jour. La remarque semble juste. Mais l'écologie est une question inédite en philosophie à l'époque de Fourier : nulle part chez Platon ou Aristote par exemple, on ne trouve ne serait-ce qu'une phrase permettant de signaler l'ébauche du questionnement écologique. Et pour cause, La Palice l'aurait dit : il faut l'endommagement ou la destruction de la planète pour que la pensée de sa préservation apparaisse. L'industrialisation produit la négativité qui nourrit la pensée écologique.

Le mot « écologie » apparaît en 1866 chez Haeckel, en allemand, puis en 1874 en français, mais il faudra attendre 1964 pour « écologiste »... Au XIXe siècle, le mot qualifie la discipline qui étudie les rapports entre les êtres vivants et leurs milieux. L'acception qui intègre le travail à l'amélioration de ces relations, voire à la protection ou à la restauration d'équilibres perdus, date de 1968... C'est dire si les propos tenus par Fourier dès 1822 dans la *Théorie de l'unité universelle* (III.105) témoignent d'une véritable prescience.

Dans *Le Nouveau Monde industriel*, Fourier disserte sur les mauvais aliments qui encombrent la table des pauvres et agissent comme des « poisons lents » (VI.43). Les comestibles naturels ont disparu, détruits par la production délirante en régime faussé de Civilisation – autrement dit : en régime de production libéral... A cause du marché libre, de la tyrannie des intermédiaires, de la passion pour le lucre des commerçants, de l'enrichissement des intermédiaires, on ne trouve plus rien de bon : vin, huile, lait, viandes, légumes, eau-de-vie, sucre, café, farine, tout est formaté par le marché, pour le marché. En Harmonie, la production débouchera sur des aliments sains, propres et purs.

L'organisation capitaliste a détruit la qualité de ce que les hommes ingèrent : ainsi du vermicelle, « colle rance » (VI.256) mise au point pour que la ménagère gagne du temps avec une cuisine facile à préparer, pas chère, mais immangeable; ainsi des viandes, « échauffées et infectées » à cause des étapes de croissance que l'éleveur fait sauter à l'animal pour le rentabiliser au plus vite auprès de son marchand; ainsi des herbages pollués par les fumiers qui transmettent un goût infect aux nourritures obtenues par l'herbe et la terre; ainsi des vins frelatés avec des produits chimiques; ainsi des récoltes effectuées avant l'heure, qui mettent sur le marché des fruits et légumes pas mûrs, immangeables...

Fourier met en perspective la qualité des aliments et la santé de la population. Ainsi la stérilité, plus grande chez les urbains nourris avec de mauvais produits que chez les ruraux, encore relativement préservés de cette course aux produits infectés par le capitalisme productiviste moderne. Prescience, donc, de l'intoxication, des maladies, du dérèglement de la santé de la population à cause des nourritures frelatées par les marchands obsédés par l'accroissement de leurs bénéfices.

Seuls les riches peuvent encore acheter des produits de qualité, plus rares, donc plus coûteux et à la portée de leurs bourses. Les pauvres, quant à eux, meurent de faim car ils n'ont rien à manger, ou parce que le peu qu'ils mangent est frelaté, corrompu, abîmé par la chimie, le productivisme outrancier, et la course aux bénéfices. Pendant qu'à Paris les riches se vautrent dans la mangeaille et que les « gastrolâtres » (VI.259) se donnent en spectacle dans les restaurants en vue, les pauvres n'ont rien dans leur assiette ou bien une pauvre soupe, « un simulacre de bouillon avec des ingrédients qui sentent le lard rance, la chandelle et l'eau croupie » (idem). En Harmonie, la gastrosophie agira en ciment du bonheur social.

Cette mauvaise nourriture suscite chez Fourier un souci écologiste : la Civilisation détruit la planète, l'Harmonie rétablira l'équilibre entre tous les constituants de la Nature. Fourier établit un constat qui, comme pour ce qu'il convient d'appeler aujourd'hui la *malbouffe*, concerne le *réchauffement de la planète*. Dans un Manuscrit de *La Phalange*, mais également dans *Le Nouveau Monde industriel*, il parle explicitement de la « détérioration matérielle de la planète » et liste les symptômes : la température se vicie rapidement; les excès climatériques deviennent habituels; des régions voient disparaître leurs cultures ancestrales; les saisons s'inversent : l'hiver surgit au printemps, le printemps arrive en hiver; la disparition des saisons intermédiaires; la fin des forêts; le tarissement des sources; le déclenchement des ouragans... Dirait-on constat du début du XIXe siècle ?

Or il existe des solutions : les hommes peuvent agir en inversant cet état de fait. La planète défigurée l'est à cause de la phase de Civilisation qui dure trop, notamment avec son vice majeur, l'« industrialisme ». Le passage à l'Harmonie produirait des effets considérables, entre autres sur la « restauration des climatures ». Fourier annonce une résolution cosmogonique du problème : il faut agir sur le déplacement de l'axe de la terre en travaillant sur les passions en Harmonie, mais il esquisse également une autre solution, disons plus pragmatique.

Ainsi, en Harmonie, la cuisine collective remplacera les petits foyers individuels où chaque famille consume son charbon pour les repas quotidiens. Dès lors, le combustible économisé épargnerait des forêts et aiderait à restaurer les climats adéquats. De la même manière, avec cette « épargne du combustible » (VI.5) on lutterait contre le vol du bois en forêt, un problème tellement important que Karl Marx lui consacre l'un de ses premiers articles.

19

Un compagnon de route utilitariste. Fourier se place sous le signe de la lutte contre la « morale répressive » (VI.71), notamment sous l'angle de ce que l'on a fait subir aux femmes depuis le début de l'humanité. La religion chrétienne et ses églises, la philosophie, jusqu'à Fourier (dit-il !), ont indiqué une mauvaise voie en critiquant les désirs, en fustigeant les passions, en attaquant le corps, en récusant le plaisir, en célébrant « l'amour du mépris de soi-même » (avant-propos au *Traité de l'association domestique agricole* (II.41)), une passion nationale... Les dogmes de la morale dominante sont impraticables, pourquoi continuer à les enseigner ?

Fourier a la dent dure avec tout le monde. En génie ignoré qui s'installe sur le même socle que Jésus, Christophe Colomb et Newton (qu'il dépasse et surpasse, bien sûr, car il les réalise !), en râleur qui ne cesse de remâcher la douleur de son anonymat et d'annoncer qu'un jour on l'appréciera à sa juste valeur, Fourier qui cite rarement positivement – Owen le sait... – dit du bien de Bentham ! Quand tout le monde s'est trompé depuis les débuts de l'humanité, que depuis trois mille ans personne n'a rien vu, rien compris, rien saisi, quand des centaines de milliers de volumes de livres de philosophie, de science, d'histoire, sont appelés à disparaître dans les oubliettes le jour où l'on établira la vérité du fouriérisme, des lignes élogieuses sur Bentham comptent, elles pèsent un réel poids d'or...

Lisons dans un chapitre intitulé « Du vrai bonheur » extrait du *Nouveau Monde industriel* cette phrase agissant comme une pièce à conviction : « Je n'ai vu qu'un écrivain civilisé qui ait un peu approché de la définition du vrai bonheur, c'est M. Bentham, qui exige des réalités et non des illusions : tous les autres sont si loin du but qu'ils ne sont pas dignes de critique » (VI.348). A plusieurs reprises, ailleurs dans l'œuvre complète, Fourier annonce qu'il tient le concept d'« utilité » (III.149) (IV.276) (VII.114) en haute estime.

Seul est vrai, juste et bon ce qui est utile pour réaliser le projet d'Harmonie, autrement dit « les œuvres qui conduiront les peuples au bonheur ». S'il existe des saints et des héros d'Harmonie, et, de fait, ils existent, ce sont les femmes et les hommes qui, via la gastronomie et la sexualité, auront le plus et le mieux contribué à réaliser « le bonheur des humains » (VI.119).

L'idée d'associer la sainteté à l'idéal ascétique, aux mortifications, à la prière, aux austérités diverses et multiples, est bien une affaire de Barbarie et de Civilisation, ces états de moindre avancement dans l'histoire de l'humanité. Car Fourier ne voit dans la sainteté civilisée que ridicule, sottise, absurdité, inutilités... Le philosophe veut des « saints utiles », sanctifiés ici et maintenant en vertu de leurs prouesses gastronomiques et amoureuses.

20

Raison glaciale et passions libérées. La réponse aux désordres de la Civilisation se trouve donc dans l'Harmonie. Quelle est-elle ? De quoi et de qui se compose-t-elle ? Quels en sont les moyens, les instruments, les dispositifs ? Comment y parvenir ? Fourier commence par déclarer la guerre à la « modération » et à la « raison glaciale » (VI.78). De fait, son œuvre complète s'épanouit tout entière dans l'exagération et la raison brûlante. Les passions, voilà ce sur quoi il construit son édifice – autrement dit, Fourier a raison lorsqu'il s'annonce comme celui qui prend le contrepied de deux millénaires de morale ascétique et de philosophie complice...

Toute passion est bonne, aucune n'est vicieuse, car il n'existe que de vicieux développements des passions. Ainsi, un meurtrier, un voleur, un fourbe expriment par leurs actes des essors vicieux, mais la passion qui les produit est bonne puisque Dieu l'a créée. Il existe une passion pour le sang : est-elle bonne, est-elle mauvaise ? Bonne quand elle fait le boucher, un homme nécessaire pour nourrir ses semblables, ou le chasseur qui tue pour donner à manger aux siens ; mauvaise si elle produit l'assassin. Car qu'est-ce qui génère l'homicide ? Un engorgement et une irritation des passions causés par la

Civilisation qui ne les utilise pas à bon escient; en Harmonie, cette même passion serait mise au service de causes qui l'ennobliraient.

Ainsi, la férocité, l'esprit d'orgueil et de conquête, le larcin, la concupiscence, le goût du sang, l'hypocrisie, la ladrerie, la duplicité, autant de vices en Civilisation, ne sont pas mauvais en soi, mais relativement à leur usage. Fourier marche en conséquentialiste sur les brisées utilitaristes ! Dieu ne peut pas avoir créé ces passions sans de bonnes raisons. Chacune dispose d'une utilité dans la mécanique harmonique, seule notre ignorance est la cause de notre mépris des passions. « Du moment où nous voulons réprimer une seule passion, nous faisons un acte d'insurrection et d'hostilité contre Dieu » (VII.451).

Fourier prend modèle sur l'île d'Otahiti – Tahiti... – où les passions sont des partenaires et non des adversaires comme en Civilisation. Les mœurs sont naturelles car aucune contamination n'est venue de peuples extérieurs grâce à leur isolement géographique. Les habitants de l'île pratiquent l'amour libre parce que toute jubilation sexuelle est agréable à Dieu. Tournons le dos aux vieilles lunes morales, théologiques et philosophiques de l'idéal ascétique, et réalisons en Harmonie, autrement dit pour le Cosmos, ce que ces îliens bien inspirés nous enseignent.

Dans la logique fouriériste, les passions sont au nombre de douze, autant que de notes de musique, plus une, la « pivotale ». Elles composent en totalité l'« unitéisme ou harmonisme » : cet ensemble se sépare en deux, avec les « passions sensuelles », le « luxisme » [désir de luxe] (qui comprend les cinq sens sous la rubrique « sensitives ou sensuelles ») et les « passions animiques », elles-mêmes séparées en « *groupisme* » [désir de groupe] (« affectives ou cardinales » : *majeures* avec l'amitié et l'ambition, *mineures* avec l'amour et le familisme) et « *sériisme* » [désir de série] (« distributives ou mécanisantes »).

Ces dernières sont des passions inconnues : la « cabaliste », autrement dit l'esprit de parti et le goût de l'intrigue, active chez les commerçants, les courtisans, les ambitieux, le monde galant ; la « papillonne » ou besoin de changer et varier ses plaisirs, de passer rapidement de l'un à l'autre ; la « composite », un mixte des deux premières, un enthousiasme et un esprit d'ivresse qui excluent la raison au profit du plaisir du corps et de l'âme. L'« unitéisme », treizième passion, le « pivot », définit le plaisir de concilier son propre bonheur avec celui de la communauté – le contraire, donc, de l'égoïsme en Civilisation. Nouvelle occasion de tableau...

Douze passions, donc, en « seconde puissance » comme l'écrit Fourier, mais trente-deux tertiaires en cas de ramifications, cent trente-quatre en quatrième puissance, quatre cent quatre en « quintiaires », etc. Restons-en à douze... Fourier propose qu'en Harmonie on s'appuie sur elles, qu'on favorise leur essor, qu'on les développe, qu'on évite l'engorgement, la répression, car toute passion qui ne s'exprime pas ici se montre ailleurs (principe de la sublimation freudienne...) et parfois sur un mode négatif et détestable. D'où l'intérêt d'un régime hédoniste des passions que seul autorise le dispositif harmonique.

21

Phalanstère et gastrosophie. Le lieu de l'Harmonie, son laboratoire, se nomme le Phalanstère – un mélange de Phalange et de Monastère... Fourier y envisage des hommes et des femmes regroupés selon ses fameux calculs cabalistiques, ce qui donne mille huit cents personnes. L'éducation des enfants y est primordiale puisqu'il vaut mieux composer avec des êtres intacts, indemnes de la contamination de la Civilisation, pour en faire de parfaits Harmoniens. Dans une éducation fouriériste, on ne part pas d'un individu idéal, mais d'une réalité préexistante – autre point commun avec les utilitaristes britanniques. Chaque enfant aime manger, notamment des sucreries, des gâteaux, des confitures, des glaces. Sur cette « attraction gastronomique » (VI.253) naturelle, on construira le reste. En Harmonie, la gastronomie sert à harmoniser les passions.

En Civilisation, on ne voit que gastrolâtres qui s'empiffrent, pauvres qui meurent de faim ou trépassent intoxiqués par ce qu'ils mangent – nourriture trop corrompue par la toute-puissance du marché... ; en Harmonie on crée une nouvelle discipline : la « gastrosophie ». Cette science inédite se compose de gastronomie, de cuisine, de conserve et de culture. Cultiver un jardin, avec légumes sains, propres et naturels ; connaître leur coefficient analogique et savoir qu'en mangeant on ingère aussi et surtout du symbole, donc de quoi nourrir le corps et l'âme à tous les sens du terme ; apprêter les aliments, savoir les cuire, les préparer, les agencer, les mettre en situation, les scénographier dans une cérémonie appelée non pas à saturer le désir mais à l'entretenir afin de manger régulièrement, plus et plus souvent : voilà autant de chantiers gastrosophiques.

Manger du coq, du pigeon ou du canard, c'est ingérer *aussi* de la polygamie du sultan dans son sérail, de la fidélité monogame, ou du mari civilisé. Ajouter une purée de pommes de terre, c'est composer avec l'assemblage des inégaux ; associer une salade de betteraves, c'est solliciter les esclaves forcés par la torture ; compléter avec du chou-fleur, c'est inviter à l'amour sans obstacles... Pomme en dessert ? Hiéroglyphe de l'Attraction... En Harmonie, les conditions de production subliment les aliments dont les qualités nutritives et symboliques sont exacerbées. Dès lors, la gastrosophie est aussi médecine préventive, la seule digne de ce nom.

On met donc les enfants en cuisine où ils effectuent des tâches ménagères : éplucher, émonder, émincer, cuire, frire, rissoler ce qui provient du potager biologique – Fourier dirait « cosmogonique »... On table sur les passions enfantines : ainsi, leur goût pour le changement (la papillonne) les fait passer d'un plat à l'autre, d'une activité à l'autre ; l'intrigue (la cabalistique) les mène à surpasser le comparse dans la confection d'un mets, ce qui augmente le plaisir de tous et contribue à la maximisation du bonheur de la communauté ; l'envie de satisfaire le corps et l'âme (la composite) magnifie le tout dans les cérémonies gustatives collectives.

Les fleurs dans le jardin – Fourier adorait les plantes vertes et les chats... – offrent également des perspectives gastrosophiques. En naturopathe, en herboriste, en amateur de médecines douces avant l'heure, le maître sociétaire donne aux plantes un statut métaphysique égal à celui des minéraux, des animaux et des humains : elles sont des fragments d'un même tout dans lequel chaque chose est liée. En Harmonie, la cuisine est donc affaire de métaphysique, d'ontologie, de cosmologie, de religion, de philosophie, de sociologie, d'économie, de médecine.

22

L'opéra et les égouts. Les enfants aiment donc manger, mais aussi la musique. Les sens mis en avant par Fourier – l'olfaction (les plantes), le goût (la cuisine) et l'ouïe (la musique) – s'opposent à l'habituelle vénération des philosophes classiques idéalistes pour la vue, le sens de la mise à distance de la matérialité du monde, le sens de l'éviction de l'épaisseur charnelle du réel. Le combat de réhabilitation – sinon d'habilitation... – des passions contre la tyrannie de la raison occidentale passe par une prise en considération de la totalité du corps. Lorsque Fourier ajoute le toucher (la sexualité) à son souci harmonieux, il prend à rebours la longue tradition idéaliste et spiritualiste de la pensée jusqu'à lui.

Faisant l'éloge de l'opéra, Fourier précise qu'il part de la définition classique, certes, (voix, chant, musique, mise en scène, théâtralisation, narration du librettiste, danse, mime, pantomime, peinture des décors, costumes) mais qu'il extrapole également à une acception élargie aux exercices chorégraphiques jusqu'à ceux « du fusil et de l'ostensoir » (VI.221) !

Ainsi, le caractère militaire et l'aspect religieux trouvent leur place dans l'art opératique.

L'opéra forme à l'harmonie, à l'unité, à la mesure, donc à la santé. En tant que tel, il joue un rôle majeur dans la construction d'un enfant d'Harmonie. Dans le cadre du Phalanstère, des cérémonies fastueuses se déroulent avec des défilés militaires d'enfants juchés sur des chevaux nains. Aux antipodes des « méthodes répressives » de la Civilisation, en Harmonie on apprend avec des techniques ludiques. Ainsi les enfants deviennent musiciens en six semaines seulement. La production des instruments est exponentielle. Tous (en) jouent.

L'opéra des bourgeois en régime de Civilisation n'a rien à voir avec l'opéra en régime d'Harmonie. Chez les civilisés, cette activité concerne les oisifs, la classe aisée, elle est coûteuse, voire dispendieuse, elle ne sert qu'à la distraction, sans aucun arrière-plan mental, intellectuel ou philosophique ; en Harmonie, elle est pratiquée par tous, peu coûteuse, car chacun y contribue, et tous les métiers convergent vers elle : le plus pauvre des cantons fouriéristes sera mieux doté que la capitale la plus riche d'une nation capitaliste.

Les enfants aiment manger des sucreries, des gâteaux, des confitures, boire des jus de fruits : la gastrosophie construira sur cette passion magnifique ; ils aiment chanter, danser, sauter à cloche-pied, ou scander des comptines rythmées : l'opéra leur donnera les moyens de parfaire ce tropisme naturel et de l'intégrer dans une pédagogie conduisant vers l'Harmonie ; ils adorent tripoter la boue, sauter dans les flaques d'eau croupie, se barbouiller de saleté : l'Harmonie utilisera ce ressort naturel dans la constitution de « petites hordes ».

Celles-ci mettront leur talent, et leur passion, au service de fonctions considérées comme immondes en Civilisation : curage des égouts, service des fumiers, triperie, travaux dangereux du genre poursuite des reptiles, emplois de dextérité. Les petites hordes disposent de quatre ressorts pour exacerber leurs vertus : saleté, orgueil, impudence et insubordination. Parce qu'ils pratiquent l'abnégation et le mépris des richesses, elles constituent le foyer des vertus civiques.

23

Quand le travail est un plaisir. En Civilisation, travailler est une corvée ; en Harmonie, un plaisir... On dort peu dans les Phalanstères et l'on travaille beaucoup, à tout, tout le temps, en changeant régulièrement (en vertu de la papillonne !) d'activité. La répétition ? Jamais. L'ennui ? En aucun cas. La souffrance ? Ignorée. En revanche : variété, joie, enthousiasme, jubilation. Le travail a cessé d'être une punition, comme la Genèse l'enseigne, pour devenir un facteur d'épanouissement et d'harmonie dans la communauté.

Fourier défend le principe des inégalités nécessaires pour l'émulation. Mais elles ne sont jamais définitives. Puisque tout change, tout bouge, richesse et pauvreté ne signifient plus du tout la même chose : en Civilisation, si l'on est pauvre, on n'est pas riche et, la plupart du temps, ce que l'on est, riche ou pauvre, dure toujours ou presque. En Harmonie tous sont riches et pauvres suivant que l'on considère que tout est à eux, ou que, même chose, rien n'est à eux...

Le Phalanstère accueille tous les corps de métier et

chacun peut en pratiquer au moins une quarantaine, car l'éducation harmonienne a transformé les hommes en individus polyvalents capables aussi bien de jardiner, de planter et semer, de récolter, que de construire un instrument de musique, d'en jouer, de danser et chanter, ou encore de cuisiner, de peindre ou d'enseigner... Fourier propose un homme total, complet, capable d'exploiter la totalité de ses potentialités, le contraire d'un homme mutilé, un homme élargi aux possibilités de ses passions, de ses talents et de son travail.

Ce dispositif d'attraction passionnelle théorique se présente aussi comme un dispositif architectural : le Phalanstère, construit non loin d'une grande ville, est un agencement circulaire de bâtiments. Il se compose de « séristères », autrement dit de salles et de pièces disposées selon l'ordre des séries passionnées. Abris et passages sablés et couverts, souterrains chauffés par tuyaux de chaleur et de ventilation, couloirs élevés sur colonnes. Toutes les parties communiquent : réfectoire, ateliers, salles de bal et de réunion, étables, caves à vin, cuisines, greniers. Les matériaux de construction sont économiques. Trois étages. Palissades pour enclore le tout afin d'éviter les curieux du voisinage. L'ensemble héberge mille huit cents personnes.

L'édition du *Nouveau Monde industriel* comporte des plans avec esplanades de parades au centre, jardins d'hiver environnés de serres chaudes, cours de service avec jets d'eau, bassins, arbres, escaliers majestueux avec tour d'ordre pour entrer, un théâtre, une bourse, une église, un aréopage, un opéra, un télégraphe, une construction pour des pigeons de poste, une basse-cour, un réseau de « rues-galeries ». Le plan de ce Palais de la Phalange industrielle s'organise autour d'une ligne verticale centrale invisible qui distribue l'agencement symétriquement. Dans ce magnifique écrin d'Harmonie, les groupes vont au travail en fanfare, avec hymnes et drapeaux...

Par son excellence et son exemplarité, le Phalanstère générera inévitablement un désir d'essaimer. En reproduisant ce dispositif, en le démultipliant, les fouriéristes réaliseront la révolution sociétaire. Pas de violence, pas de brutalité, pas d'expropriations sanguinaires, pas d'accaparements brutaux des propriétés et des biens, pas de soulèvement prolétarien suivi de dictature : Fourier croit possible d'intéresser un personnage riche, puissant, un homme d'Etat en place, un roi – Louis-Philippe –, un souverain étranger, un prince, un empereur – il croit un temps convertir Napoléon... L'anecdote court que, pendant des années, Fourier aurait arpenté le jardin du Palais-Royal à midi pile, dans l'attente du mécène qui aurait donné à sa révolution l'impulsion première, nécessaire et définitive. Personne ne vint jamais au rendez-vous...

24

Une radicalité féministe. Fourier se propose de changer le monde, le réel, les gens, les choses, les rapports entre les hommes, entre les individus et les planètes. Dans cette perspective totalisante, comment aurait-il pu laisser dans l'ombre la question de la sexualité ? Car il s'agit, là aussi, là encore, de révolutionner radicalement les rapports entre les... trois sexes. Les premiers développements de ces questions dès son premier livre, la *Théorie des quatre mouvements*, heurtent le public, y compris ses prétendus disciples... Les éditeurs publient ses ouvrages avec des préfaces qui désamorcent le caractère radicalement révolutionnaire de ses critiques de l'ordre domestique de la Civilisation et de ses propositions, scandaleuses à leurs yeux, en matière d'« amour libre » et de « liberté amoureuse » pour l'Harmonie.

Fourier brosse un tableau impitoyable de l'amour en Civilisation et démonte pièce par pièce le sinistre mariage, l'ennui conjugal, les mirages de la fidélité, les impasses de la monogamie, l'hypocrisie des ménages traditionnels, la généralisation du « cocuage », les sottises professées par les philosophes sur le terrain des relations entre les sexes, les alliances faussement amoureuses, vraiment intéressées, il montre que dans ce régime industriel, les femmes sont avilies, exploitées, maltraitées, et que le bonheur des hommes se trouve en proportion de la liberté dont jouissent les femmes. Leçon féministe cardinale : « L'extension des privilèges des femmes est le principe général de tous progrès sociaux » (I.133). Le dispositif fouriériste propose l'émancipation des femmes comme levier pour l'émancipation de l'humanité entière. D'où la nécessité d'un *Nouveau Monde amoureux* – titre programmatique d'un manuscrit inachevé.

25

Hiérarchie des cocus. Echaudé par les critiques, Fourier avance prudemment sur le sujet de ce nouveau monde amoureux. L'érotologue affirme de livre en livre que ces perspectives sont à long terme, pas moins de trois ou quatre générations, car les esprits ne sont pas prêts pour des changements aussi radicaux. De fait, quand on lit Fourier affirmant qu'il faudrait une gradation dans les adultères car une coucherie avec une femme stérile, enceinte, ou sans risque de procréer, une autre effectuée avec l'accord tacite de l'époux, constituent des pratiques bien moins problématiques qu'un adultère destructeur des ménages et producteur d'enfants malheureux, on imagine le tollé à l'époque !

En Civilisation, la loi est : « Tout pour moi, rien pour les autres ». En Harmonie : « Tout pour les autres » (VII.76). Dans le temps de l'histoire civilisée, les femmes subissent la loi des hommes. Le mensonge, l'hypocrisie, la fausseté, la duplicité, la frustration règnent. Car, dans l'intimité de l'alcôve, ou loin du regard des autres, tout le monde couche avec tout le monde. En revanche, une fois revenus dans l'éclairage mondain, les amants tiennent des discours moralisateurs. Seuls se dispensent de tromper ceux à qui on n'en a pas donné les moyens. Chacun fait semblant.

Pour faire œuvre de taxinomie sur le sujet et prouver ses dires, Charles Fourier rédige une hiérarchie du cocuage et isole soixante-seize types de cocus. La galerie mérite la visite : cocu en herbe ou anticipé, cocu préceptif, cocu imaginaire, cocus martial ou fanfaron, argus au cauteleux, réciproque ou auxiliaire, coadjuteur, accélérateur, précipitant, traitable, bénin, cocu optimiste, cocu bon vivant, cocu converti, cocu ravisé, fédéral ou coalisé, transcendant ou de haute volée, etc.

Ces types définis et précisés prouvent la constance de l'inconstance et la généralisation d'une sexualité naturellement libre. Chacun est bigame quand il le peut, mais tous aspirent à la polygamie (VII.267). Le cocuage est, de fait, une « polygamie furtive » (VII.69). Dès lors, pourquoi ne pas construire à partir de cette pratique commune à tous les êtres humains ? Car la routine amoureuse des couples, « les amours subalternes des plaisirs de ménage » (VII.36), le mariage en tant que « monogamie asservie » (VII.69), tout cela génère de la frustration, de la misère.

26

Du sexe en Harmonie. En Civilisation, on entretient une opposition entre le corps et l'âme, l'esprit et la chair. Une contradiction travaille la plupart des personnes entre le désir et le plaisir, le sentiment et le sexe. Ce tiraillement disparaît en Harmonie où la sexualité pratiquée en vertu de l'attraction passionnée et sur le principe panthéiste des analogies, permet (comme chez les gnostiques du Ier et du IIe siècle de notre ère) une communion mystique avec l'esprit de Dieu. Le plaisir des humains infuse la totalité du corps mystique du cosmos : la jouissance humaine nourrit les astres, les planètes, les âmes des morts, le mécanisme du vivant, des fleurs aux animaux.

Selon le principe fouriériste qu'aucune passion n'est mauvaise et qu'il n'y en a que de mauvais usages, le nouveau monde amoureux permet à chaque fantaisie lubrique de se réaliser. La monogamie, le mariage, la fidélité, la procréation, la cohabitation, ces reliquats du vieux monde peuvent, bien sûr, continuer d'exister, car rien n'est interdit en Harmonie ; mais pas en exclusivité, car chacun vivra successivement, simultanément, et dans des durées variables, les expériences de son choix dont aucune n'est répréhensible ni réprimée.

Avec Fourier, ce que l'on nomme communément bordel, échangisme, partouze, adultère, parties carrées, lesbianisme, exhibitionnisme, voyeurisme, fétichisme, sadisme, masochisme, sado-masochisme, orgies, saphisme, inceste, gérontophilie, triolisme, autant de vices en Civilisation, devient vertu en Harmonie. Ces vices se retrouvent rebaptisés : « céladonisme », « angélicat », « communauté momentanée », « amour puissanciel », « orgies de musée » ou « orgies du lendemain », « fantaisies lubriques », « polygamie d'inceste », « épreuve d'amour amical », « fidélité composée puissancielle », « amour pivotal », « passion papillonnante », « sympathies omnigames », « fidélité transcendante », « comanien », « omnigynie », parmi les « manies érotiques », on trouve les « gratte-talons », les « pille-talons », les « pince cheveux », les « claquistes », les « vieux poupons », ou les « flagellistes »...

Chacune de ces passions mériterait un développement, certes, et Fourier ne se prive pas de les scénographier dans le détail, mais on imagine sans peine que ces mots nouveaux, ces expressions inédites nomment de vieilles pratiques, et qualifient d'antiques comportements devenus par la grâce d'une onction d'Harmonie, des pratiques conduisant à la généralisation de la félicité. Voilà la magie de la « féerie sociétaire » (VI.287). Et le contour de ce nouveau monde amoureux – libre.

La passion narratrice du philosophe met en scène des moments de ce théâtre des corps : on y voit des femmes défiler nues, cachant tout leur corps, à l'exception d'un détail; on y rencontre des hommes et des femmes qui s'apprécient la veille avant de se donner le plaisir escompté le lendemain; on y remarque de très vieilles personnes, parfois laides, jouissant des services que leur apportent de très jeunes et très beaux partenaires; on y fait connaissance avec des êtres aux multiples partenaires, mais revenant inéluctablement vers un même pivot affectif; on y croise des couples entretenant une relation privilégiée avec une tierce personne qui sublime les trois êtres; on y entrevoit des fouetteurs et des fouettés, des vieux langés dans des couches, des hommes insultés ou maltraités par leurs partenaires; on y comptabilise d'anciens amoureux qui continuent, le temps passant, à entretenir des relations affectives modifiées; on y aperçoit un oncle couchant avec sa nièce; on y repère un homme qui se réjouit du spectacle de la sexualité de femmes entre elles; le même dit son mécanisme singulier : il aime six semaines à partir de la date de la passion, puis cesse d'aimer, mais entretient une amitié fidèle jusqu'à la fin avec cet être élu – ces deux dernières passions, « saphiénisme » et « omnigynie » mais probablement aussi l'antépénultième, l'« inceste mignon » – sont celles qu'au détour d'une page Fourier avoue pour son compte...

Le principe de cet amour libre? On le trouve formulé à plusieurs reprises dans *Le Nouveau Monde amoureux*, en voici l'impératif catégorique : « Ce qui fait plaisir à plusieurs personnes sans préjudicier à aucune est toujours un bien sur lequel on doit spéculer en Harmonie où il est nécessaire de varier les plaisirs à l'infini » (VII. 338). L'ensemble propose une alternative aux passions tristes de la Civilisation, aux crimes et misères sexuelles, aux catastrophes induites par l'exercice de la « chasteté républicaine »...

27

Quand le cosmos jouit. Fourier pressent un certain nombre de théories freudiennes : l'engorgement des passions comme généalogie des névroses personnelles et collectives ; la puissance de la libido dans la constitution d'une identité ; la multiplicité des tempéraments affectifs – au point de prévoir la logique taxinomique du Krafft-Ebing de la *Psychopathia sexualis,* auteur d'une encyclopédie des fantaisies lubriques ; le refoulement producteur de déplacements générateurs d'effets névrotiques ; la quantité des pulsions sadiques et masochistes en relation avec la gestion particulière des libidos en Civilisation. L'idée, magnifique, qu'il n'existe pas de mauvaise passion, mais un mauvais usage des passions, et que ce mauvais usage se corrige, notamment par la réalisation d'un autre mode de production (des savoirs, des pouvoirs, des richesses), reste d'actualité.

Fourier pense que la misère, les malheurs, la frustration, la pauvreté ici et maintenant, dans ce temps de Civilisation, produit et génère la misère, les malheurs, la frustration, la pauvreté là-bas, dans le restant du cosmos, notamment pour les âmes aromales des défunts toujours présents, sur le mode de l'éther universel, éternel et immortel. Si d'aventure nous réalisons l'Harmonie, nous effacerons pour toujours la misère, les malheurs, la frustration, la pauvreté pour la totalité des mondes et pour tous les temps.

Libérer les passions selon l'ordre de l'attraction passionnée, et en vertu du panthéisme de la théorie de l'analogie, c'est révolutionner radicalement l'univers.

Socialisme utopique? Plus probablement gnosticisme hédoniste d'un penseur tétanisé par les ravages de la révolution industrielle. Sous les chiffres et les néologismes, sous la fausse construction d'un véritable édifice gothique, sous le farfelu, le grotesque, le baroque, sous le romantisme millénariste et apocalyptique, Charles Fourier nombre et chiffre les modalités magiques et mystérieuses qui permettent la jouissance du cosmos tout entier. Le tout sans jamais rire. Voilà qui mérite bien un sourire...

IV

BAKOUNINE

et « le paradis humain sur terre »

1

Bakounine le jeune. Michel Bakounine naît en Russie, étudie en Allemagne, vit en Belgique, en Angleterre, en Suisse, en France, milite partout, fomente et participe à des insurrections dans nombre de pays d'Europe – Prague, Dresde, Lyon, Bologne... –, puis meurt en Italie. Ajoutons à cela un périple autour du globe qui, du Japon à Londres, via le canal de Panama et les Etats-Unis, lui permet d'échapper à un exil en Sibérie. Le philosophe anarchiste qui parle russe, anglais, allemand, français, italien, peut bien revendiquer son internationalisme et l'abolition de toutes les frontières, il fut partout chez lui en ogre qu'il n'a jamais cessé d'être !

Naissance le 30 mai 1814 à Premoukhino en Russie, dans une famille aristocratique de riches propriétaires terriens. Le père possède également une petite entreprise de cotonnade. Le domaine emploie plus de cinq cents serfs. La mère a vingt ans de moins que le père qui trouve son épouse vaine, égoïste et autoritaire. L'un et l'autre donnent naissance à onze enfants dont dix survivent. Personne ne va à l'école, car le précepteur apprend au domaine les langues étrangères et le maître de musique l'art des instruments pour la musique de chambre. Michel tient la partie de violon.

Les sœurs de la maisonnée vivent sous son terrible joug. Le libertaire est un autoritaire : le ton incandescent et ambigu de la correspondance avec elles s'explique par la flamme romantique, l'enthousiasme débridé, les feux lâchés par tous les contemporains de Chateaubriand, Musset et Victor Hugo, certes, mais si l'on s'aventure un peu dans une lecture vaguement freudienne, Bakounine entretient avec ses sœurs une relation de type incestueux. D'où une jalousie maladive à l'endroit de leurs prétendants, une sévère direction de conscience qui frise la dictature affective, un activisme destructeur auprès des potentiels beaux-frères.

Les biographes passent rapidement sur une supposée impuissance sexuelle de Bakounine. De fait, on ne lui connaît pas de grandes aventures amoureuses ou sexuelles, ni même de grandes passions ou de grands moments en la matière, mais des complicités féminines plutôt filiales – y compris avec sa jeune femme de quinze années plus jeune que lui. La passion très fraternelle de l'anarchiste avec les révolutionnaires masculins décide parfois l'un ou l'autre à émettre l'hypothèse d'une homosexualité que rien n'infirme ni ne confirme.

En 1828, Bakounine entre à l'Ecole d'artillerie de Saint-Pétersbourg. A quatorze ans et demi, il quitte le domaine familial et s'éloigne des siens pendant cinq ans. Peu de travail, guère de motivation, de l'indiscipline, des mauvais résultats. Quand la caserne ne le requiert pas, il loge chez son oncle. Un jour, on le croise dehors en vêtements civils alors qu'il aurait dû porter son habit militaire de lieutenant, la sanction ne se fait pas attendre, renvoi de l'école, puis exil dans un corps de troupe cantonné loin de tout. Nous sommes en 1834.

Le temps passe lentement. Bakounine lit et traduit de l'allemand en russe, du français en allemand, il annote des livres de statistique, d'histoire et de philosophie. Pour tâcher de tomber malade et quitter ce lieu dans lequel il désespère, ce gaillard d'un mètre quatre-vingt-dix-sept boit très chaud, se dénude et s'allonge une demi-heure dans la neige. Résultat? Rien... Il rencontre Stankevitch qui l'initie à la philosophie allemande. En 1835, il démissionne de l'armée. Il faudra tout le talent et l'entregent de son père pour obtenir des services administratifs que son fils ne soit pas poursuivi comme déserteur. Il a vingt et un ans, la sexualité ne le concerne pas du tout, ses compagnons de chambrée le constatent. Son avenir? Peut-être professeur de philosophie à Moscou.

2

Dévorer, digérer, dépasser Hegel. Dans la capitale russe, sous l'influence de Stankevitch, Bakounine effectue dès 1836 des lectures majeures : Schelling et les romantiques allemands (Richter, Hoffmann, Goethe, Schiller, Bettina von Arnim), puis Kant qu'il abandonne bien vite (un « magma de semoule bouillie ») au profit de Fichte dont l'éloge de la subjectivité le ravit. Mais il découvre alors Hegel, dont la philosophie déchire sa vie en deux.

Encore croyant, pas encore anarchiste, Bakounine s'enthousiasme pour l'identité du Réel et du Rationnel ; il souscrit aux thèses sur l'incarnation de l'Esprit et de la Raison dans l'Histoire ; il adhère aux conclusions des *Principes de la philosophie du droit* sur le rôle architectonique de l'Etat ; il s'emballe pour les propos de la *Logique*, de l'*Esthétique*, des *Leçons sur la philosophie de la religion*. En 1838, il achève la lecture de l'œuvre complète avec la *Phénoménologie de l'esprit*. Dans ses *Confessions* il avoue avoir placé toute son existence de l'époque sous le signe de Hegel : discussions, lectures, commentaires, traduction, les lettres mêmes qu'il envoie à ses sœurs restées à Premoukhino débordent de fumées hégéliennes ! Le grand frère invite ses petites sœurs à définir leur vie comme tendance à rendre subjectif ce qui est substantiel en soi !

L'année suivante, Bakounine publie dans *L'Observateur de Moscou* une introduction à sa traduction des *Discours académiques* de Hegel. Orthodoxe, le futur athée anarchiste, le bientôt matérialiste sensualiste, enseigne la théodicée, l'optimisme, la positivité du négatif. Il critique les philosophes français du XVIIIe siècle, auxquels il dénie même le droit au titre de penseurs ! A cette époque, opposé à la Révolution française, il rend responsables les Lumières de la décadence du siècle. Le remède bakouninien à cette décadence ? La réconciliation de la Religion et de la Philosophie ! A cette époque, Bakounine passe pour le meilleur connaisseur de l'hégélianisme en Russie.

Les *Confessions* le disent : l'hégélianisme vécu par Bakounine dans cette incandescence totale ressemble à un genre de « maladie philosophique ». La guérison apparaît en 1842 : Bakounine a vingt-huit ans, lorsqu'il rencontre les penseurs de l'aile gauche de l'hégélianisme, qui s'opposent à l'hégélianisme de droite dans lequel il nageait voluptueusement. A droite, les disciples de Hegel retiennent la théorie de l'Etat comme couronnement de la « vie éthique », celle du « réel rationnel » qui justifie si bien la monarchie prussienne, ou le christianisme assimilé à la « religion absolue ». L'ensemble constitue un superbe arsenal conceptuel pour défendre l'ordre politique allemand. A gauche, sous l'influence de Feuerbach pour lequel Bakounine ne tarira jamais d'éloges, on insiste sur le rôle majeur du « travail du négatif » dans la dialectique.

La lecture de *L'Essence du christianisme* de Feuerbach et de la *Vie de Jésus* de David Friedrich Strauss provoque le basculement de Bakounine vers l'hégélianisme de gauche – qu'il délaissera à son tour en le rendant responsable des échecs de la Révolution de 1848... En 1841, il rencontre Max Stirner, un autre hégélien de gauche, le futur auteur de *L'Unique et sa propriété.* Même après sa rupture avec Hegel, le révolutionnaire Bakounine demeurera toute sa vie hégélien en affirmant dialectiquement que toute destruction est construction.

Fatigué de Hegel, de la philosophie, de la religion du Concept, Bakounine renonce à son projet d'enseigner cette discipline à Moscou. En juillet 1842, il publie sous le pseudonyme de Jules Elysard un texte intitulé *La Réaction en Allemagne. Notes d'un Français* (!) : le mangeur affamé de philosophie se met à la diète théorique, la métaphysique l'ennuie, elle est loin de la vie, qui, elle, s'aborde non pas avec les mots du philosophe, mais avec les actions du révolutionnaire.

3

La bohème révolutionnaire. S'il renonce au professorat, comment gagner sa vie? Son rapport à l'argent est franchement névrotique. Très tôt il envisage de toucher sa part d'héritage et cette attente agit en serpent de mer toute son existence : quand donc arriveront les roubles salvateurs en provenance du démembrement de la propriété familiale? Bakounine passe sa vie à emprunter de l'argent à ses amis, à ses proches, à sa famille. Emprunts que, bien sûr, il ne rembourse jamais. Parfois, s'il honore le remboursement d'un prêt, c'est grâce à celui qu'il contracte ailleurs!

Bakounine envisage un temps de travailler comme ouvrier pour gagner son salaire à la sueur de son front. Une autre fois, il pense devenir professeur et donner des leçons particulières. Velléités sans suite, car l'aristocrate et le travail font mauvais ménage... Lorsqu'il obtient un contrat pour traduire *Le Capital* de Karl Marx, il empoche l'argent, le dépense, tarde, ne remet jamais sa copie, et finit par sous-traiter le travail comme le lui conseille son ami Netchaïev...

Une anecdote témoigne de son rapport à l'argent : lorsqu'il arrive en Suisse, lors de l'un de ses nombreux déménagements dus à l'exil ou aux chaleurs révolutionnaires de tel ou tel pays européen, Bakounine rencontre un mendiant dans les rues de Zurich et lui donne les deux roubles qu'il avait dans sa poche, sa seule fortune. Grand seigneur, il accompagne le geste d'une sentence qui invite à se libérer totalement des contingences matérielles!

Le personnage a l'élégance de ses excès, sinon l'excès de ses élégances. On l'admire, on l'aime, on le respecte, on le craint, on le déteste : Bakounine déchaîne les passions. Sur les barricades, il fait merveille dans un premier temps mais, souvent, gâche tout dans la foulée. Partout où il passe, il laisse la désolation derrière lui... Même ses amis détaillent ses défauts ou ses qualités qu'il porte à leur paroxysme : autoritaire, tyrannique, brutal, enfantin, sans cordialité ni tendresse, un amour-propre monstrueux... Mais également : vaste intelligence, esprit vif et profond, réelle magnanimité, générosité (avec l'argent des autres !), sens de la camaraderie, grande capacité à oublier les trahisons ou les affronts...

Pas bien propre, pour ne pas dire vraiment sale, sans vêtements de rechange, dormant tout habillé, avec ses bottes éculées, portant dans sa barbe le menu de la semaine, utilisant été comme hiver la même immense houppelande informe de gros drap gris fermée avec un seul bouton à la hauteur du cou, arborant en toute saison un chapeau de feutre mou, mangeant comme quatre, avalant les boîtes de sardines comme des amuse-bouche, fumant comme un sapeur, engloutissant des litres de thé, ignorant les horaires, Bakounine séduit tous ceux qui l'approchent. Du haut de ses presque deux mètres, il incarne *physiquement* la révolution...

4

L'énergie de la destruction. Bakounine fut croyant, puis athée, hégélien, puis matérialiste, conservateur, puis révolutionnaire, philosophe idéaliste, puis praticien de l'action insurrectionnelle, le tout avec une constante intensité. Devenu matérialiste athée, révolutionnaire activiste, il va mener pendant un quart de siècle une brève existence romantique (brève car il meurt à soixante-deux ans) de révolté en quête de barricades, prophétisant la fin du capitalisme, annonçant la venue proche du nouveau monde, avec un souci bien plus grand du rêve (révolutionnaire) que de la réalité (sociale et politique).

La rencontre de Wilhelm Weitling, l'artisan tailleur allemand qui passe pour l'inventeur du communisme avec un ouvrage intitulé *Les Garanties de l'harmonie et de la liberté*, fait basculer Bakounine du côté de l'activisme révolutionnaire. Bakounine aborde la trentaine. On connaît ses engagements politiques par des textes dans lesquels il attaque le gouvernement russe. Le tsar lui ordonne de quitter la Suisse pour revenir en Russie. Bakounine refuse d'obtempérer et part pour la Belgique. En décembre 1844, le Sénat le déchoit de son grade, de ses titres nobiliaires, et de ses privilèges. L'assemblée confisque tous ses titres de propriété et le condamne aux travaux forcés à vie en Sibérie.

On le retrouve à Paris, rue de Bourgogne. Dans la capitale française, il rencontre le gratin socialiste : Pierre Leroux, l'inventeur pour la France du mot « socialisme », auteur d'un livre intitulé *De l'humanité*; Etienne Cabet qui détaille un genre de communisme d'Etat dans son *Voyage en Icarie*; Proudhon qui lance le mot « anarchiste » dans son acception moderne avec *Qu'est-ce que la propriété ?*, un homme auquel il explique des heures durant la philosophie de Hegel; Lamennais dont il avait lu *Politique à l'usage du peuple*; mais aussi l'historien socialiste Louis Blanc, le fouriériste Victor Considérant, Lamartine, Michelet, Liszt, George Sand, de quoi fortifier théoriquement sa santé révolutionnaire et doper intellectuellement sa nature rebelle ! En passant, il s'inscrit à la loge écossaise du Grand Orient de Paris.

On peine à suivre Bakounine dans ses voyages européens. Dès qu'une barricade se construit, il s'y trouve, si un soupçon de révolte apparaît dans un endroit, il s'y rend, il court à la poudre, charge des fusils, harangue, court, se replie, peste et affirme que la prochaine fois sera la bonne. Inventaire des insurrections dans lesquelles on le trouve : Paris en février 1848 ; Prague en juin de la même année ; Dresde le 3 mai 1849 ; en février 1863, il se prépare pour rejoindre la Pologne, mais rate le rendez-vous ; Lyon en septembre 1870 ; il part pour Bologne le 27 juillet 1874, mais l'avortement du mouvement le conduit au bord du suicide... Soit un quart de siècle insurrectionnel en Europe : il fut de presque toutes les occasions de drapeau rouge et noir.

Le gouvernement russe le condamne à mort. Mais la peine est commuée en détention à perpétuité, la peine capitale ayant été abolie pour les aristocrates. De la prison allemande de Königstein, dans laquelle il croupit après les événements de Dresde, on le transfère en Russie, via l'Autriche et la Pologne. Sur le passage du convoi sous haute surveillance – le géant est enchaîné, entouré par une garde rapprochée en armes –, on pleure, on applaudit, on acclame. A cette époque, 1850, Bakounine est authentiquement un héros que l'Europe entière connaît. A la même heure, un certain Karl Marx évolue dans des sphères confidentielles. Bakounine est enfermé dans la forteresse Pierre-et-Paul à Saint-Pétersbourg.

5

Cellule, exil et déportation du géant. Bakounine enfermé, est-ce définitivement la fin de l'existence de l'insurgé ? A cette époque, les événements le laissent croire. Car le condamné entre dans sa cellule du ravelin Alexis de la forteresse Pierre-et-Paul de Saint-Pétersbourg en ignorant combien d'années de sa vie il va y consumer. Normalement, il doit y finir ses jours et sortir les pieds devant, dans un cercueil. A la veille de son trente-septième anniversaire, l'entrée dans ce cul-de-basse-fosse n'augure rien de bien excitant pour le penseur anarchiste...

En réalité, il y restera six années moins quelques jours. Pendant ce temps, son corps va subir la discipline du pouvoir : malnutrition, donc scorbut, perte des dents, prise de poids jusqu'à l'obésité, fragilisations diverses. Sa mère intervient et demande, pour canaliser ou occuper la formidable énergie de son fils, l'installation en cellule d'un atelier de menuiserie – avec lequel probablement, il se serait blessé... Demande refusée.

Musicien, mélomane, violoniste, chambriste, Bakounine compose un poème symphonique sur Prométhée – une pièce inachevée. Avec ses *Confessions* il rédige un essai d'autobiographie intellectuelle et politique. L'exercice se propose de tenir à égale distance le (faux) repentir et la (vraie) tactique pour sortir de la forteresse. L'ouvrage est destiné au tsar sous forme de supplique pour obtenir un adoucissement de sa peine, un aménagement de ses conditions de détention, à défaut d'une pure et simple amnistie...

De fait, le tsar lit la prétendue confession, ne la trouve pas convaincante, mais concède une alternative à la prison : l'exil en Sibérie. Ravi, Bakounine accepte. L'administration pénitentiaire organise donc, sous protection policière, son extradition dans les terres reculées de Sibérie. Arrivé dans la ville de Tomsk le 27 mars 1857, grossi, bouffi, fatigué, édenté, mais toujours aussi convaincu par la cause révolutionnaire (ce dont témoigne une lettre passée clandestinement à sa famille pendant le temps de la rédaction de la fausse repentance confessionnelle), Bakounine s'occupe en donnant des leçons de français.

Faut-il que ce géant décati ait dégagé une formidable et incroyable énergie pour, malgré un corps détruit par la prison, une sexualité semble-t-il peu performante, son âge de quarante-quatre ans, son statut de déporté politique, obtenir les faveurs de l'une des deux demoiselles auxquelles il enseigne la langue de Voltaire. Bakounine demande et obtient la main d'Antonia Kwiatkovski, une jeune fille âgée de dix-sept ans avec laquelle il convole l'année suivant leur rencontre !

Les mois suivants, Bakounine quitte le lieu où il habite, abandonne sa fraîche épouse, et obtient un poste de commercial à Irkoutsk pour une société qui, constatant bien vite son impéritie, lui verse son salaire pendant deux ans à la condition expresse de ne pas s'occuper de ce pour quoi on le paie. On lui demande d'arrêter ses voyages, de rester sagement chez lui, d'attendre le versement de sa paie. Difficile pour l'ogre animé d'une énergie sans pareille de consentir à un tel programme !

Le soir des fiançailles de l'officier chargé de le surveiller, Bakounine fait faux bond au militaire qu'il laisse aux vapeurs de l'amour, puis il entame l'incroyable périple de son évasion : il prend le bateau, part pour le Japon, change de navire, passe à Panama, rejoint les Etats-Unis, dispose d'un passeport américain, reste deux mois à New York, puis rejoint l'Europe en débarquant à Londres où, nonobstant les promesses faites au tsar, il reprend sa vie militante. Sur son invitation, sa femme se met en route pour le rejoindre, elle arrive à Londres, il est déjà parti en direction de la Pologne où il souhaite prendre part à la révolte. Il s'arrête à Stockholm, manque ses rendez-vous, repart par Londres et la Suisse, embarque sa femme au passage et s'installe à Florence.

A l'époque, Bakounine détaille son échelle des plaisirs à l'un de ses amis : le bonheur suprême? Mourir pour la révolution en combattant pour la liberté sur les barricades. Ensuite l'amour et l'amitié – probablement pour lui deux façons de moduler un même sentiment platonique. Puis la science et les arts – Wagner a tort d'en faire un inculte en matière d'art... Enfin, fumer, boire, manger. Pour finir : dormir... Le tout pratiqué au quotidien et dans le désordre, en bohème intégral.

6

Une charte anarchiste. Le révolutionnaire anarchiste, au sens noble et positif du terme, pratique également l'anarchie, au sens moins noble et trivial du mot : désordre, confusion, contradictions, fouillis, pagaille... Dans son œuvre, construite de bric et de broc, de collages de textes d'époques diverses, jamais théoriques, mais toujours produites à partir d'occasions pragmatiques, militantes et historiques, Bakounine montre la vie à l'œuvre et ses profusions, ses exagérations, ses lyrismes, ses folies, ses délires.

Mais dès qu'il arrête son corpus doctrinal, si on laisse de côté les évolutions référentielles – Hegel, puis plus Hegel, Comte, puis plus Comte... –, Bakounine défend une charte anarchiste qui comporte des incontournables. Dans toutes les sociétés, fraternités, dans chacun des groupuscules de conspirateurs (et toutes ces communautés d'un jour ou d'un peu plus furent nombreuses...) constitués par le révolutionnaire, il existe une série d'engagements récurrents à partir desquels on peut parler d'un corps de doctrine.

Voici la charte non écrite qui infuse le fond de son toute son œuvre : *athéisme*, négation radicale de toute divinité, de tout monothéisme et en particulier du christianisme, destruction des institutions religieuses, suppression de l'Eglise ; *matérialisme*, le réel est un pur composé de matière, l'esprit immatériel n'existe pas, l'âme non plus ; *socialisme*, non pas communisme, ce qui suppose l'Etat, donc la coercition, mais défense du collectivisme mutualiste ; *fédéralisme*, abolition de tous les Etats, de toutes les nations, de toutes les frontières, de toutes les organisations hiérarchiques au profit de contrats horizontaux ; *libertarisme*, amour de la liberté associée à la justice et à l'égalité, car une liberté sans égalité, ou une égalité sans liberté définissent l'autoritarisme ; *nihilisme*, autrement dit, positivité de la négation, exacerbation de la nature constructive de la destruction ; *féminisme*, en finir avec l'inégalité hommes/femmes ; *égalitarisme*, supprimer l'héritage ; *anarchisme*, extirper radicalement tout pouvoir, toute autorité, toute force sur laquelle repose le monde capitaliste ; et ce sans s'interdire le recours à la violence dont Bakounine promulgue la nécessité dans toute révolution.

7

La fin d'une vie de bohème. La vie militante de Bakounine le conduit dans de nombreux lieux de l'Europe. Insurrections, barricades, condamnations, prisons, exil, déportation, évasion, nouvelles insurrections, militantisme dans l'Association internationale des travailleurs, combats avec Marx et les marxistes, sa vie s'épuise en actions qu'aucune révolution ne sanctifie vraiment. Toujours des échecs, toujours des avortements. Toujours une impuissance à conclure...

Pendant ce temps, Antonia, sa jeune femme, accouche d'un enfant, puis de deux, puis de trois, d'un même géniteur, qui n'est pas Bakounine, mais Gambuzzi. Dans la vie du penseur anarchiste, la fraternité révolutionnaire suppose en théorie la tolérance amoureuse, le partage des amours, la sexualité libre. Chez lui, en pratique aussi... Bakounine semble plus ardent sur les barricades qu'au lit. Faites la guerre, pas l'amour. Les deux hommes sont bons amis. Trois ans après la mort de Bakounine, Antonia épouse son vieil amant...

Bakounine, malade, fatigué, passe encore les frontières pour échapper à la police. Une fois, il a revêtu la soutane, rasé sa barbe, chaussé des lunettes vertes, il porte sous le bras un panier d'œufs et quitte la Suisse pour l'Italie. En 1873, il a cinquante-neuf ans, son ami Cafiero achète une maison, la Baronata, et lui propose de s'y installer. Le lieu doit servir de domicile définitif à Bakounine et aux siens en même temps que de point de rencontre et de repos aux révolutionnaires européens. Cafiero finance des projets pharaoniques puis, coup de tête ou limites à sa longanimité, on ne sait, il se fâche avec l'ogre russe qui, entre-temps, avait demandé à sa femme de le rejoindre dans cette maison présentée comme sa propriété... Bakounine se retrouve à la porte avec femme et enfants.

Toujours débordant d'énergie, l'anarchiste achète, à crédit évidemment, une propriété dans le Tessin : il y projette une exploitation agricole. Cet intellectuel qui n'a jamais travaillé de sa vie, cet aristocrate russe fâché avec le travail manuel, ce théoricien habile en idées, mais désarmé devant la matière du monde, cet homme, donc, achète des manuels de chimie, dévore des traités d'agriculture, commande de quoi arroser de produits chimiques la totalité de la région, répand le poison sur terre, brûle définitivement le sol et le sous-sol, calcine l'endroit.

Adieu veaux, vaches, cochons, couvées, adieu fruits magnifiques et légumes pléthoriques, adieu corne d'abondance, nectar et ambroisie, adieu richesse entrevue ! La propriété a des allures de lendemains de guerre. On mesure dans cette histoire les limites de l'idéalisme et l'impéritie de l'anarchiste qui croit à l'excellence de la spontanéité, de la bonne main invisible naturelle pour organiser soulèvements, insurrections, révolutions et bonheur sur terre comme s'il s'agissait des fins *naturelles* de l'Histoire...

Bakounine n'est pas du genre à pratiquer l'autocritique ou la remise en question. Pas plus il ne donne aux leçons de la pratique un pouvoir dialectique sur sa pensée en cours. Où est l'ancien hégélien négligeant ce qui surnage dans la logorrhée hégélienne : la puissance de la dialectique ? Il fuit en avant, ne regarde pas derrière lui, ne pratique jamais l'examen de conscience, mais ne remet personne non plus en cause.

Ce déni du révolutionnaire aboutit au délabrement de son corps. Malade de la prostate, paralysé de la vessie, entamé par une vie sans hygiène, Bakounine va mourir et il le sait. Il aborde ce moment avec calme, sérénité et lucidité. Certes, il aurait aimé rédiger une *Ethique* « basée sur les principes du collectivisme, sans phrases philosophiques ou religieuses », mais le temps manque désormais. Il refuse la nourriture et meurt le 1er juillet 1876. La nouvelle se propage comme une traînée de poudre en Europe, dans laquelle Bakounine est aimé, connu, célébré – et Marx, mal aimé, inconnu et confidentiel. L'auteur du *Capital* va passer le restant de sa vie à tâcher d'inverser la vapeur – et à y réussir...

8

Manuel d'utilitarisme anarchiste. L'utilitarisme passe, à tort, pour la philosophie emblématique du libéralisme politique. De fait, Bentham a beaucoup contribué à l'installation de ce malentendu dommageable et durable. Bentham, certes, mais surtout ses critiques, Marx et les marxistes, Foucault et les foucaldiens, ce qui, convenons-en, fait du monde entre *L'Idéologie allemande* (1845) et *Surveiller et Punir* (1975) ! Or l'utilitarisme de gauche existe, et plus particulièrement l'*utilitarisme anarchiste* dont Kropotkine formule la théorie dans *La Morale anarchiste* (1891), *L'Entraide* (1902) et *L'Ethique* (1922).

Bakounine n'a probablement pas lu Bentham. Nulle part son nom n'apparaît, ni dans la correspondance, ni dans l'œuvre complète. En revanche, celui de John Stuart Mill y est plusieurs fois cité positivement. De cet « homme illustre », le penseur anarchiste a lu l'*Autobiographie*. Bakounine respecte en Mill le sérieux de l'analyse bourgeoise de l'économie politique libérale et salue son athéisme tout en justifiant sa prudence sur ce sujet à cause du puritanisme de l'Angleterre de son temps.

La lecture de Hegel a laissé des traces chez Bakounine, celle d'Auguste Comte également. Il a aimé, puis moins aimé, enfin plus aimé du tout. Son œuvre se ressent de ces périodes d'amour et de désamour. Lorsqu'il abandonne la lecture des textes philosophiques pour le combat révolutionnaire, quand il délaisse l'idée pour la pratique, Bakounine ne lit plus guère que les journaux pour se tenir au courant de la situation politique.

En cela, il reste un hégélien pour lequel (la phrase est devenue une scie musicale philosophique) la lecture du journal agit comme « une sorte de prière matinale réaliste » (*Aphorismes de l'époque d'Iéna*, n° 31). Mais la pratique systématique des textes philosophiques semble l'avoir convaincu de leur inutilité. Lire Bentham et les utilitaristes? Pour quoi faire, puisque cela ne semble pas utile à l'avancement de l'idée révolutionnaire ni à la pratique insurrectionnelle...

L'utilitarisme de Bakounine semble instinctif – comme tout chez lui d'ailleurs. Lecteur des matérialistes français du siècle des Lumières qui constituent la matrice utilitariste avant sa confiscation anglo-saxonne, Bakounine retient le cadre de l'utilitarisme : poser l'équivalence entre souverain bien, bonheur et révolution sociale, donc socialisme anarchiste, ou communautarisme libertaire, puis, une fois l'objectif déterminé et posé, considérer comme bon ce qui le rend possible, et mauvais ce qui l'entrave. Le bien coïncide avec le bon, le mal avec le mauvais. Par-delà la morale dogmatique de type kantien, donc judéo-chrétien, Bakounine pratique une morale conséquentialiste.

La chose apparaît nettement dans un passage de l'*Appendice à l'Empire knouto-germanique* (1870-1871) qui précise : « Tout ce qui est conforme aux besoins de l'homme et aux conditions de son développement et de sa pleine existence, pour l'homme (...) c'est le BIEN. Tout ce qui leur est contraire, c'est le MAL ». Les besoins ? Les conditions du développement et de la pleine existence, à savoir : la liberté, la justice, l'égalité, la dignité, le salaire, autrement dit le bonheur que seule la révolution rend possible. Le bien ? ce qui permet la révolution. Le mal ? ce qui l'empêche ou la retarde.

9

Les « Confessions », bréviaire utilitariste. La découverte du manuscrit des *Confessions* dans l'Union soviétique marxiste-léniniste a généré une campagne de dénigrement contre la mémoire de son auteur. Le texte, trouvé dans un coffre de la Troisième Section de la Chancellerie impériale, fut publié à Moscou par les bolcheviks en 1921. Il s'agit d'une supplique adressée à sa demande au tsar Nicolas Ier en 1851. L'empereur invite le révolutionnaire à lui écrire comme à un père spirituel... Un mois plus tard, Bakounine rend sa copie. En 1855, le tsar meurt, Alexandre II le remplace. Le prisonnier écrit une lettre à nouveau et signe : « un criminel suppliant » !

Que sont ces *Confessions*? Non pas une véritable et réelle confession, un repentir digne de ce nom, un *exercice spirituel chrétien* d'autoflagellation et d'autopunition en contradiction avec le passé, l'être même du révolutionnaire, mais un *exercice tactique utilitariste* à même de permettre des conséquences non négligeables dans la vie de ce prisonnier politique croupissant dans un cul-de-basse-fosse, puisqu'il s'agit de l'amélioration de ses conditions de détention, voire de son élargissement par une grâce.

L'ensemble, loin de signifier chez l'anarchiste une fracture, une cassure, une contradiction, un reniement (comme le prétendent les bolcheviks), manifeste un moment dans la stratégie révolutionnaire du personnage. Moment d'ailleurs payant puisque l'obtention d'un exil en lieu et place de l'incarcération rendra possible sa fuite, puis son retour à l'activité révolutionnaire en Europe. Est vrai, bon et bien, rappelons-le, ce qui permet l'avancement de la cause; faux, mauvais et mal ce qui l'empêche.

Bakounine n'a pas à convaincre le tsar *sur le fond* qu'il a changé, qu'il regrette ses exactions passées, mais *sur la forme*: il suffit d'un effet de repentir. On ne sonde jamais l'âme, le cœur et les reins d'un être avec des mots. Mais pour se convaincre que l'exercice est un pur travail de rhétorique destiné à produire des effets d'adoucissement de sa peine, il suffit de mettre en perspective le texte des *Confessions* et celui d'une lettre passée clandestinement à sa sœur Tatiana, lettre dans laquelle Bakounine dit regretter de ne pas s'être suicidé dans sa cellule, tant la mort lui semble préférable à ses conditions de détention. Il avoue que l'espoir le fait vivre. L'espoir ? Quel espoir ? Celui de reprendre son activité révolutionnaire militante ! Loin d'avoir eu raison de ses convictions, son enfermement a fortifié ses sentiments et leur a donné une consistance d'acier. Leçon de ses méditations carcérales, Bakounine regrette juste de n'avoir pas été plus prudent...

D'une main, donc, cette fausse *Confession*, de l'autre cette lettre qui confie la ruse du confessionnal tsariste... Bakounine n'a pas trahi, ni lui, ni ses idées, ni la cause, ni ses amis. A aucun moment il n'a livré de secrets, offert au pouvoir les moyens de démanteler les réseaux anarchistes ou les organisations révolutionnaires. Il s'est contenté de mimer la repentance, en utilisant avec succès la ruse du renard, vertu chère à Machiavel.

Qu'on en juge : l'athée, le pourfendeur de Dieu, le destructeur de toutes les religions, le contempteur du christianisme, le négateur des vertus de la morale chrétienne, implore Dieu, invoque « l'autre monde », et regrette ses fautes passées... Lesquelles ? Dire du mal des tsars ; avoir été contaminé par la philosophie allemande ; causer de la peine à son pauvre père ; participer à des insurrections ; désirer la révolution...

Suivent des résolutions comme à la sortie du confessionnal : il promet ne plus jamais commettre ces fautes ; il jure ne pas mentir ; plaide coupable ; reconnaît la justesse de la peine et du châtiment ; prétend être heureux en forteresse ; critique le communisme et le socialisme à cause de leur utopisme... Le tsar lit, annote, écrit en marge qu'il ne voit dans ce paquet de plus de deux cents pages rien qui ressemble à des regrets sincères. N'importe, quand Alexandre II lui laisse le choix entre la prison ou l'exil en Sibérie, les *Confessions* ont touché leur cible : Bakounine a joué la bonne pièce et le bon coup dans sa partie d'échecs. Le pouvoir ne tardera pas à le regretter.

10

Anarchiste ou libertaire ? Quand, dans les *Confessions,* Bakounine critique le communisme, faut-il le croire ? Oui, car il n'est pas communiste. Certes, l'effet rhétorique agit, mais Bakounine ne peut être rendu coupable de la lecture fautive de son lecteur ! Communiste au sens de Marx, à savoir : militer pour l'appropriation collective des moyens de production avec l'aide de l'avant-garde éclairée du prolétariat qui maintient cet état de fait grâce à la mécanique de l'Etat, Bakounine ne l'est pas.

Bakounine ne hait rien tant que l'Etat coupable d'une antinomie radicale avec la liberté, qui représente à ses yeux le bien suprême. Communisme et étatisme se nécessitent, d'où l'opposition du penseur anarchiste au communisme obligatoirement étatique. Pensée probablement trop subtile pour le tsar qui voit dans l'anticommunisme de son interlocuteur une *garantie contre-révolutionnaire,* là où il faudrait voir une *alternative révolutionnaire* à la proposition marxiste. Bakounine refuse le communisme, parce que étatiste de fait, mais il se revendique collectiviste, car cette réalité procède de contrats horizontaux entre révolutionnaires.

L'anarchisme date, on le sait, de Proudhon et de *Qu'est-ce que la propriété ?* (1840). Mais ce continent en gestation comporte une série de penseurs qui défendent des idées parfois antinomiques. Certes Proudhon se réclame de l'anarchisme, mais on ne trouve pas chez lui plus féroce antisémite, plus ridicule misogyne, plus partisan de la guerre, plus moraliste étriqué, plus homophobe déclaré, plus panégyriste du travail, de la famille et des valeurs bourgeoises associées, au point que, via le Cercle Valois, le régime de Vichy en fera un précurseur de sa Révolution nationale... Anarchiste, Proudhon ? Oui, mais...

L'anarchisme suppose un refus du pouvoir hiérarchique, organisé *verticalement*, de bas en haut, mais il ne refuse pas l'organisation contractuelle, le mutualisme, le fédéralisme, et autres communautés *horizontales*. La hiérarchie, l'étymologie témoigne, suppose « le pouvoir du sacré », ce qu'aucun anarchiste digne de ce nom n'accepte : le pouvoir, mal nécessaire, ne se subit pas venant d'un tiers, mais devient acceptable quand il cristallise des volontés libres et contractuelles. Bakounine refuse l'Etat et le pouvoir d'Etat, il récuse le communisme parce que ce dernier oblige aux appareils répressifs qui empêchent, limitent ou interdisent la Liberté, le grand mot de Bakounine, son absolu, son idéal.

« Libertaire » alors, Bakounine ? Le mot se retrouve aussi chez Proudhon mais également chez Joseph Déjacque (l'auteur, entre autres, d'*A bas les chefs !*) qui crée un journal éponyme – *Le Libertaire, « journal du mouvement social »* (1858). Le terme désigne l'individu qui refuse toute force générale, collective, communautaire qui entrave sa liberté individuelle. Le communisme relève évidemment de ces machines à entraver les souverainetés individuelles. En tant qu'il pourfend ce qui se met en travers de sa route personnelle, Bakounine l'anarchiste est un libertaire. Son *socialisme libertaire* constitue de fait un antidote au *socialisme autoritaire* de Marx...

11

Une pensée satanique. La liberté constitue l'épicentre de la pensée de Bakounine. Le théoricien anarchiste affirme le premier que la liberté de chacun s'arrête là où commence celle d'autrui; que la liberté de l'autre, loin de limiter la mienne, la constitue; que tout empêchement de la liberté d'un tiers entrave la mienne. Ces affirmations sont devenues des lieux communs intellectuels, mais, à l'époque, elles constituent un programme révolutionnaire.

D'où sa critique de Max Stirner, auteur de *L'Unique et sa propriété* (1844) qui, lui aussi classé un peu vite parmi les anarchistes, défend la liberté sans limites de l'Unique que rien ne doit contenir. Aux yeux de Caspar Schmidt (Stirner, « au vaste front », est un pseudonyme), une liberté limitée n'est pas une liberté. En revanche, pour Bakounine, impossible de laisser la liberté sauvage et sans lois : elle doit obéir au principe révolutionnaire générateur du bonheur de l'humanité tout entière !

La liberté est un alcool fort chez l'auteur d'*Etatisme et Anarchisme*. Le héros – le héraut également – de cette liberté qu'il chérit tant? Satan... Avec Adam, le diable incarne le grand désobéissant, le premier rebelle, l'inventeur de la liberté. Satan est celui qui dit non à Dieu, donc oui à la Liberté. Si Dieu existe, la liberté n'est pas; si la liberté est, Dieu ne peut exister; or la liberté existe, il suffit de regarder autour de nous; donc Dieu n'existe pas... Bakounine recycle cette machine syllogistique à plusieurs reprises dans son œuvre. Au cas où les arguments logiques ne suffiraient pas, il conclut que, même si Dieu existait, il faudrait s'en débarrasser!

Proudhon a magnifié Satan dans *De la justice dans la révolution et dans l'Eglise* (1858). Bakounine y revient dans plusieurs livres : *L'Empire knouto-germanique, Dieu et l'Etat,* et *Fédéralisme, Socialisme et Antithéologisme.* Satan dit non aux bourgeois, aux propriétaires, à Dieu, non aux dieux, aux prêtres, non aux maîtres, aux héritiers. Dès lors, ce « premier libre penseur », cet « éternel révolté », cet « émancipateur des mondes » règne en chef des révolutionnaires passés, présents et futurs.

12

La science libertaire. Satan récuse la foi, l'obéissance aveugle, et, pour ce faire, recourt à la science. Au jardin d'Eden, Dieu exige la foi, la soumission, il veut le respect de l'interdit qu'il pose; Satan, pour sa part, refuse ces diktats et utilise sa raison, son intelligence, il mobilise sa culture et donne au savoir un réel pouvoir sur le monde. La raison satanique contre la foi divine; la science face à la croyance, autant d'occasions de réactualiser le projet des philosophes des Lumières du siècle de la Révolution française.

La défense de la science s'accompagne chez Bakounine d'une mise en garde contre le pouvoir des scientifiques. Le texte intitulé *La Science et la question vitale de la révolution* (1870) le précise : le gouvernement de la science n'est pas défendable. Ni le positivisme d'Auguste Comte, ni le socialisme du matérialisme dialectique de Karl Marx ne trouvent grâce à ses yeux. Un scientifique au pouvoir usera puis abusera de la science pour construire et disposer d'un pouvoir qui, une fois de plus, séparera l'humanité en maîtres et esclaves, en dominants et dominés – impensable pour un anarchiste. Le gouvernement de la science légitimerait une nouvelle tyrannie.

La science à laquelle aspire Bakounine n'est pas un instrument d'assujettissement, mais un outil de libération, elle ne doit pas fournir l'occasion d'une domination des peuples, mais celle de leur affranchissement. La raison agit en instrument de déconstruction des aliénations : l'utiliser à bon escient permet de détruire les fables, les fictions, les chimères sur lesquelles la société se construit – notamment l'Etat bourgeois et l'Eglise chrétienne.

En lecteur attentif et fidèle de Feuerbach, notamment de *L'Essence du christianisme* et de *L'Essence de la religion,* Bakounine déconstruit la religion chrétienne, puis montre que la peur est à l'origine de la construction de toutes les aliénations récupérées ensuite par les religions : le remplissage du Ciel des chrétiens suppose le vide de la Terre des humains qu'on dévaste intellectuellement et conceptuellement.

D'où une attaque en règle, récurrente chez Bakounine, de l'idéalisme qui effectue cette malversation ontologique au profit du matérialisme qui redonne au réel, à la terre, au concret leurs lettres de noblesse. Pas d'idées pures, pas d'âme immatérielle, pas de principe divin posé en l'homme par Dieu pour permettre hypothétiquement son salut, pas d'éternité de l'esprit, mais une pure et simple combinaison d'atomes, de particules réductibles à la physique des éléments.

Le matérialisme scientifique constitue le socle de la pensée bakouninienne. Et l'on trouve dans l'œuvre complète l'arsenal habituel des options du matérialisme classique : il n'y a que matière et agencement de matière ; la vie équivaut à une énergie réductible à ces agencements ; il n'existe pas d'idées innées ; le cerveau produit les idées ; le déterminisme triomphe, l'individu ignore la liberté ; la responsabilité morale relève de la fiction métaphysique ; les mondes mortels existent en nombre infini ; le bien et le mal relèvent des conventions sociales ; il existe des lois naturelles intangibles ; le sensualisme fournit une méthode adéquate pour appréhender le monde ; l'expérience permet l'obtention de certitudes scientifiques. Vade-mecum matérialiste.

13

L'athéisme de combat. Conséquence naturelle du matérialisme : l'inexistence de Dieu. Avant la lecture de Strauss et de Feuerbach, et pendant sa période hégélienne, Bakounine conservait un reste de croyance au catholicisme orthodoxe de sa formation familiale. Son idée évolue, elle va du Dieu de la Bible à celui des philosophes, ensuite, ce Dieu devient assez conceptuel pour permettre l'évolution vers sa pure et simple négation. Lorsqu'il parvient à l'athéisme, Bakounine devient un militant féroce de la cause.

Sa lecture de Paul de Tarse lui prouve que la fameuse thèse paulinienne du caractère sacré du pouvoir – « tout pouvoir vient de Dieu » – continue de produire des effets. D'où l'intime collusion entre l'Eglise et l'Etat, l'un supportant, justifiant, légitimant l'autre, couvrant son complice dans leurs forfaits communs : sang, crimes, guerres, exploitation, misère, persécutions, injustices, délits, inquisitions, bûchers, tortures, et toute la sainte litanie des exactions chrétiennes.

Dans sa guerre intellectuelle et idéologique contre l'ordre chrétien et bourgeois, Bakounine associe dans une même condamnation le spiritualisme chrétien et l'idéalisme allemand, la religion vaticanesque et la métaphysique hégélienne, les *Epîtres aux Romains* de Paul de Tarse et la *Phénoménologie de l'esprit* du Hegel de Berlin, l'Eglise et l'Etat, le Prêtre et le Roi. Dans l'économie de la pensée de l'anarchiste, Feuerbach agit en anti-Hegel, il en fournit l'antidote. Dans *Le Principe de l'Etat*, il écrit : « C'est le propre de la théologie de faire du néant le réel et du réel le néant ».

Emboîtant le pas à Feuerbach, Bakounine analyse, à partir des peurs généalogiques de dieux, le processus qui conduit du fétiche au Dieu unique en passant par les sorciers et les éléments naturels. Puis il reprend à son compte le processus d'aliénation mis en évidence par les analyses de *L'Essence du christianisme* : la substance de Dieu se nourrit de la déperdition de celle des hommes. Ce que l'homme n'est pas (puissance, omniscience, omniprésence, omnipotence, immortalité, éternité, immatérialité, etc.), il le fictionne, le cristallise dans une instance, puis s'agenouille devant elle pour vénérer ses impuissances devenues miraculeusement une puissance divine à laquelle il se soumet.

Le syllogisme, on l'a vu, fournit le matériel du combat : Bakounine agence prémisses, déductions et conclusions pour mettre en pièces le Dieu unique. Exemples : si Dieu existe, l'ordre naturel n'existe pas ; or l'ordre naturel existe ; donc Dieu n'existe pas. Ou bien : le monde est imparfait ; or Dieu l'a créé ; donc Dieu est imparfait ; ce qui implique qu'il n'existe pas. Ou encore, dans *Dieu et l'Etat* : si Dieu est, l'homme est esclave ; or l'homme peut être libre ; donc Dieu n'existe pas. Enfin : Dieu est, donc l'homme est esclave ; or l'homme est intelligent, juste et libre ; donc Dieu n'existe pas.

14

Les trois morales. Dans *Trois Conférences faites aux ouvriers de Saint-Imier*, Bakounine oppose *morale privée* et *morale d'Etat*, puis il confronte ces deux éthiques à la *morale révolutionnaire.* La première suppose le respect de la dignité humaine, du droit et de la liberté de tous ; la seconde s'y oppose et transforme en Bien ce qui sert la puissance et la grandeur de l'Etat, même ce qui va contre les lois, ainsi le viol, le crime, le meurtre, le pillage, la guerre. Dès lors, le Mal définit tout ce qui s'oppose à l'Etat, à la Patrie, à la Nation. Dans cette affaire de seconde morale immorale selon les catégories de la première, Dieu bénit toutes ces exactions – du moins ses prêtres les bénissent en son nom...

La morale révolutionnaire, quant à elle, suppose la Liberté, qui n'existe pas sans l'Egalité. Dans *Fédéra-*

lisme, Socialisme et Antithéologie, Bakounine fait du socialisme l'occasion et le lieu de la réalisation de cette fameuse Liberté. Prémonitoire, il affirme, bien avant la dictature marxiste des pays de l'Est : « La liberté sans le socialisme, c'est le privilège, l'injustice ; et (...) le socialisme sans la liberté, c'est l'esclavage et la brutalité ». Texte de 1868...

Cet utilitarisme anarchiste, se socialisme libertaire, cette vie de militant révolutionnaire, cette théorie matérialiste de la destruction de la société capitaliste, cette mystique de l'insurrection permanente, cette pensée de la libération, quelles relations entretiennent-elles avec l'hédonisme ? Où trouve-t-on bonheur et plaisir dans l'œuvre et la pensée de l'activiste russe ?

Explicitement, dans le projet révolutionnaire de Bakounine, à son épicentre, dans le cœur du réacteur nucléaire anarchiste. Cette citation de la deuxième conférence faite aux ouvriers de Saint-Imier le montre : « Vouloir la liberté et la dignité humaine de tous les hommes, voir et sentir ma liberté confirmée, sanctionnée, infiniment étendue par l'assentiment de tout le monde, voilà le bonheur, le paradis humain sur terre »...

15

Autoritaires contre libertaires. L'historiographie anarchiste place son origine dans la Révolution française. Par la suite, ce mouvement passe par celui des sans-culottes, ceux de la Commune de Paris, des Enragés (Jacques Roux, Pierre Dolivier, Jean-François Varlet, Momoro), mais aussi par Gracchus Babeuf et Buonarroti, donc par les Egaux. Les avis sur Robespierre, le chéri des marxistes (bien qu'il confisque l'énergie révolutionnaire aux fins de la bourgeoisie !), Saint-Just et autres héros de la carte postale révolutionnaire, tranchent avec la lecture habituelle. D'un anarchiste à l'autre, le prélèvement dans le personnel révolutionnaire change : le déiste Proudhon, qui exècre les athées, trouve par exemple moins son compte à Hébert et aux déchristianisateurs que l'athée farouche Bakounine...

Les anarchistes en bloc ne s'y trompent pas : la Révolution française est une révolution manquée, elle n'a de révolution que le nom. Du moins, si elle en est une, elle qualifie la fin de l'ordre féodal, marqué par le pouvoir de la noblesse, et l'avènement de l'ordre bourgeois qu'illustre le pouvoir des propriétaires. La disparition de la puissance aristocratique au profit de la classe des industriels, des marchands, des banquiers, des financiers, des maîtres de forges, des patrons d'usine, voilà effectivement un changement, mais il compte pour si peu aux yeux des pauvres, des gens modestes, du Peuple. Les anarchistes conchient cette révolution française qui permet le coup d'Etat de la bourgeoisie libérale au prix d'un échec de la véritable révolution. La Bastille mise à terre et les privilèges abolis génèrent à leur tour de nouvelles Bastilles et de nouveaux privilèges, à détruire une fois encore.

Dans *Fédéralisme, Socialisme et Antithéologisme*, Bakounine effectue une critique anarchiste de la Révolution française – une critique habituellement négligée par les historiographes de cette période historique. Bakounine, on ne s'en étonne pas, revendique le lignage de Babeuf et, via Buonarroti, du communisme babouviste. L'auteur du *Tribun du peuple* propose en effet une communauté des biens qui économise le renforcement de l'appareil d'Etat par l'organisation horizontale des citoyens. Un communisme sans Etat. A ce *lignage collectiviste* Babeuf/Buonarroti, Bakounine oppose le *lignage bourgeois* Robespierre/Saint-Just, autrement dit, celui du républicanisme politique qui produit Cavaignac et Napoléon III.

Dans le lignage Babeuf, Bakounine distingue le *socialisme autoritaire d'Etat* du *socialisme libertaire positiviste*. Le socialisme d'Etat se sépare à son tour en *socialisme révolutionnaire* (Etienne Cabet, Louis Blanc), et *socialisme doctrinaire* (Saint-Simon, Prosper Enfantin, Charles Fourier, Victor Considérant). Côté socialisme libertaire : Proudhon. Les noms ne s'y trouvent pas mentionnés par Bakounine, mais on n'a guère de peine à placer le nom de Marx sous la rubrique « socialisme autoritaire d'Etat » et le sien sous celui du « socialisme libertaire positiviste ».

La ligne de fracture se situe donc bien là : Marx l'autoritaire, Bakounine le libertaire, mais tous deux socialistes. Les deux hommes sont deux tempéraments, deux caractères, deux façons d'être au monde radicalement antithétiques : Marx l'atrabilaire, le doctrinaire de cabinet méconnu, le travailleur des bibliothèques, le militant politique manœuvrier des couloirs, le petit-bourgeois dans sa vie quotidienne, le jaloux envieux engagé dans un combat pour asseoir son pouvoir sur l'organisation ouvrière internationale; Bakounine l'ogre dionysiaque, l'insurgé permanent, le coureur de barricades, le révolutionnaire pragmatique, le bohème romantique, le compagnon de tous les miséreux qui l'aiment. L'un produit le marxisme-léninisme, ses révolutionnaires professionnels et sa dictature autoritaire; l'autre reste le modèle d'une révolte viscérale, du rebelle à tout pouvoir, y compris celui des révolutionnaires de la veille transformés en tyrans le lendemain par la grâce d'une révolution trahie par leurs soins... Cynisme contre romantisme, théorie contre empirisme, tactique contre prophétie, révolution contre révolte – autorité contre liberté...

16

L'eau et le feu. Marx et Bakounine se sont rencontrés à plusieurs reprises. Mais très vite les dissensions apparaissent. Marx recourt à tout pour disposer du leadership de la contestation ouvrière internationale, y compris la calomnie, le mensonge, l'intrigue. Lui et les siens laissent courir le bruit que Bakounine agit en espion à la solde du gouvernement russe. L'insulte réapparaît régulièrement : on lui prête la responsabilité de tous les échecs insurrectionnels d'Europe, or, dit-on, ces échecs se révèlent très utiles au pouvoir pour enclencher la répression ouvrière ! Comprenne qui pourra...

Par ailleurs, les hommes de main de Marx murmurent : comment Bakounine aurait-il pu s'évader de son exil sibérien et revenir à Londres via les Etats-Unis sans la complicité du pouvoir ? Puis ils murmurent de moins en moins ces choses-là qui finissent écrites dans les journaux dont certains, comme par hasard, sont dirigés par un ami ou un complice de Marx.

Marx est mauvais orateur, il le sait, Bakounine excellent. Dans les congrès, aux tribunes, l'auteur du *Capital* envoie ses émissaires, il fait parler les siens pendant que la faconde de l'anarchiste emporte les foules. L'Allemand est inconnu, le Russe célèbre dans toute l'Europe. L'ami d'Engels est vaniteux, orgueilleux, jaloux, détruit tous ceux dont il s'approprie les idées, et ils sont légion. Ses assassinats dans *L'Idéologie allemande* ou *La Sainte Famille*, voire *Misère de la philosophie*, tout entier écrit contre Proudhon dont il prélève nombre d'idées sans jamais citer ses sources, montrent le personnage à l'œuvre : il écrase, détruit, essaie de construire sa réputation en entassant les cadavres des penseurs socialistes sous sa botte intellectuelle.

Le futur héros de l'Union soviétique et des pays de l'Est se révèle un petit-bourgeois honteux de sa pauvreté. Pour faire bonne figure, il loue une maison avec un loyer excessif; il fait donner des leçons de piano et de dessin à ses enfants; il interdit le travail à ses filles, dans l'attente de la dot et du beau mariage utile; il engrosse sa servante et arrange l'affaire avec un Engels bon prince qui accepte d'endosser la paternité pour sauver la réputation de son ami. Mme Marx, née Jenny von Westphalen (d'un père baron, d'excellente famille, riche et influente), épousée à l'église évangélique, aurait en effet mal supporté les frasques de son mari. Rappelons que, pour sa part, et de son côté, Bakounine ne voit rien à redire au fait que sa femme ait eu sous son toit trois enfants dont il n'était pas le père ! Sur la carte de visite de sa femme, Marx insiste pour qu'apparaisse son titre de baronne. Pendant ce temps, les bénéfices effectués par Engels dans ses manufactures permettent à Marx de travailler au *Capital*. Preuve anecdotique que, comme l'affirme Marx sur le papier, le capitalisme travaille à sa propre perte !

Bakounine a reçu commande d'une traduction du *Capital* en russe. Toujours à court d'argent, il a accepté, mais désordonné, incapable de s'arrêter à un travail et de s'y concentrer longuement, qui plus est sur un type de projet qui demande de l'humilité à l'endroit d'un adversaire intellectuel, il n'a jamais mené la tâche à bien, tout en dépensant aussitôt les à-valoir versés... Bakounine sous-traitera, comme Netchaïev lui en soufflera l'idée.

Susceptible, Marx avait envoyé *Le Capital* à Bakounine, qui n'en a jamais accusé réception. Négligence plus que désinvolture. Sinon, connaissant le personnage, manque de savoir-vivre ou incapacité de sacrifier aux convenances bourgeoises ! L'historiographie retient parfois cette anecdote pour expliquer la vexation et une partie du malentendu entre les deux hommes. Je tiens pour ma part à une incompatibilité radicale entre deux visions du monde – entre deux tempéraments, deux sensibilités...

17

Etat marxiste contre révolte anarchiste. Bakounine voit très vite, très tôt, la potentialité tyrannique de la pensée contenue dans le *Manifeste du parti communiste* (1848) et autres textes programmatiques de Marx/Engels. De sorte qu'on pourrait dire que la première critique de gauche du marxisme vient de Bakounine. Très vite ? Très tôt ? C'est-à-dire ? Dès *La Science et la question vitale de la révolution*, un texte daté de 1870. Soit un demi-siècle avant la révolte des marins de Cronstadt le 28 février 1921 qui se rebellent pour protester contre la négation des idéaux de la révolution par le pouvoir bolchevique devenu traître à la cause de 1917.

Lisons le *Manifeste du parti communiste* : Marx veut la dictature du prolétariat ? Entendu. Mais que signifie cette expression ? Car une dictature s'exerce *sur*. Sur qui le prolétariat exercera-t-il sa dictature ? Ce prolétariat sera floué car une partie présentée comme son « avant-garde éclairée » exercera son pouvoir sur ce qui restera, à savoir, la masse, le plus grand nombre, les ouvriers de base, les paysans, les pauvres, les chômeurs, les journaliers, les petits, les femmes. Bakounine prévoit ce qui deviendra la dictature du Parti autoproclamé « Prolétariat » à lui tout seul sous prétexte de sa nature éclairée – par la doctrine marxiste...

Bakounine refuse cette idée au nom de la reconduction par Marx et le marxisme de ce qu'il combat : la séparation entre dominants et dominés. L'anarchiste ne définit pas les classes sociales à partir des moyens de production (le prolétaire ne les possédant pas, le bourgeois, si), mais au regard de leur situation à l'endroit du pouvoir. Un prolétaire disposant d'un pouvoir plaît moins à Bakounine qu'un bourgeois qui n'en a pas, car le pouvoir, voilà l'ennemi. Quelles que soient les mains entre lesquelles il se trouve, le pouvoir corrompt en produisant la soumission, donc l'abolition de la liberté. L'abus se déduit naturellement de l'usage.

Contre l'économisme strict de la position marxiste, le socialiste libertaire effectue sa lecture au regard du pouvoir : non pas bourgeois et prolétaires, donc, mais gouvernants et gouvernés, autrement dit, dominants et dominés, exploiteurs et exploités. Le manichéisme marxiste dénonce une position figée, artificielle, mécanique, sommaire. Bakounine oppose sa lecture dynamique : l'existence de classes intermédiaires travaillées par des tensions oblige à plus de discernement.

Au sein de cet espace distinct cohabitent une minorité constituée de plus d'exploiteurs que d'exploités et une majorité faites d'exploités plus nombreux que les exploiteurs. Le principe de constitution de ces strates est simple : plus on s'éloigne du peuple, plus on exploite... Là où Marx présente une vision du monde en noir et blanc, Bakounine propose un spectre social chromatique plus subtil. La mécanique marxiste nécessite ce dualisme justifiant la lutte des classes génératrice, à terme, de la révolution. La sociologie bakouninienne ouvre d'autres portes à la dynamique révolutionnaire.

Quelle est cette sociologie? Bakounine explique comment la société se reproduit en dupliquant les oppositions dominants/dominés. Ainsi l'instruction et l'éducation des enfants, réservée aux progénitures des classes exploitantes, interdite aux fils et filles de gens exploités; l'usage de l'héritage, utile pour transmettre aussi bien le patrimoine foncier, financier, que le patrimoine sociologique : autrement dit la place occupée dans la cité, la société; la technique du prélèvement des meilleurs éléments dans la classe dominée pour assurer leur promotion sociale dans la classe exploiteuse, au prix d'une mise à disposition de leur talent à l'usage des dominants sous forme d'une collaboration au travail de maintien de cet ordre politique; le concours de la religion, bien aise de se réclamer de Paul de Tarse pour justifier l'état de fait par d'obscures légitimations théologiques; l'indifférence à l'endroit des miséreux pour lesquels on ne fait rien qui puisse les sortir de leur état de sujétion.

18

Ami et ennemi du peuple. Marx aime le « Prolétaire », pourvu qu'il affiche son marxisme militant; il déteste le peuple, hait les paysans, méprise le sous-prolétariat (à plusieurs reprises défini comme une « racaille », traduction française...). Par ailleurs, il n'a aucune considération pour le combat des femmes. Bakounine se méfie du Prolétaire à majuscule. L'aristocrate russe aime le peuple, il ne déteste pas les gens de la terre, les petits propriétaires accrochés à leur lopin misérable. Mieux : il compte même sur la force et la vitalité du sous-prolétariat pour allumer le feu révolutionnaire : il chérit ainsi les prisonniers, les chômeurs, les parias, les journaliers.

Le socialiste libertaire vante les mérites du peuple : fraîcheur d'esprit, sens de la justice, compassion, bon sens, foi dans la vie, naïveté, simplicité, vérité, le peuple porte naturellement l'énergie révolutionnaire ou la force républicaine. Et le socialisme autoritaire marxiste souhaite imposer la dictature à ceux-là. Bakounine croit à la spontanéité, à la force, à l'énergie rebelle lâchée, à la colère, au mouvement naturel des masses et des foules; Marx, quant à lui, célèbre l'organisation, le parti, les structures.

Le mari de la baronne Westphalen a pour les paysans et le monde de la terre les mots les plus durs. Sa dictature du prolétariat suppose l'expression d'un pouvoir fort de l'ouvrier des villes organisé en avant-garde sur le travailleur des campagnes, assimilé aux bourgeois car, selon la machine manichéenne marxiste, il possède les moyens de production – autrement dit quelques ares, ses outils, ses semences... Bakounine sait que l'agriculteur tient à ce petit bout de pouvoir, mais il ne lâche pas la meute prolétarienne urbaine armée dans les champs. En revanche, il envoie des « corps francs » militants appelés à effectuer un travail pédagogique pour expliquer la révolution et dissiper les craintes. Le bourgeois Marx n'aime pas le peuple ; l'aristocrate Bakounine le pare de toutes les vertus. Dans *Etatisme et Anarchie*, Bakounine écrit : « Le peuple n'aura pas la vie plus facile quand le bâton qui le frappera s'appellera populaire ». Nous sommes en 1873. Qu'en pensent les peuples de l'ancien bloc soviétique ?

Bakounine annonce qu'un Etat populaire marxiste serait un despotisme. Quiconque se trouve dans la position de représenter le peuple ou de parler, d'agir pour lui, quitte le peuple, cesse de croire qu'il en fait partie, car il passe du statut de gouverné à celui de gouvernant, de dominé à dominant. Oublieux de la classe dont il provient, tout à la nouvelle classe à laquelle il accède, l'ancien exploité devient un exploiteur, et ce de manière naturelle, car il est de la nature même du pouvoir de corrompre quiconque s'en empare. Cet homme nouveau oublie qu'il agit en qualité de représentant, tout à la reproduction du système qui lui a permis cette promotion.

Ce même homme travaille désormais pour l'Etat qui vit de nationalisme, de frontières, de patriotisme, d'exploitation, de conflits et se nourrit du sang des pauvres. Bakounine prévoit que les représentants de la classe ouvrière une fois parvenus au sommet de l'Etat oublieront leur classe d'origine et travailleront en traîtres à la classe qui, jadis, les opprimait. Cette caste nouvelle se constitue, a-t-il écrit, en entité autonome et indépendante. Sous le régime soviétique, cette oligarchie prévue par Bakounine se nommait *nomenklatura*...

Pour toutes ces raisons, Bakounine l'anarchiste s'oppose au référendum, à la démocratie représentative, au suffrage universel, direct ou indirect, aux chambres représentatives, à l'habituel jeu démocratique. Car cette prétendue démocratie reproduit la séparation entre gouvernants et gouvernés, donc entre exploiteurs et exploités, dominants et dominés, elle empêche la liberté, génère la soumission d'une majorité à une minorité, la servitude de la plus grande partie de la société dépendante des décisions d'une infime minorité dite représentative.

Tant que la démocratie ou l'Etat marxiste se présentent comme les seules formes possibles de vie politique, on maintient dans l'Etat la négativité contre laquelle Bakounine s'élève de toutes ses forces : la discipline, l'ordre, la hiérarchie, la police, l'armée, les tribunaux. Tout cela constitue l'appareil d'Etat disciplinaire. Avec soixante-dix années de régime socialiste marxiste, les prédictions de Bakounine se sont trouvées malheureusement vérifiées...

19

Suite aux prédictions. Récapitulons : le socialisme libertaire de Michel Bakounine s'oppose au socialisme autoritaire de Marx sur au moins sept points. *Un* : sur la dictature du prolétariat, entendue comme dictature d'une minorité du prolétariat sur sa majorité; *deux* : sur la définition économiste des classes sociales au regard de la possession ou non des moyens de production, là où Bakounine retient que la différence se fait entre gouvernants et gouvernés, exploiteurs et exploités, dominants et dominés; *trois*: sur le pouvoir, mauvais dans l'absolu pour l'anarchiste, défendable et nécessaire pour l'autoritaire; *quatre*: sur l'existence d'une dynamique sociale à même d'aller au-delà de la lecture manichéenne du réel scindé en bourgeois et prolétaires; *cinq*: sur la question du peuple : détestation marxiste de l'ouvrier de base, des paysans, du sous-prolétariat et vénération de la seule avant-garde éclairée du prolétariat, en revanche « populisme » au sens russe du terme de Michel Bakounine; *six*: sur l'inévitable trahison consubstantielle à toute représentation politique; *sept*: sur la constitution d'un pouvoir dans le pouvoir avec la naissance, en régime représentatif, d'une oligarchie, autre nom de la nomenklatura.

Ajoutons une nouvelle prédiction : Bakounine veut, souhaite, aspire à la révolution. Y compris sur le mode déraisonnable ou irrationnel du messianisme, du prophétisme. L'anarchiste, optimiste, attend ce qui ne peut pas ne pas advenir : la révolution sociale, nécessairement induite par la paupérisation. Mais si, pour une raison inconnue ou méconnue, la révolution ne se fait pas rapidement, alors Bakounine prévoit l'avènement de la « dictature militaire » d'un Etat militarisé et tout-puissant, agissant de conserve avec l'Eglise pour défendre le capitalisme, l'exploitation des ouvriers et des paysans, la défense « avec une énergie désespérée de l'ordre étatique, juridique, métaphysique, théologique et militaro-policier, considéré comme le dernier rempart qui protège à l'heure actuelle le précieux privilège de l'exploitation économique ». Cette idée exposée dans *Etatisme et Anarchie* (1873) montre que, *huit*, Bakounine avait prévu, outre le devenir totalitaire du marxisme, l'alternative, en cas d'échec de toute révolution sociale, de cet ordre militaro-politique total qui a pris nom de fascisme au XXe siècle !

20

La positivité anarchiste. Formé à l'école de Hegel, Bakounine a tourné casaque philosophique après avoir lu Feuerbach. Encore que *L'Essence du christianisme* nécessite Hegel pour dépasser l'hégélianisme... Le philosophe anarchiste a célébré la positivité de la destruction. Que le négatif prenne sa place dans un processus dialectique conduisant à la production d'une positivité, voilà une façon post-hégélienne de demeurer hégélien... Bakounine détruit, certes, mais pour construire. A la lecture de son œuvre complète, en regardant son œuvre militante sur les barricades, peut-on dire ce que fut la positivité anarchiste ?

Contre la probabilité du despotisme marxiste, et pour éviter la brutalité d'une réaction fasciste (qu'on me permette l'anachronisme conceptuel), Bakounine propose dans *Fédéralisme, Socialisme et Antithéologisme* (1868) et dans *Lettres à un Français* (1870), deux objectifs que notre époque pourrait bien faire siens, au-dessus de la tête d'un XXe siècle de totalitarismes marxistes : la *lutte contre le libéralisme* et la *construction des Etats-Unis d'Europe.* Comment fournir projets plus à même de générer des enthousiasmes au XXIe siècle ?

Dans *Lettres à un Français* on trouve sous sa plume

l'expression « libéralisme bourgeois », dont Bakounine nous donne la formule de manière extrêmement raccourcie mais superbement quintessenciée : « malheur aux faibles ». Qu'est-ce que le programme libéral ? L'enrichissement personnel, quel qu'en soit le coût moral, humain, social ou politique ; la domination du capital sur le travail ; l'usage du commerce à des fins de vol et d'exploitation ; la destruction des petites unités de production par les grandes ; conséquemment, l'augmentation des trusts ; la prolétarisation des masses grâce à leur domination sans partage ; la suppression de tous les savoir-faire d'artisans en même temps que la production d'objets de plus en plus imparfaits. Dirait-on constat de 1870 ?

Formulons dans un langage post-industriel contemporain le constat effectué par Bakounine quand il stigmatise les pleins pouvoirs du libéralisme : triomphe de l'argent roi dans tous les domaines ; rôle cardinal des fonds de pension dans l'économie mondiale ; disparition de toute éthique devant la loi du marché ; concentration des forces productives dans quelques mains invisibles derrière les sociétés écrans ; avènement du règne des multinationales ; rôle des secteurs tertiaires et de l'informatique dans la prolétarisation de la totalité de la population ; destruction de l'artisanat au profit d'un commerce de biens de consommation jetables destinés à entretenir la vitalité du marché capitaliste. Bakounine est un penseur pour aujourd'hui...

Pour en finir avec ce vieux monde capitaliste, Bakounine propose la réalisation des Etats-Unis d'Europe. Quand voit-on apparaître cette idée chez lui ? Et où ? En 1868, dans *Fédéralisme, Socialisme et Antithéologisme.* Que veut-il ? L'abolition des frontières entre les nations, la fin des patries, la disparition des nationalismes (qui génèrent habituellement les guerres, les conflits, la haine, le sentiment cocardier), la dissolution des Etats, de tous les Etats, pour en finir avec le règne de l'argent.

Son projet tient dans le titre de cet ouvrage de 1868 : le fédéralisme contre l'Etat ; le socialisme contre le libéralisme ; l'antithéologisme contre la collusion de l'Eglise chrétienne avec les pouvoirs monarchiques européens. Le tout au profit d'une association contractuelle entre les peuples organisés de manière horizontale, donc anarchiste. Des Etats-Unis d'Europe antilibéraux et libertaires ? Un projet enthousiasmant et toujours d'actualité !

Conclusion

ÉLOGE D'UNE POLITIQUE MINUSCULE

1

Vie et mort des dispositifs collectifs. Une grande partie du XIXe siècle a donc proposé un dispositif hédoniste collectiviste et communautaire en réaction à la proposition utopique libérale d'un bonheur hypothétiquement construit par une main invisible. L'eudémonisme social passe par des dispositifs que les anarchistes nommeront plus tard des *milieux libres* : la commune de Robert Owen, New Lanark, prend la forme d'un village organisé sur le principe socialiste, ou la communauté utopiste (pour Owen : Nouvelle Harmonie aux Etats-Unis, dans l'Indiana, à Hants près de Glasgow; pour Cabet : Nauvoo, la Nouvelle Icarie, dans l'Illinois (1847)...).

Ajoutons à ces dispositifs le plus célèbre d'entre eux, le Phalanstère (Condé-sur-Vesgre le premier, en 1832, mais aussi en Russie, en Roumanie, en Pologne très vite...) qui, à partir des indications laissées par Charles Fourier, justifie des associations qui s'inspirent du philosophe, mais en laissant de côté toute la partie érotique. La contamination par l'exemple escomptée par l'auteur du *Nouveau Monde industriel* n'a pas vraiment eu lieu... Les communautés utopistes ne furent pas plus un succès quand elles se réclamaient d'Owen ou de Cabet que de Fourier...

Dans la meilleure des hypothèses, ces grandes constructions révolutionnaires prévues pour changer la face du monde accouchent de magasins associatifs, de coopératives de production, d'une « Boulangerie véridique » (déficitaire au bout de trois ans...), de centres d'apprentissage autogérés, d'assurances-maladie corporatistes, de caisses de retraite professionnelles, de sociétés de secours mutuel, d'écoles aux pédagogies alternatives. Echecs? Si l'on veut... Encore que...

De fait, quand Petrachevski crée un phalanstère fouriériste pour ses quarante serfs, lesdits serfs ne l'entendent pas de cette oreille et, la veille de l'inauguration, ils mettent le feu au bâtiment; quand les microcommunautés utopistes se déchirent, montrent le visage de l'homme le moins radieux, permettent aux vices de remontrer à la surface quand rien n'interdit qu'on interdise; quand les révolutionnaires qui prônent le partage, la mise en commun, la joie dans le travail, le bonheur de la communauté, le salut dans, par et pour la collectivité, se montrent les plus égoïstes, les plus jalousement propriétaires, les plus envieux, les plus fainéants; quand les défenseurs de l'amour libre et du communisme généralisé se boxent pour une femme ou construisent des clôtures sur leur petit lopin de terre; quand les sociétaires des communautés owénistes profitent de la générosité du fondateur pour vivre aux dépens et aux crochets de la collectivité, on peut, effectivement, conclure à l'échec... Car, effectivement, la réalité de l'eudémonisme social n'a pas été à la hauteur des ambitions de ses promoteurs.

2

Positivité des microsociétés. Mais cet échec se double tout de même paradoxalement d'un succès dans la mesure où ces ateliers, ces laboratoires, malgré leur incapacité à révolutionner la planète entière, à modifier le cours de toute l'humanité, malgré l'inaboutissement des insurrections européennes auxquelles Bakounine a participé, malgré cela donc, ces idées lancées dans le siècle ont fait leur chemin et se sont réalisées au fur et à mesure : le bonheur n'est pas affaire de révolutions immédiates et brutales mais d'évolutions sur de longues durées. Owen et Stuart Mill, Fourier et Bakounine, par exemple, ont produit des effets non négligeables dans l'histoire de l'humanité. Leurs dispositifs eudémonistes n'ont pas été inutiles.

Ce qu'il est convenu d'appeler les acquis sociaux (suffrage universel, réduction du temps de travail, gratuité de la santé, accession à la retraite, solidarités étatiques, éducation nationale gratuite, humanisation des conditions de travail, égalité des hommes et des femmes, interdiction du travail des enfants, émancipation des colonies, etc.) a été conquis de haute lutte, mais leur conquête fut effective.

L'Histoire témoigne, il a fallu en effet des massacres (les vingt mille morts de la Commune), des emprisonnements (Blanqui pendant plus de vingt ans), des déportations (Louise Michel et les communards en Nouvelle-Calédonie), des fusillades (insurrections européennes), des persécutions, mais les idées ont avancé, les dispositifs eudémonistes n'ont pas été inutiles. Le panoptique libéral, les communautés socialistes ou communistes, le phalanstère fouriériste, ces formes grégaires du bonheur des individus réalisé par le groupe, voilà l'un des aspects du XIXe siècle : disons qu'il illustre le versant cénobitique de l'hédonisme.

Ces expériences politiques de laboratoire enseignent une leçon cardinale pour nos temps postmodernes : une microsociété permet de réaliser la révolution ici et maintenant, y compris, et surtout, dans un environnement hostile. Le capitalisme existe, certes, mais dans le cadre même d'une société organisée selon le principe libéral, des caractères bien trempés et des femmes et des hommes aguerris peuvent créer des enclaves, des géographies qui débordent ce cadre, pour mettre en application les idées révolutionnaires auxquelles ils croient. La révolution est donc possible ici et maintenant, pourvu qu'on n'envisage pas tout de suite son internationalisation ! Grandeur de ce que je nommerai une politique minuscule qui suppose, selon le principe de Gulliver, qu'une multitude de petits liens peuvent entraver durablement un géant...

3

Les radicalités existentielles. Or, au même siècle, dans le même temps, l'aspect cénobitique de l'hédonisme qu'est l'*eudémonisme social* se double de son indissociable versant érémitique avec le travail d'une poignée de *figures de la radicalité existentielle*. Ces tempéraments forts tiennent haut le flambeau antique de la vie philosophique, de l'existence incandescente, de la position socratique d'une sculpture de soi, de la recherche de la meilleure forme de vie, de l'adéquation entre soi et soi.

Ces caractères bien trempés jouent Socrate contre Platon, ils veulent le bonheur et l'hédonisme comme des constructions solaires et solitaires, non pas contre le monde, ni forcément loin du monde, mais malgré lui. Ils souhaitent moins changer l'ordre du monde, sans pour autant renoncer à y intervenir, que se changer pour conquérir de haute lutte philosophique une paix, une sérénité, pour tout dire une sagesse.

Pendant que les libéraux annoncent l'avenir radieux grâce à l'augmentation de la richesse des nations ou que, pour répondre à cette utopie, les socialistes et les communistes, sinon les anarchistes, les fouriéristes, peaufinent leurs révolutions et prophétisent le bonheur de l'humanité à l'aide de leurs socialismes atopiques, des figures, des singularités, de grandes individualités contemporaines du dandysme baudelairien, réactualisent Socrate et la dialectique de sa conversation, Diogène et son tonneau, Epicure et la magie de son amitié dans le Jardin, sa frugalité et son ascèse hédonistes, Alcibiade et son panache, les stoïciens et leur culte de la volonté...

Les dispositifs hédonistes changent : loin des grosses machines dangereuses et impossibles à conduire (panoptique ou phalanstère, commune ou communauté), on découvre des appareils minuscules dont le plus radical est la cabane près d'un lac de Thoreau, à Walden Point, près de Concord, dans l'Etat américain du Massachusetts où, auprès d'Emerson et quelques autres *transcendentalistes américains* réunis dans le salon de sa maison, l'auteur de *La Désobéissance civile* produira une œuvre, une pensée et une vie philosophiques édifiantes à plus d'un titre.

Dans ce banquet des radicalités existentielles, nous rencontrerons également Arthur Schopenhauer, au pessimisme affiché dans *Le Monde comme volonté et comme représentation*, mais auteur d'un méconnu *Art du bonheur* qui fait du sombre philosophe un sage optimiste dans la vie. Nous croiserons aussi l'hégélien de gauche Max Stirner et son association d'égoïstes. Et puis, en chef de file de la première déconstruction, Lou Salomé et le cloître nietzschéen rêvé un temps avec Paul Rée. Ou bien encore Jean-Marie Guyau, auteur d'une *Esquisse d'une morale sans obligation ni sanction* qui compta beaucoup pour Nietzsche, une œuvre philosophique d'une comète trop tôt disparue à l'âge de trente-trois ans et pour qui l'éthique était affaire d'augmentation de la puissance d'exister. Un autre XIXe siècle donc...

BIBLIOGRAPHIE

Mandeville ou Flora Tristan ? Le cynisme politique de la pensée libérale s'expose sans honte dans *La Fable des abeilles,* suivie d'*Essai sur la charité et les écoles de charité,* puis de *Défense du livre,* de Bernard Mandeville, deux tomes chez Vrin. Introduction, traduction, index de Lucien et Paulette Carrive. En antidote à cette cruauté libérale, lisons Flora Tristan dont on peut découvrir la vie avec la biographie d'Evelyne Bloch Dano : *Flora Tristan. La femme messie,* Grasset, et l'œuvre avec *Promenades dans Londres ou L'aristocratie et les prolétaires anglais,* François Maspero. Edition de François Bédarida. L'œuvre et la vie se retrouvent chez Dominique Desanti dans *Flora Tristan, vie, œuvre mêlées,* 10x18. Pour l'ambiance socialiste de l'époque : Gian Maria Bravo, *Les Socialistes avant Marx,* trois tomes, Maspero.

*

* *

Grandeurs de l'utilitarisme. Un continent philosophique quasi oublié en France tant la fascination pour l'idéalisme allemand fomenté par l'Université dans les années qui suivent la Révolution française a durablement triomphé pour devenir la loi institutionnelle et le fin mot de l'historiographie dominante. Loin de tout vocabulaire abscons, de toute envolée lyrique idéaliste, dans le souci des choses prochaines, une poignée de penseurs anglais – Godwin, Bentham, Mill, Sidgwick, Moore – pose les bases d'une autre façon de philosopher qui déborde les portes de la faculté.

D'où l'intérêt majeur du formidable livre d'Elie Halévy intitulé *La Formation du radicalisme philosophique,* trois volumes. Tome 1 : *La Jeunesse de Bentham (1776-1789)*; tome 2 : *L'Evolution de la doctrine utilitaire de 1789 à 1815*; tome 3 : *Le Radicalisme philosophique,* Alcan 1901, réédition PUF 1995. On complétera avec une tout aussi excellente initiative de Monique Canto-Sperber qui dirige la collection « Philosophie morale », en lisant : Catherine Audard, *Anthologie historique et critique de l'utilitarisme.* Tome 1 : *Bentham et ses précurseurs (1711-1832)*; tome 2 : *L'Utilitarisme victorien (1838-1903)*; tome 3 : *L'Utilitarisme contemporain,* PUF, 1999.

*

* *

Godwin, pasteur et anarchiste ? L'*Enquête sur la justice politique et son influence sur la morale et le bonheur d'aujourd'hui,* a été publié en 2005 dans une traduction de Denise Berthaud et Alain Thévenet à l'Atelier de création libertaire. Travail considérable avec un minimum de notes. J'ai rédigé la préface en présentant Godwin moins comme l'inventeur de l'anarchisme que comme un protoanarchiste ayant servi à constituer quelques années plus tard un corpus réellement anarchiste. Pour disposer d'un exemple d'historiographie anarchiste, voire le (mauvais) « Que sais-je ? » d'Henri Arvon, *L'Anarchisme,* PUF, 1951. On se demande si Arvon a jamais lu Godwin... Scie musicale des historiens de l'anarchisme.

Alain Thévenet est le spécialiste de Godwin, auquel il a consacré une grande partie de sa vie. On lui doit aussi une biographie et analyse critique : *William Godwin. Des Lumières à l'anarchisme,* Atelier de création libertaire, 2002, et une anthologie préfacée : *William Godwin et l'euthanasie du gouvernement,* Atelier de création libertaire, 1993. Je dois une partie de mes renseignements à ces deux ouvrages mais aussi et surtout à Henri Roussin, *William Godwin,* Plon, 1913, un ouvrage que je n'ai trouvé cité dans aucune bibliographie d'Alain Thévenet.

De Godwin encore, une édition quasi confidentielle de *Des domestiques,* suivi de *Du choix des lectures,* Alidades, L'Impertinent, traduction Emmanuel Malherbet, 32 pages dont une poignée, redoutables, consacrées au domestique. J'y prélève cette seule phrase : « Sa perfection vient à l'achèvement quand il est une véritable machine ». Godwin, père de l'anarchisme, ah oui, vraiment ?

Enfin, un fascicule aux éditions « Pensée et action », Bruxelles, 1953 : *William Godwin (1756-1836). Philosophe de la justice et de la liberté,* des interventions d'obscurs inconnus dans la mouvance anarchiste – G. Woodcock, A. Prunier, H. Salt, J. Cello, C. Zaccaria, J. Garcia Pradas et, plus célèbre, Hem Day. Rien de transcendant ni d'indépassable. Intéressants textes de Kropotkine extraits de son œuvre et concernant Godwin, présenté sans surprise comme le « premier théoricien du socialisme sans gouvernement, c'est-à-dire de l'anarchie »...

*

* *

Jeremy Bentham, l'utopiste libéral. J'ai trouvé en librairie d'occasion *Déontologie,* l'édition originale de 1834 effectuée par John Bowring, traduction de Benjamin Laroche, parue chez Charpentier ; elle a servi de base à l'édition préfacée par François Dagognet pour Encre Marine en 2006. Bouquinistes aussi pour *La Religion naturelle,* Germer Baillière, 1875, édition de George Grote, traduit de l'anglais par E. Cazelles ; pour *Tactique des assemblées législatives* suivie d'un *Manuel des sophismes politiques,* ouvrage en deux tomes extraits des manuscrits par E. Dumont, édition Bossange Frères, 1822 ; *Théorie des peines et des récompenses,* Elibron

Classics, édition de Dumont, Tomes 1 et 2; *Principes de législation et d'économie politique*, abondance de renseignements biographiques dans les soixante et onze pages de la préface de S. Raffalovitch.

Les rééditions partent un peu dans tous les sens et chez tous les éditeurs suivant l'intérêt idéologique ponctuel du responsable de l'édition. Version gauchiste – ma préférence : *Le Panoptique* précédé de « L'œil du pouvoir », un entretien avec Michel Foucault, et suivi d'une postface de Michelle Perrot, « L'inspecteur Bentham », chez Belfond, 1977. On lira évidemment le chapitre intitulé « Le panoptisme » dans *Surveiller et Punir* de Michel Foucault, Gallimard, 1975.

Version homosexuelle : *Essai sur la pédérastie*, traduction par Jean-Claude Bouyard pour Question de genre, 2003, du texte édité par Louis Crompton dans *Journal of Homosexuality*, vol. III, 4&IV, 1978. Préface déconnectée du contexte philosophique utilitariste et des raisons attenantes. D'où la mécompréhension du faux paradoxe d'un Bentham fustigeant l'homosexualité tout en travaillant à sa dépénalisation.

Version libérale : *Garanties contre l'abus de pouvoir et autres écrits sur la liberté politique*, notamment *Emancipez vos colonies !*, pour le compte des éditions « Rue d'Ulm » avec une préface de Marie-Laure Leroy, normalienne, agrégée, docteur, etc. Bentham en défenseur des libertés civiles, de la liberté de la presse, de la démocratie représentative, un « libéral » comme les normaliens les aiment... Aux antipodes d'un Foucault, bien sûr.

Version lacano-linguistique : les travaux de Jean-Pierre Clero, qui se démène comme un beau diable pour traduire un Bentham iconisé par Lacan, parasité par la philosophie analytique du langage. D'où les éditions de *Fragment sur le gouvernement* suivi de *Manuel de sophismes politiques*, Bruylant, L.G.G.D.J., 1996; *De l'ontologie*, Seuil, 1997, traduit et commenté avec Christian Laval; puis *Chrestomathia*, Cahiers de l'Unebévue, 2004.

Version sorbonagre : sur le philosophe, et plus particulièrement sous l'angle économique, un rapide *Jeremy Bentham, les artifices du capitalisme*, par Christian Laval, PUF, 2003, soft. Des actes du colloque de Genève en 1990, *Regards sur Bentham et l'utilitarisme*, collectif publié par Kevin Mulligan et Robert Roth, Librairie Droz, 1993. On y trouve des renseignements sur Dumont, le pasteur éditeur et metteur au point des textes du philosophe, et un résumé du travail anti-utilitariste d'Alain Caillé – qui fut mon éphémère professeur dans une valeur obligatoire de sociologie à l'Université de Caen –, « Utilitarisme et anti-utilitarisme », le courant du M.A.U.S.S. (Mouvement Anti-Utilitariste dans les Sciences Sociales) qui fustige l'utilité au nom du don chez Mauss, Marcel, une position qui permet à quelques chrétiens de pester contre Bentham au nom du don et du contre-don. L'égoïsme du méchant utilitariste contre la bonté catholique de l'amour du prochain, remake d'un grand classique. Alain Caillé oppose « l'aimance » (!) au principe d'utilité...

Récents travaux plus spécifiquement consacrés à la philosophie du droit : Xavier Bebin, *Pourquoi punir ? L'approche utilitariste de la sanction pénale*, L'Harmattan, 2006, quelques pages sévères contre la lecture faite par Foucault du panoptique. Et Guillaume Tusseau, *Jeremy Bentham et le Droit constitutionnel. Une approche de l'utilitarisme juridique*, L'Harmattan, 2001. Une lecture libérale de Bentham inventeur de l'Etat constitutionnel contemporain – quid du panoptique ?

Remarquons que l'utilitarisme hédoniste et le travail sur l'éthique développée dans *Déontologie*, la partie la plus révolutionnaire de l'œuvre de Bentham à mes yeux, reste lettre morte d'un point de vue bibliographique, voire éditorial – en dehors de la réédition que j'ai initiée pour Encre Marine. L'ouvrage propose une réelle alternative à la morale chrétienne et kantienne, probablement une partie de l'explication de cet oubli...

*

* *

John Stuart Mill le romantique. Pas de biographie en langue française mais une *Autobiographie* traduite par Guillaume Villeneuve pour Aubier. On y découvre un Mill plus philosophe romantique, fragile, féministe, socialiste, amoureux, fils douloureux de son père, que penseur de l'économie politique libérale. Ce dernier Mill se découvre avec *Sur la définition de l'économie politique, et sur la méthode d'investigation qui lui est propre*, introduction Guy Bensimon, traduction Christian Leblond pour l'éditeur Michel Houdiard. Voir également *Essais sur Tocqueville et la société américaine*, Vrin. On lira également, pour le Mill politique, *Le Gouvernement représentatif*, traduction Dupont White pour Guillaumin, 1865.

On évitera de faire de Mill un strict disciple de Bentham en ne se contentant pas de faire référence à *L'Utilitarisme* et en lisant également l'*Essai sur Bentham* présenté, traduit et annoté par Catherine Audard et Patrick Thierry pour PUF Quadrige. Un règlement de comptes clair et net de Mill avec Bentham... A mes yeux, le grand Mill – qui plaît parfois tant aux libertaires... – se trouve dans *De la liberté*, traduction Gilbert Ross, éditions du Grand Midi, et dans *L'Asservissement des femmes*, traduction Marie-Françoise Cachin, Petite Bibliothèque Payot. Un libertaire, au sens large du terme, et un féministe convaincu... Pour accéder au philosophe de la connaissance : *La Logique des sciences morales*, traduction Gustave Belot, Librairie Delagrave.

On pourra également lire *La Nature*, traduction Estiva Reus, La Découverte, mais en évitant la présentation, la postface, puis le lexique de Francisco Varerga, un personnage malhonnête qui, dans *Les Fondements philosophiques du libéralisme. Libéralisme et éthique*, La Découverte, écrit sans vergogne que *Déontologie* de Bentham « a été frauduleusement présenté comme une "œuvre posthume" de Bentham » et récidive en faisant du *Panoptique* un projet du frère dont Bentham ne saurait en aucun cas être tenu pour responsable... Ou comment éviter la question hédoniste et la question du régime policier chez Bentham afin de faire du libéralisme une pensée sainte...

*
* *

Owen, le patron inventeur du socialisme. Une biographie d'Edouard Dolléans, *Robert Owen*, a été publiée en 1905 à la Société Nouvelle de Librairie et d'Edition. Elle est suivie de la traduction du texte intitulé *Le Catéchisme du nouveau monde moral*. Du même Dolléans, historien du mouvement ouvrier, on lira *Le Chartisme (1831-1848). Aurore du mouvement ouvrier*, Les Nuits Rouges, 2003. Les Editions sociales ont publié en leur temps des Morceaux choisis de Robert Owen sous la direction de M. Morton. Les traductions de *Une nouvelle vision de la société ou Essai sur le principe de formation du tempérament de l'homme et sur la mise en pratique de ce principe* (1813-1816) ainsi que des *Conférences sur les mariages religieux dans le vieux monde immoral* (1835) sont inédites. Elles ont été réalisés par Magali Fleurot. Du fils : Robert Dale Owen, *Esquisse d'un système d'éducation dans les écoles de New Lanark*, traduction Desfontaines pour le compte des éditions Lugan en 1825.

Un ouvrage ancien : de Louis Reybaud, *Etudes sur les réformateurs ou socialistes modernes*, Guillaumin, 1864 : tome 1 consacré à Saint-Simon, Fourier, Owen, Comte, tome 2 au socialisme, au chartisme, aux communistes, aux « utilitaires » aux « humanitaires » et aux... « mormons » ! Plus récemment : Serge Dupuis, *Robert Owen, socialiste utopique (1771-1858)*, éditions du CNRS, 1999.

*
* *

Fourier et l'orgasme attractif. Deux biographies : une pour les courageux, six cents pages, *Fourier. Le visionnaire et son monde*, de Jonathan Beecher, Fayard (1993), traduit de l'américain par Hélène Perrin et Pierre-Yves Pétillon ; une autre de deux cent cinquante pour les lecteurs pressés : Emile Lehouck, *Vie de Charles Fourier. L'homme dans sa vérité*, Denoël-Gonthier, 1978.

L'œuvre complète est parue en douze volumes aux éditions Anthropos (1966-1968) sous la direction de Simone Debout à laquelle on doit également un *« Griffe au nez ou donner have ou art ». Ecriture inconnue de Charles Fourier*, Anthropos, 1974... Dans la veine du Fourier extravagant, voir de Michel Nathan *Le Ciel des fouriéristes. Habitants des étoiles et réincarnations de l'âme*, Presses Universitaires de Lyon (1981).

Pour les impatients que les six mille pages d'œuvre complète désarment, on se rabattra sur les choix de textes et autres anthologies. Daniel

Guérin en a réalisé une excellente sous le titre *Vers la liberté en amour*, Idées Gallimard, 1975. René Schérer, grand fouriériste par-devant Dieu, a publié *Charles Fourier ou la contestation globale*, Séguier (1996). On lira du même auteur *Pari sur l'impossible. Etudes fouriéristes*, Presses Universitaires de Vincennes ((1989) et *Utopies nomades. En attendant 2002*, Séguier (1996) – ou comment être fouriériste en l'an 2000 ! Schérer a également préfacé un choix de textes paru sous le titre *L'Ordre subversif* pour Aubier Montaigne en 1972. Jean Goret, quant à lui, signait la postface. On doit à ce dernier *La Pensée de Fourier*, Presses Universitaires de France, 1974.

De Jacques Debu-Bridel, *L'Actualité de Fourier. De l'utopie au fouriérisme appliqué*, éditions France-Empire, 1978 : Fourier présenté comme « une troisième voie » par... un homme qui commença à l'Action française, fut résistant et finit gaulliste de gauche ! Le même réalisa une anthologie sous le titre *Fourier* pour les éditions Traits en 1947. Introduction bien faite et très synthétique. Après Mai 68, Fourier fut repensé à l'ombre des barricades. Ce qui donna : Barthes, *Sade, Fourier, Loyola*, Seuil, 1971, et un travail universitaire (bien fait) de Pascal Bruckner, *Fourier*, 1975.

*

* *

L'ogre Bakounine. Biographie laborieuse de Madeleine Grawitz, *Michel Bakounine*, Plon. On sent l'agrégée de droit public et la prof à Sciences-Po... 620 pages de détails superflus où l'on fait davantage la biographie extrêmement détaillée des Internationales et des mouvements ouvriers que le réel portrait intellectuel, culturel, philosophique de Bakounine, dont on effleure en passant l'homosexualité présentée à plusieurs reprises comme une hypothèse jamais vérifiée ni même analysée. Le choix, dans les notes en bas de page, de citations d'analyses psychanalytiques ridicules ne dispensait pas la biographe de proposer son abord psychologique du personnage – avec plus de six cents pages, il y avait la place... – qui fait complètement défaut.

Les *Œuvres complètes* de Bakounine existent en huit volumes aux éditions Champ Libre. Mais les *Confessions* ne s'y trouvent pas... Pas si complètes que ça, donc. On les lira dans l'édition des PUF, traduction Paulette Brupbacher, avec un avant-propos de Boris Souvarine et des notes de Max Nettlau. On peut lire en éditions séparées, *Fédéralisme, Socialisme, Antithéologisme*, L'Age d'homme, Lausanne. *Dieu et l'Etat*, avec une préface d'Elisée Reclus et Cafiero, « A la brochure mensuelle ». Ou des extraits : *Le Socialisme libertaire. Contre les despotismes*, une anthologie réalisée par Fernand Rude pour Denoël Médiations et *Le Sentiment sacré de la révolte*, édition Les Nuits rouges, recueil d'Etienne Lesourd.

Le conflit Marx/Bakounine fait l'objet de deux volumes extrêmement bien faits en 10 x 18 : *Socialisme autoritaire ou libertaire*, deux volumes de textes commentés sur les relations tumultueuses entre les deux hommes, les deux pensées, les deux façons de concevoir le monde ouvrier – et le monde tout court... Le même éditeur a publié un autre très beau livre d'Arthur Lehning intitulé *Michel Bakounine et les autres* : les rapports avec Proudhon, Marx, Wagner, Michelet, Kropotkine, Malatesta. Précieux pour restaurer la figure de l'homme, du penseur, du révolutionnaire, du tempérament. Gaston Leval a effectué une honnête synthèse avec *La Pensée constructive de Bakounine*, Spartacus.

LA CONSTELLATION HÉDONISTE	LA CONSTELLATION IDÉALISTE
	1714 : Mandeville ; La Fable des abeilles.
	1723 : Mandeville ; Essai sur la charité.
	1724 : naissance de Kant.

1744 : Piranèse grave Les Prisons.

15 février 1748 : naissance de Jeremy Bentham.	
3 mars 1756 : naissance de William Godwin.	
	1762 : naissance de Fichte.
	1770 : naissance de Hegel.
14 mai 1771 : naissance de Robert Owen.	
7 avril 1772 : naissance de Charles Fourier.	

1774-1779 : Nicolas Ledoux, Arc-et-Senans.

	1781 : Kant, Critique de la raison pure.
	1784 : Kant, Qu'est-ce que les Lumières ?
1785 : Bentham, *Essai sur la pédérastie.*	*1785 : Kant,* Fondement de la métaphysique des mœurs.
	1788 : Kant, Critique de la raison pratique.
1789 : Bentham, *Introduction aux principes de morale et de législation.*	

1789, prise de la Bastille.

4 août 1789 : abolition des privilèges.

26 août : Déclaration des droits de l'homme.

	1790 : Kant, Critique de la faculté de juger.

1793 : décapitation de Louis XVI.

1793 : Godwin, *Enquête sur la justice.*

1793 : Condorcet, *Esquisse d'un tableau historique des progrès de l'esprit humain.*

1793 : Bentham, *Emancipez vos colonies !*	*1793 : Kant,* La Religion dans les limites de la simple raison.

1794 : Godwin, *Caleb Williams.*
1793 : Owen, expérience de New Lanark.

27 juillet 1794 : Thermidor, mort de Robespierre.

1794 : Fichte, Principes de la doctrine de la science.

30 mars 1796 : insurrection des Egaux.

1796 : Kant, Métaphysique des mœurs. Doctrine du droit.
1797 : Kant, Doctrine de la vertu.

4 septembre 1797 : coup d'Etat du Directoire.

1798 : Fichte, Système de l'éthique.
1798 : Schelling, L'Ame du monde.

10 novembre 1799 : coup d'Etat de Bonaparte.

1800 : Fichte, La Destination de l'homme.
1800 : Schelling, Système de l'idéalisme transcendantal.
1802 : Hegel, Foi et Savoir.
1804 : mort de Kant.

1804 : Napoléon empereur.

1804 : naissance de Feuerbach.

1804 : Schelling, Philosophie et Religion.

20 mai 1806 : naissance de John Stuart Mill.

1806 : bataille d'Iéna.

1806 : Fichte, Initiation à la vie bienheureuse.
1807 : Hegel, Phénoménologie de l'esprit.
1807-1809 : Fichte, Discours à la nation allemande.

1808 : Fourier, *Théorie des quatre mouvements.*

1809 : Schelling, Recherches philosophiques sur la liberté humaine.

1809 : bataille de Wagram.

1812 : Hegel, La Science de la logique.

1812 : Napoléon, campagne de Russie.

1813 : naissance de Kierkegaard.

1813 : Goya, Les Désastres de la guerre.

1813 : Owen, *Une vision nouvelle de la société.*
1814 : Bentham, *Chrestomathie.*

1814 : mort de Fichte.

18 mai 1814 : naissance de Michel Bakounine.

1815 : Bataille de Waterloo.
Les Cent-Jours.
1816 : Niepce, première image photo négative.

1816 : Owen, *Adresse aux habitants de New Lanark.*

1817 : Hegel, Encyclopédie.
1818 : naissance de Marx.
1821 : Hegel, Principes de la philosophie du droit.

1822 : Fourier, *Traité de l'association domestique agricole.*
1824 : Bentham, *Le Livre des sophismes.*
1er mai 1825 : inauguration de New Harmony, communauté owéniste aux Etats-Unis.
Printemps 1827 : fin de New Harmony.
1829 : Fourier, *Le Nouveau Monde industriel et sociétaire.*

1831 : mort de Hegel.

6 juin 1832 : mort de Bentham.

1832 : Hegel, Leçons sur l'histoire de la philosophie.

1834 : Owen, *Le Nouveau Monde moral.*
1835 : Fourier, *La Fausse Industrie.*
1835 : Owen, *Conférences sur les mariages religieux dans le vieux monde immoral.*
7 avril 1836 : mort de Godwin.
10 octobre 1837 : mort de Charles Fourier.
Fourier, *Le Nouveau Monde amoureux*, manuscrit posthume.
1838 : Owen, *Catéchisme du nouveau monde moral.*
1838 : John Stuart Mill, *Essai sur Bentham* (anonyme en revue, sous son nom en 1840).

1840 : Proudhon, Qu'est-ce que la propriété ?

1841 : Feuerbach, *L'Essence du christianisme.*	*1841 : Marx,* Contribution à la critique de la philosophie du droit de Hegel.
1842 : Bakounine, *La Réaction en Allemagne. Notes d'un Français.*	
1842 : Flora Tristan, *Promenades dans Londres.*	
1843 : parution posthume de *Déontologie.*	
1843 : Mill, *Système de logique.*	*1843 : Kierkegaard,* Ou bien... ou bien...
	1843 : Kierkegaard, Crainte et Tremblement.
1844 : naissance de Nietzsche.	
	1844 : Marx, Manuscrits de 1844.
	1844 : Kierkegaard, Le Concept de l'angoisse.
	1845-46 : Marx, L'Idéologie allemande.
1845 : Feuerbach, *L'Essence de la religion.*	
1846 : Feuerbach, *Contre le dualisme du corps et de l'âme.*	*1846 : Kierkegaard, Post-Scriptum.*
	1848 : Marx, Manifeste du parti communiste.
	1848, Kierkegaard, Discours chrétiens.
	1848, Auguste Comte, Discours sur l'ensemble du positivisme. désespoir.
1849 : Owen, *La Révolution dans l'esprit et dans la pratique de la race humaine.*	*1849, Kierkegaard,* Traité du désespoir.
1850 : Feuerbach, *La Révolution et les sciences naturelles.*	
1851 : Bakounine, *Confessions.*	*1851 : Comte,* Système de politique positiviste.
	1852 : Comte, Catéchisme positiviste.
1854 : Mill commence son *Autobiographie.*	
	1855 : mort de Kierkegaard.
1857 : Feuerbach, *Théogonie.*	
17 novembre 1858 : mort de Robert Owen.	
1859 : Mill, *La Liberté.*	*1859 : Marx,* Critique de l'économie politique.

1859 : Darwin, L'Origine des espèces.

1863 : Mill, *L'Utilitarisme.*

1866 : apparition du mot « écologie » chez Haeckel.

1867 : Marx, Le Capital.

1869 : Mill, *De l'asservissement des femmes.*

1870 : dogme de l'infaillibilité papale.

1870 : Bakounine, *Lettres à un Français.*
1870 : Bakounine écrit *Dieu et l'Etat.*
1870 : Bakounine, *La Science et la question de la révolution.*
1871 : Bakounine, *Trois conférences aux ouvriers du Val de Saint-Imier.*
1872 : Bakounine, *Fédéralisme, Socialisme et Antithéologisme.*
15 septembre 1872 : mort de Feuerbach .
7 mai 1873 : mort de John Stuart Mill. Parution de son *Autobiographie.*
1873 : Bakounine, *Etatisme et Anarchie.*

1er juillet 1876 : mort de Michel Bakounine.

1893 : mort de Marx.

INDEX

DU MÊME AUTEUR

PHYSIOLOGIE DE GEORGES PALANTE, *Portrait d'un nietzschéen de gauche*, Grasset, 2002.

LE VENTRE DES PHILOSOPHES, *Critique de la raison diététique*, Grasset, 1989. LGF, 1990.

CYNISMES, *Portrait du philosophe en chien*, Grasset, 1990. LGF.

L'ART DE JOUIR, *Pour un matérialisme hédoniste*, Grasset, 1991. LGF, 1994.

L'ŒIL NOMADE, *La peinture de Jacques Pasquier*, Folle Avoine, 1993.

LA SCULPTURE DE SOI, *La morale esthétique*, Grasset, 1993 (Prix Médicis de l'essai). LGF, 1996.

ARS MORIENDI, *Cent petits tableaux sur les avantages et les inconvénients de la mort*, Folle Avoine, 1994.

LA RAISON GOURMANDE, *Philosophie du goût*, Grasset, 1995. LGF, 1997.

MÉTAPHYSIQUE DES RUINES, *La peinture de Monsu Desiderio*, Mollat, 1995.

LES FORMES DU TEMPS, *Théorie du sauternes*, Mollat, 1996.

POLITIQUE DU REBELLE, *Traité de résistance et d'insoumission*, Grasset, 1997. LGF, 1999.

A CÔTÉ DU DÉSIR D'ÉTERNITÉ, *Fragments d'Egypte*, Mollat, 1998.

THÉORIE DU CORPS AMOUREUX, *Pour une érotique solaire*, Grasset, 2000. LGF, 2001.

ANTIMANUEL DE PHILOSOPHIE, *Leçons socratiques et alternatives*, Bréal, 2001.

ESTHÉTIQUE DU PÔLE NORD, *Stèles hyperboréennes*, Grasset, 2002, LGF, 2004.

L'INVENTION DU PLAISIR, *Fragments cyrénaïques*, LGF, 2002.

CÉLÉBRATION DU GÉNIE COLÉRIQUE, *Tombeau de Pierre Bourdieu*, Galilée, 2002.

SPLENDEUR DE LA CATASTROPHE, *La peinture de Vladimir Vélikovic*, Galilée, 2002.

LES ICÔNES PAÏENNES, *Variations sur Ernest Pignon-Ernest*, Galilée, 2003.

ARCHÉOLOGIE DU PRÉSENT, *Manifeste pour l'art contemporain*, Grasset-Adam Biro, 2003.

FÉERIES ANATOMIQUES. *Généalogie du corps faustien*, Grasset, 2003, LGF, 2004.

EPIPHANIE DE LA SÉPARATION, *La peinture de Gilles Aillaud*, Galilée, 2004.

LA COMMUNAUTÉ PHILOSOPHIQUE, *Manifeste pour l'Université populaire*, Galilée, 2004.

TRAITÉ D'ATHÉOLOGIE. *Physique de la métaphysique*, Grasset, 2005.

LA PUISSANCE D'EXISTER, *Manifeste hédoniste*, Grasset, 2006.

THÉORIE DU VOYAGE, *Poétique de la géographie*, Biblio Essais, 2006.
SUITE À LA COMMUNAUTE PHILOSOPHIQUE, Galilée, 2006.
TRACES DE FEUX FURIEUX, *La Philosophie féroce*, tome 2, Galilée, 2006.
LA SAGESSE TRAGIQUE. *Du bon usage de Nietzsche*, LGF, 2006.
FIXER DES VERTIGES. *Les photographies de Willy Ronis*, Galilée, 2007.

Journal hédoniste :

I. LE DÉSIR D'ÊTRE UN VOLCAN, Grasset, 1996. LGF, 1998.
II. LES VERTUS DE LA FOUDRE, Grasset, 1998. LGF, 2000.
III. L'ARCHIPEL DES COMÈTES, Grasset, 2001. LGF, 2002.
IV. LA LUEUR DES ORAGES DÉSIRÉS, Grasset, 2007.

Cet ouvrage a été imprimé par

FIRMIN DIDOT

GROUPE CPI

Mesnil-sur-l'Estrée

pour le compte des Éditions Grasset
en avril 2008

Imprimé en France
Dépôt légal : avril 2008
N° d'édition : 15282 – N° d'impression : 89934